碑林

陕西出版资金资助项目

（珍藏版）

刻在石头上的历史

An Illustration to Vicissitudes of
Xi'an Beilin Museum over Nine Hundred Years

风雨沧桑九百年

图说|西安碑林

碑石（中唐—民国）

赵力光　编著

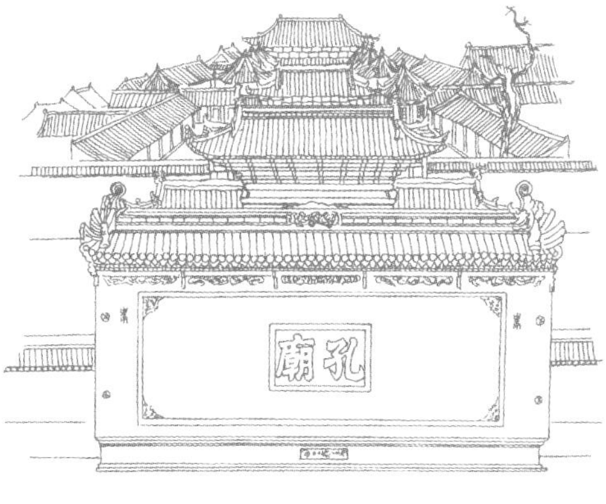

西北大学出版社

图书在版编目(CIP)数据

风雨沧桑九百年：图说西安碑林．碑刻．中唐—民国：珍藏版 / 赵力光编著．--西安：西北大学出版社，2017.11（2023.4 重印）
ISBN 978-7-5604-3794-1

Ⅰ．①风… Ⅱ．①赵… Ⅲ．①碑刻—介绍—西安 Ⅳ．①K877.42

中国版本图书馆 CIP 数据核字（2017）第 276317 号

风雨沧桑九百年：图说西安碑林（珍藏版）

碑石（中唐—民国）

赵力光 编著

西北大学出版社出版发行

（西北大学内 邮编：710069 电话：029-88302621 88303593）

全国新华书店经销 西安奇良海德印刷有限公司印刷

开本：787 毫米×1092 毫米 1/16 印张：14

2017 年 11 月珍藏版 2023 年 4 月第 5 次印刷

字数：112 千字

ISBN 978-7-5604-3794-1 定价：86.00 元

目　录

［中唐］

中唐

三坟记碑·栖先茔记碑

魏晋以来，迄至初唐，书法以真、行、草为大宗，篆书逐渐减少，而唐代李阳冰一出，使几乎已成为绝响的篆书又迸发出勃勃生机。历来对李阳冰的赞誉不胜枚举，如唐代吕总《续书评》称："阳冰篆书，若古钗倚物，力有万钧。李斯之后，一人而已。" 唐代窦臮《述书赋》有云："识者谓之仓颉后身。"北宋《宣和书谱》称："有唐三百年以篆称者，惟阳冰独步。"清孙承泽《庚子销夏记》评："篆书自秦汉而后，推李阳冰为第一手。"诸如此类的誉词把李阳冰推到了一个前可与小篆之祖李斯并驾，后再无来者的至高地位上。斗转星移一千余年后，尚有两方李阳冰的篆书碑石《三坟记碑》和《栖先茔记碑》珍藏于西安碑林博物馆，可供世人摩挲品读，实为一件幸事。

《三坟记碑》《栖先茔记碑》均刻于唐大历二年（767），均为李季卿撰文，李阳冰书写。原石立于唐长安城凤栖原。

《三坟记碑》螭首龟趺，螭首已残。碑身残高 160 厘米，宽 80 厘米，厚 25 厘米。碑身中部横断，左上角残损。碑文刻于两面，碑阳 13 行，碑阴 11 行，满行 20 字，篆书。无碑题，首行为"先侍郎之子曰"，是撰者李季卿自谓。碑文记述了他三位兄长的仕途经历、所遗文集及改迁三坟之事。

《栖先茔记碑》螭首方座，螭首亦残。碑身残高 173 厘米，宽 80 厘米，厚 25 厘米。碑身中部斜向断裂，左上角残损。碑题"栖先茔记"。碑文 14 行，满行 26

三坟记碑

字，篆书。碑文主要记叙了李季卿的父亲和三位兄长的生平，以及由霸陵迁葬凤栖原的原委。李季卿之父李适之于唐开元二十三年（735）去世，本安葬于霸陵，不料此后十来年间三位兄长相继离世。方士邵权以为，灞河岸不适宜安葬，于是在凤栖原另选茔址，迁先茔于此。

书者李阳冰，字少温，约生于唐开元年间（713—741），卒于贞元初年。历任国子监丞、集贤院学士、将作少监、秘书少监，世称“李监”。李阳冰的一生没有辉煌的宦迹和显赫的大功名，倒是他作为大诗人李白的族叔，曾济困李白的一段往事，令人津津乐道。唐上元二年（761），晚年的李白穷困潦倒，从金陵来到当涂，投奔这位小自己十来岁的族叔。李阳冰则气度轩朗，竭力相助，使李白晚年终于有了一个栖身之所和归宿之地。宝应元年（762），李白一病不起，在病榻中将自己的诗文草稿交给李阳冰，请他编辑作序。后来李阳冰将其诗文辑成《草堂集》十卷，并为之作序。

从书法艺术上看，《三坟记碑》和《栖先茔记碑》历来被误认为是宋代重刻之石，使其价值大打折扣。近年来有学者从《栖先茔记碑》碑侧唐人题字、二碑形制、碑侧纹饰等方面详加考释，证明了此二石当为“唐刻原石”。

《三坟记碑》的篆书以瘦劲取胜，结体修长均衡，用笔苍劲旷达、骨力弥坚。清刘熙载《书概》从动笔技巧评之：“李阳冰篆活泼飞动，全由力能举其身。一切书皆以身轻为尚，然除却长力，别无轻身法也。”此即所谓“举重若轻”之意。李阳冰篆书线条细劲，却有千钧之力，飞动若神。而李白在论及族叔的书法和文学成就时，曾赋诗《夜登采石献从叔当涂宰阳冰》曰：“落笔洒篆文，崩云使人惊。吐辞又炳焕，五色罗华星。”其恰如其分地道出了世人观李阳冰篆书和词章的感受，体现了李阳冰在书法和文学上极高的造诣。

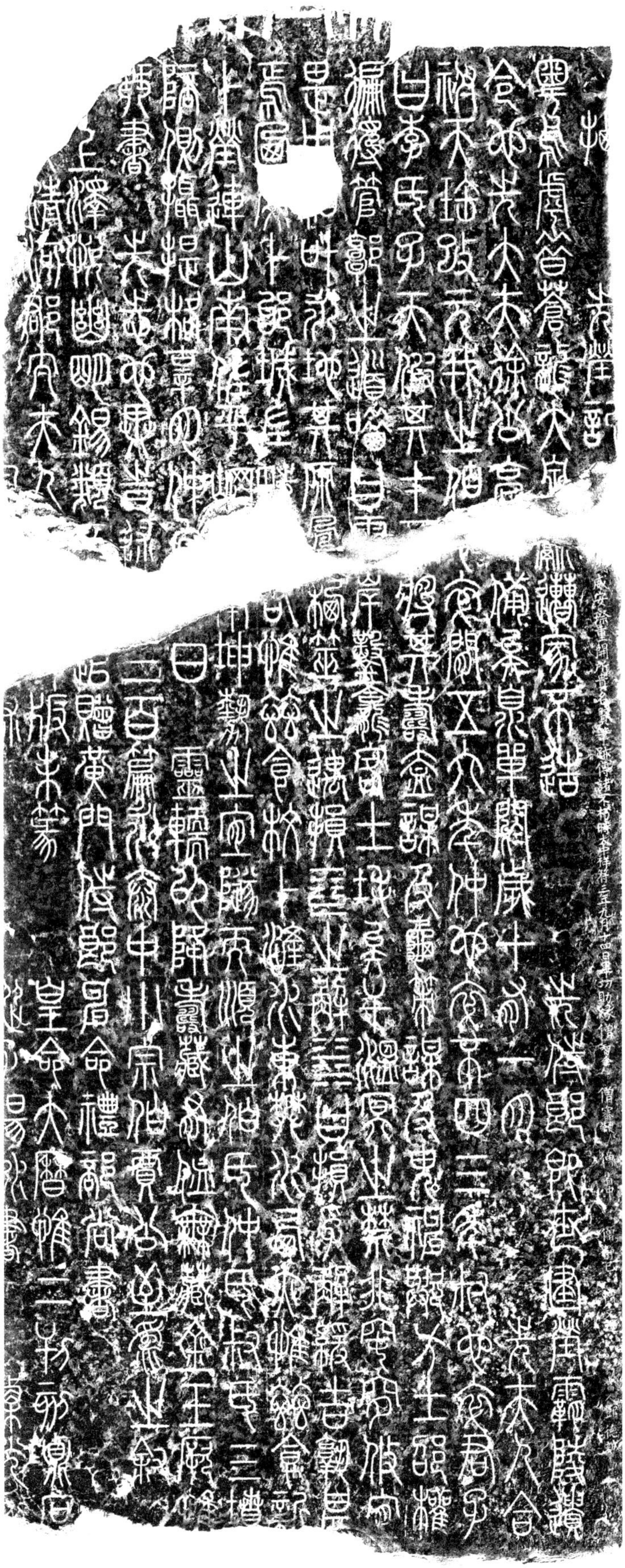

栖先茔记碑（碑阳）拓片

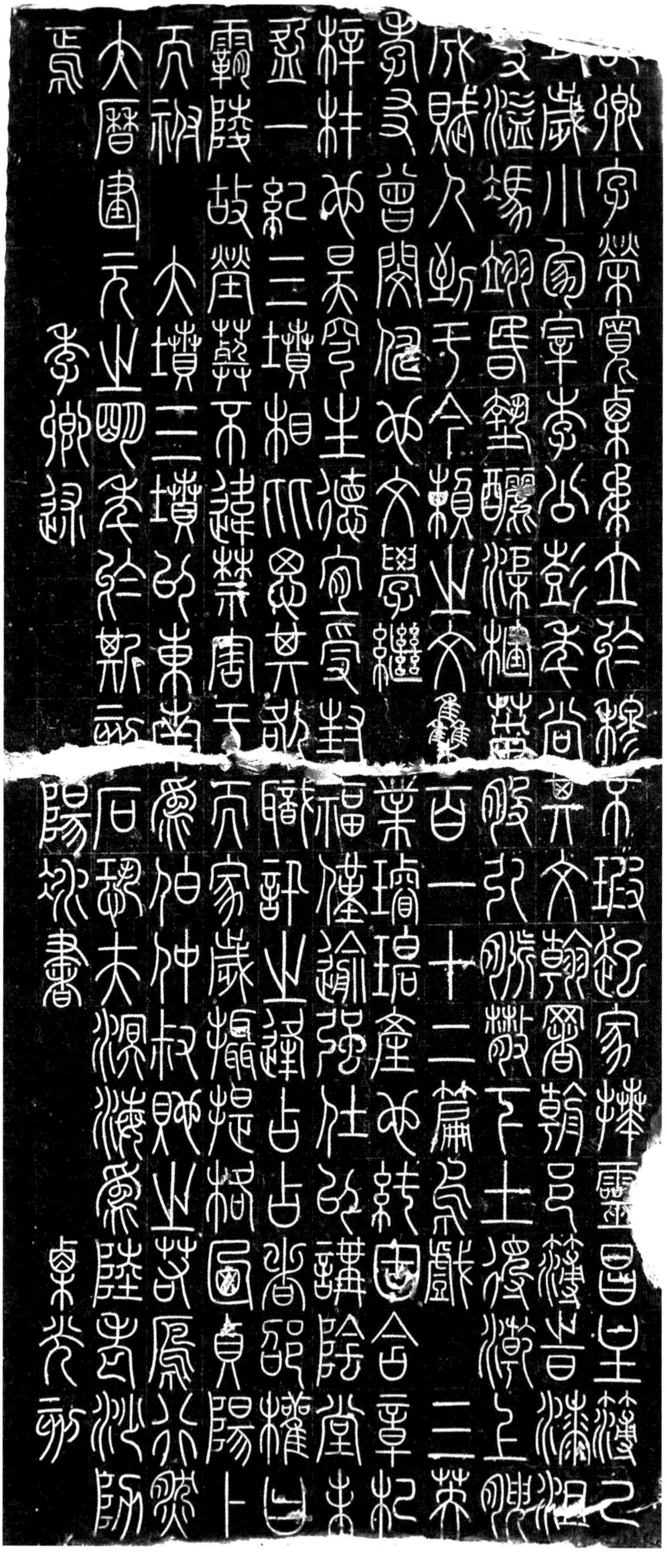

三坟记碑（碑阴）拓片

大秦景教流行中国碑

“大秦”之名，中国古籍早已有之，是古代中国对罗马帝国的称谓，而唐人所谓“大秦”，实指建都于君士坦丁堡的东罗马帝国。“景教”之名出现较晚，是早期基督教的一个叫聂斯托利派的派别于唐代传入中国后的名称，最早出现于《大秦景教流行中国碑》的碑文中，应是聂斯托利派基督徒的汉译自谓。

《大秦景教流行中国碑》(以下简称《景教碑》)，刻立于唐德宗建中二年(781)，额题“大秦景教流行中国碑”，楷书。碑呈竖长方形，螭首龟趺，碑题“景教流行中国碑颂并序”。碑身通高 279 厘米，宽 99 厘米，厚 38 厘米。撰文者为景教僧侣景净，波斯人，大秦寺僧，吕秀岩书并题额，署“朝议郎前行台州司士参军”。此碑的碑文格式与一般的纪事颂德碑相仿，有序，有颂。碑文 32 行，满行 62 字，书体是唐代通行的楷书。碑额上方刻着一个由莲花台烘托着的“十”字。楷书碑文下方和碑的左右两侧还刻着古叙利亚文，间有汉文题名。此碑结体工整而不刻板，书法秀丽天然，文字精美；用笔方面，其点画转折处既波动又肃穆，极为精致；整体疏密得当，章法布局又意外地巧妙，似有初唐虞、褚之遗意。

清咸丰九年（1859)，韩泰华出资建造碑亭保护此碑，并在碑左侧镌刻题跋：“后一千七十九年咸丰己未，武林韩泰华来观，幸字画完整，重造碑亭覆焉。惜故友吴子芯方伯不及同游也，为怅然久之。”民国六年（1917)，时任陕西省长的李根源偕同僚至碑林观览，并题记于碑之右侧。碑原立于大秦寺，明天启五年（1625)，该碑出土后，就近安置在西安城西的崇仁寺（俗称金胜寺）内。这座寺

清末所拍崇仁寺中的景教碑照片

院是西安当时最大的佛寺，明成化年间曾大举修缮，把它作为秦王府的香火院。

《景教碑》是西安碑林最重要的藏石之一，丹麦人何尔谟曾称《景教碑》、埃及出土的《罗赛塔石碑》、约旦出土的《摩押石》、墨西哥出土的《授时碑》为世界四大名碑，而《景教碑》是这四大名碑之首。这并不是他夸张杜撰，而是真实地反映了当时西方学界对《景教碑》重大历史价值的普遍认可。

《景教碑》自出土后，在西方名噪一时，颇受觊觎，对它的保护可以说是险象环生。清光绪三十三年（1907），何尔谟买通了崇仁寺内一个七十多岁的老僧，将古碑按原样复制了一通，企图用复制碑换下原碑运出中国，幸亏消息传出，地方官府出面制止，他最终运走的只是复制品。《景教碑》的原碑恰以此为契机，移入了西安碑林加以保护。《景教碑》搬入碑林的时间，何尔谟说是 1907 年 10 月 2 日，日本历史学家桑原骘藏说是 10 月 4 日。关于当时《景教碑》所在的位置，据足立喜六《长安史迹研究》中所附碑林平面图标示，在《开成石经》碑廊之后，自此这方历尽磨难的碑刻终于有了一个可靠的归宿。

当一个世纪后的今天我们回首这段往事时，不能不说《景教碑》是幸运的。当年唐武宗灭佛，它没有被毁掉，而是被埋入了地下。明天启年间耶稣会士在华传教正值高潮，它又恰逢其时地重见天日。最后，在清末那个中国人已无力保护自己历史文化遗产的屈辱年代，它没有像敦煌遗书那样被西方的探险家盗运至海外，也没有像昭陵二骏那样流落他乡。《景教碑》之入藏碑林，不仅使这块记载着基督教在唐代首次传入中国之重要史实的名碑，有了一个可靠的归宿，也使西安碑林因此拥有了一件最具世界影响的堪称国宝的藏品，这当然也是碑林的幸运。

碑文详尽地记述了唐贞观九年（635）至建中二年（781），景教在中国的流传情况及教义教规。基督教聂斯托利派传教士阿罗本经过长途跋涉，从波斯来到唐都长安传教，唐太宗派遣宰相房玄龄郑重接待，并迎其入宫，讨论教义，后于义宁坊建寺一座，令其教士宣讲景教及其教义。唐高宗时令诸州各置景寺，并尊崇阿罗本为镇国大法王。武周时，有罗含、及烈二僧维持教务。至玄宗时，景教又获尊崇，皇帝命高力士将太宗、高宗、睿宗、中宗、玄宗五帝的圣像悬挂于寺中。天宝三载（744），玄宗诏命景教教士罗含、普论等十七人与大德佶和于兴庆宫修功德。安史之乱时，景寺被毁，肃宗诏于灵武等五地重立。代宗时每年于“降诞之辰”赐香以告，并颁御馔于景教僧众。德宗亦优待景教，不亚于前朝。景教教士伊斯，为金紫光禄大夫，同朔方节度副使，试殿中监赐紫袈裟，曾随郭子仪参与平定安史之乱。大秦寺之重建即由伊斯捐资，僧众追述其德，竖立此碑。此碑系迄今为止能够看到的中国最早的基督教文献，因而在中国基督教历史研究中具有极其重要的地位，可以说是研究中国古代基督教必不可少的参考文献，对于研究宗教史及中国古代东西方文化交流提供了宝贵的历史资料。

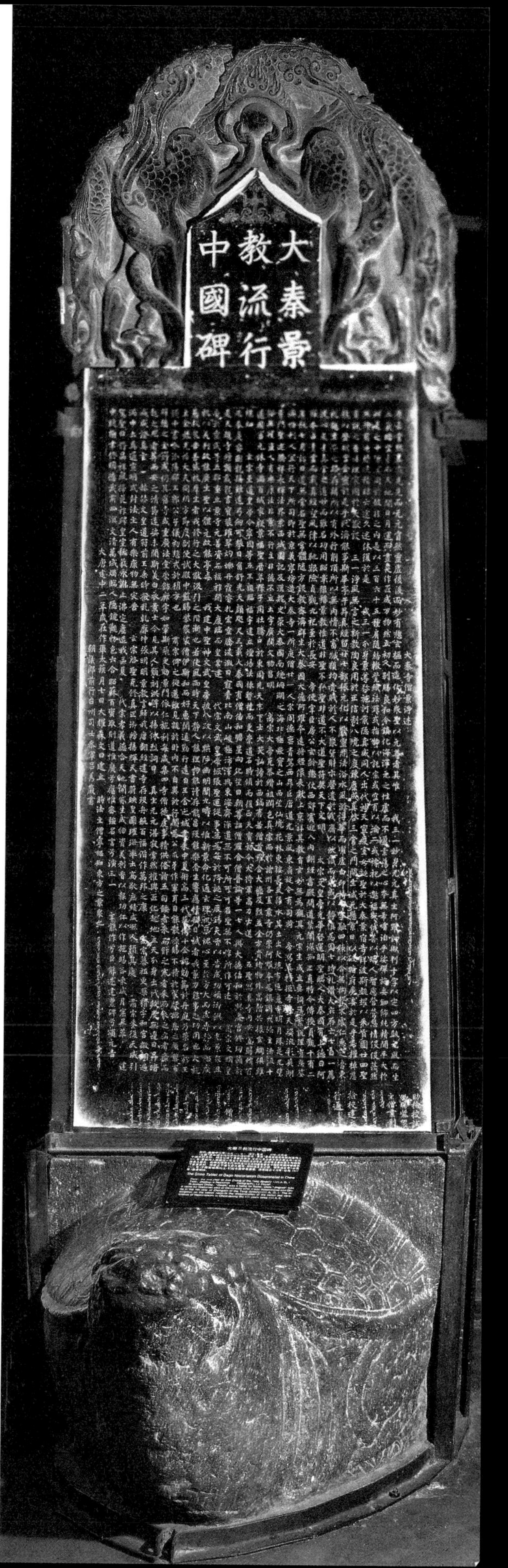

大秦景教流行中国碑

大秦景教流行中国碑（碑头）拓片

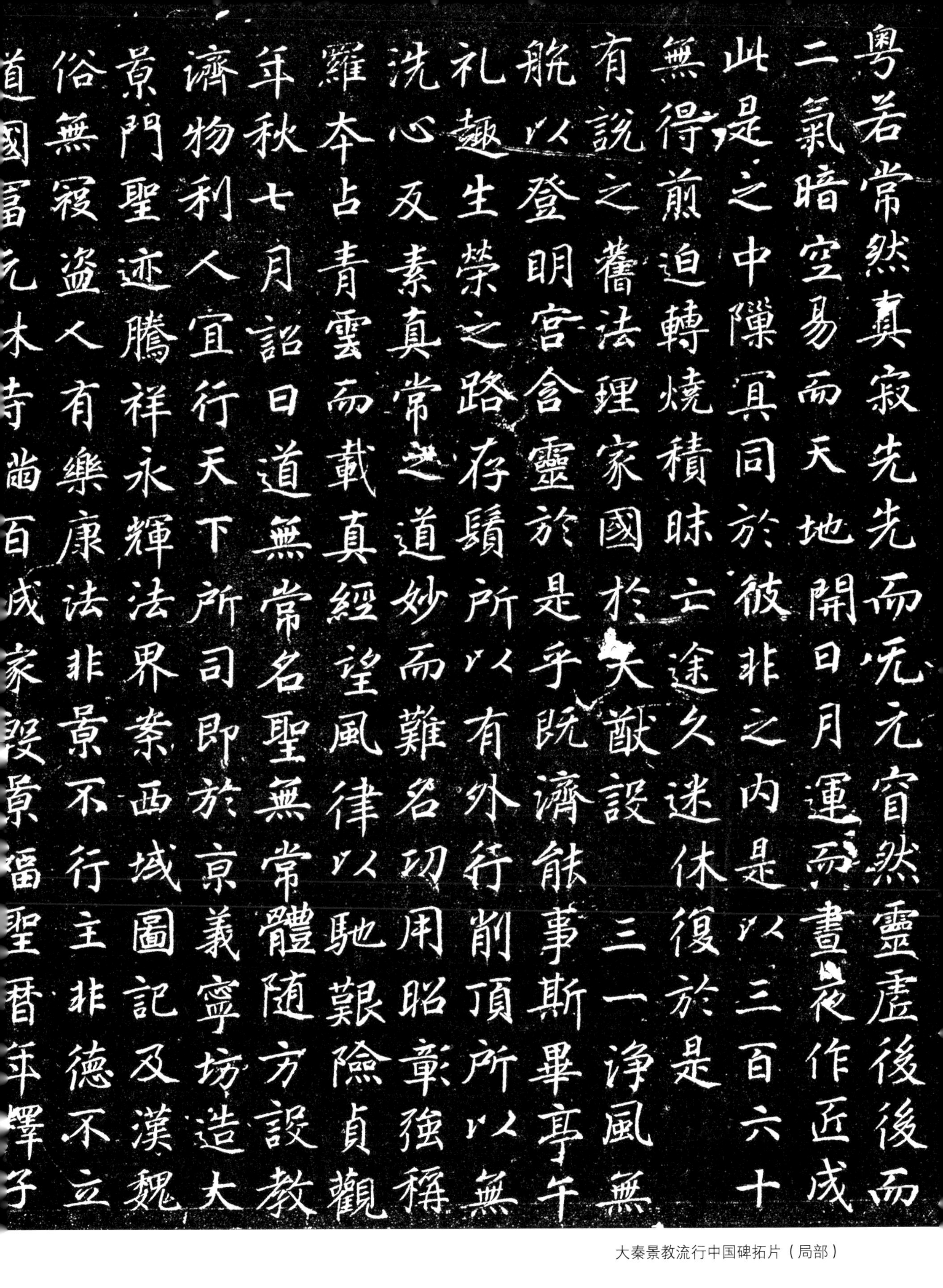
粤若常然真寂先先而无元窅然靈虛後後而
二氣暗空易而天地開日月運而晝夜作匠成
此是之中隙冥同於彼非之內是以三百六十
無得煎迫轉燒積昧亡途久迷休復於是
有說之舊法理家國於大猷設 三一淨風無
航以登明宮含靈於是乎既濟能事斯畢亭午
礼趣生榮之路存鬚所以有外行削頂所以無
洗心反素真常之道妙而難名功用昭彰強稱
羅本占青雲而載真經望風律以馳艱險貞觀
年秋七月詔曰道無常名聖無常體隨方設教
濟物利人宜行天下所司即於京義寧坊造大
景門聖迹騰祥永輝法界案西域圖記及漢魏
俗無寇盜人有樂康法非景不行主非德不立
道國富元休寺滿百城家殷景福聖曆年釋子

大秦景教流行中国碑拓片（局部）

不空和尚碑

佛教自汉代传入中国，至唐代已划分为多个宗派，而由“开元三大士”（善无畏、金刚智、不空）所传之密宗是其中重要的一支。西安碑林所藏的《不空和尚碑》记述了密宗传承过程及不空和尚的生平，对于研究密宗传播及中印、中日文化交流史都具有重要的价值。

此碑高 305 厘米，宽 99 厘米，厚 30 厘米，由严郢撰、徐浩书。唐建中二年（781）刻立。原立于长安靖善坊大兴善寺内，宋哲宗元祐五年（1090）移至文庙，后入藏西安碑林。明嘉靖三十四年（1555），关中大地震，此碑亦受损，碑身上有裂痕。

不空和尚出身北天竺婆罗门族，师从金刚智三藏，是唐玄宗、肃宗、代宗三朝灌顶国师，玄宗时赐号“智藏”，代宗时加号“大广智三藏”。大历九年（774）六月卒，享年七十岁，追谥“大辩正广智三藏和尚”，起塔于密宗祖庭大兴善寺。碑文中记载“伏泉澄海”的异象，以表明不空和尚密法修为之高。不空和尚一生致力于在中土翻译佛经、传播密宗，翻译密宗经典 77 部，计 120 卷。尤其是他翻译的《金刚顶经》，是后世密宗修习的主要经典。不空和尚的弟子众多，其中以青龙寺惠果高僧最为著名，他是密宗的又一位大师。

此碑撰者严郢，字叔敖，华州华阴人，天宝初年进士，起家太常协律郎，代宗大历末任京兆尹，为官颇有政声，严明守法，然而因为得罪了宰相杨炎，屡被陷构，贬至大理卿。卢杞任宰相后，升严郢为御史大夫，利用他诬陷河中观察使赵惠伯，打击杨炎一派，后又忌惮严郢的才干，贬之为费州刺史。得知赵惠伯死于狱中，严郢于第二年便郁郁而终。《不空和尚碑》撰于他去世前一年，官居御史大夫之时。

书者徐浩，字季海，越州人。其父徐峤，官至洛州刺史，书法家。徐浩“少举明经，工草隶”，书法颇得其父所传，又书宗“二王”。他历玄宗、肃宗、代宗、德宗四朝，累官至工部侍郎、岭南节度观察使、吏部侍郎、集贤殿学士，建中三年（782）卒，赠太子少师。《不空和尚碑》书于他去世前一年。徐浩的书法成就，世人评价褒贬不一。他历四代帝王，以文辞书翰得以重用，世论其书法有“怒猊抉石，渴骥奔泉”（《新唐书》），“若青云之高，无梯可上；幽谷之深，无径可寻。开元以来无与比者”(《大观录》)。宋人习书常以其书法为宗。唐张彦远《法书要录》记载徐浩曾论书法如“鹰隼乏彩而翰飞戾天，骨劲而气猛也；翚翟备色而翱翔百步，肉丰而力沉也。若藻曜而高翔，书之凤凰矣”。《不空和尚

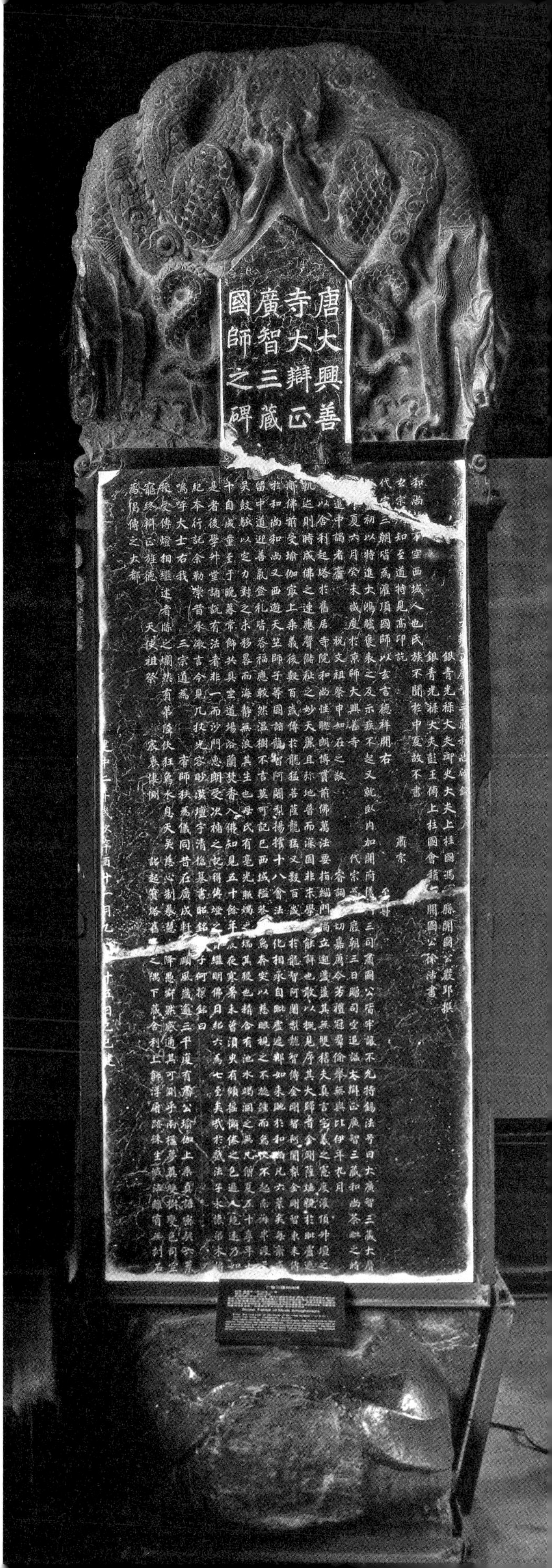

不空和尚碑

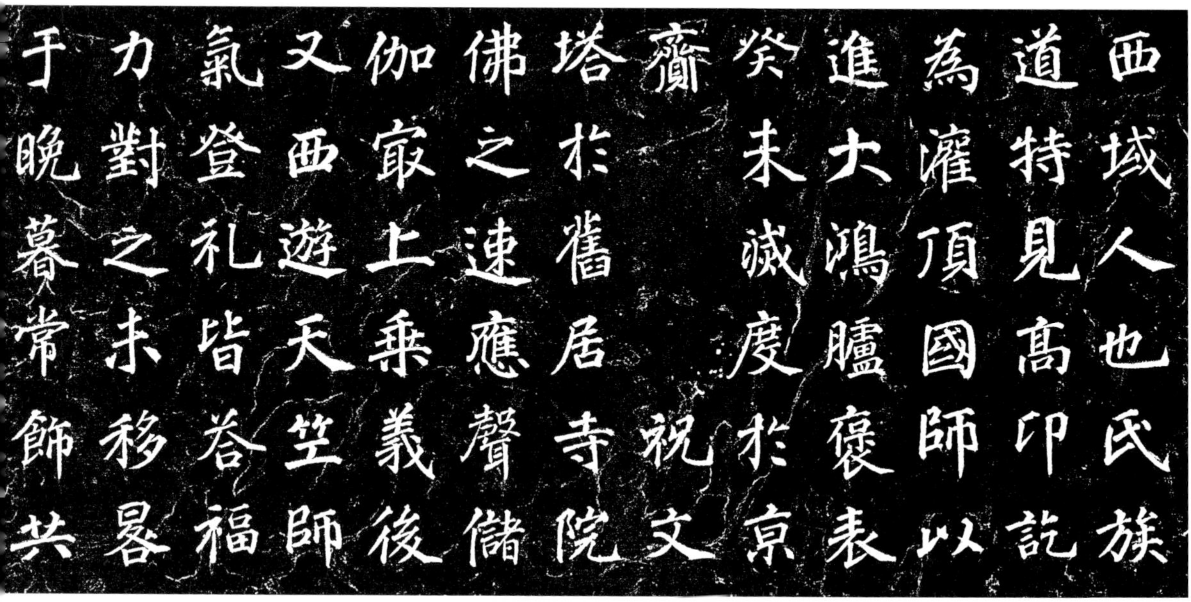

不空和尚碑拓片（局部）

碑》书法笔势雄沉，端庄稳健，骨力洞达，但其书法并未达到“藻曜而高翔”的境界。明代郭宗昌认为此碑书法“饶骨力而乏规度”，赵崡评其“虽结法老劲而微少清逸”，但就点画圆劲厚重、结体稳健而言，其书法亦属上乘。

徐浩处在唐王朝由极盛转衰落之际，他的书法厚重肥圆，呈现出一种温柔敦厚的升平气象。徐浩比颜真卿早出生六年、早逝三年，与颜真卿相友善，书风相近。受时代的影响，徐浩已在书作中透露出一种革新气息。他的作品已不像初唐诸家那样规矩森严、棱角分明，而是自由而无拘束——横细而竖粗、形体宽、结构稳，表现出一种稳定、均衡之美，为颜真卿的书法革新做了充分的准备。

《不空和尚碑》书体厚重肥圆、含蓄温润，是徐浩晚年的得意之作。其笔力劲健，锋棱凌厉，不失法度，更入佳境。用笔方圆兼施，结体取横势，攲侧多变，笔画粗细有别——主笔粗重，副笔轻细，主次分明，章法疏朗，气度空灵。徐浩结合时代求变化，探索出一种既规范又不拘束、既有法度又自在的抒情方式，这正是他的成功之处。

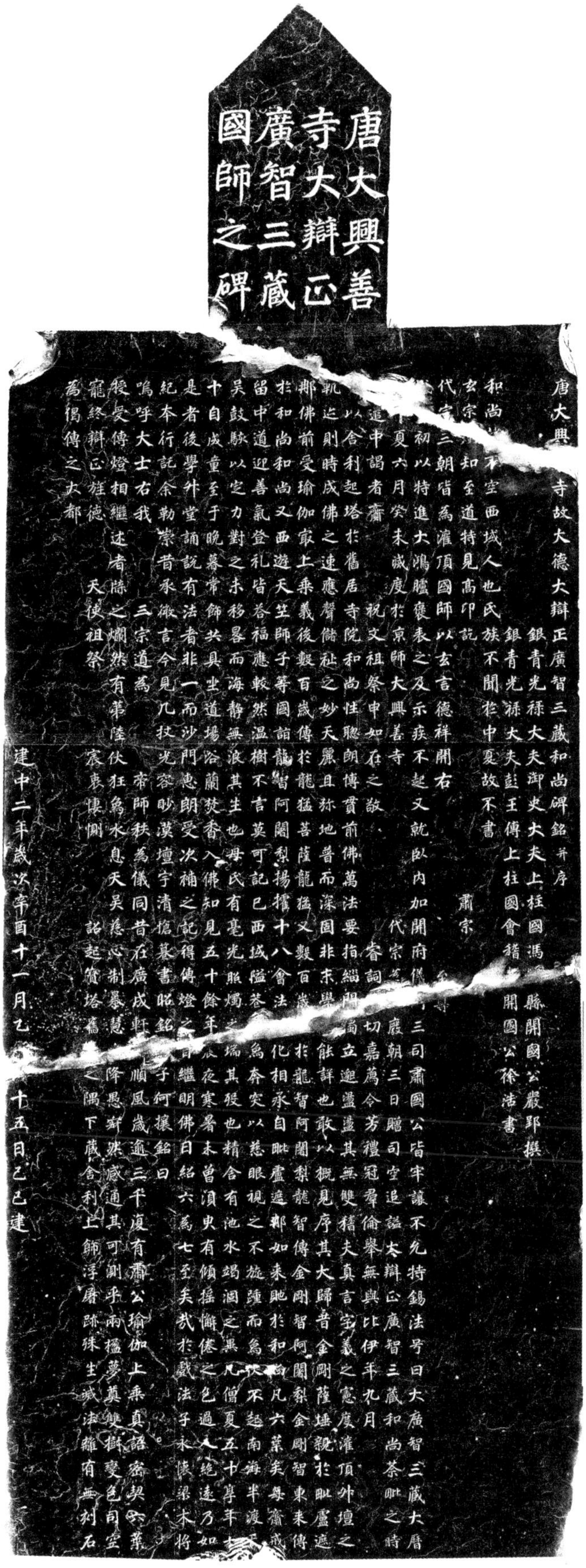

不空和尚碑拓片

韩涓墓志

此墓志刻于唐贞元五年（789），于西安东郊灞桥区出土，2005年入藏西安碑林博物馆。志石及盖均宽49厘米，高50厘米。盖题“大唐故朝散大夫前彭州长史韩公墓志铭”，4行，行4字，隶书。志题“唐故朝散大夫前彭州长史韩公墓志铭并序”。志文20行，满行22字，隶书，韩伯庸撰，韩秀弼书。

从结体上看，此墓志字形一改玄宗朝的肥密丰腴，清整而疏朗，润泽而精劲。气韵上更近晋人隶书，其隶书风格隐约有汉人古朴、凝重的风韵，似有汉《礼器碑》的味道，只是平稳有加、整齐有度、规矩有形，尤显清新典雅。更加难能可贵的是，这方墓志的书法虽端庄平稳，却无半分呆板之感，颇得汉隶工稳一路的神韵，可见唐人的用心追求。

志主韩涓，唐京兆人，出身于官宦世家，祖辈曾任县令、刺史等职。韩涓以慈惠、仁爱被剑南节度使举荐，历任眉州长史、彭州长史。贞元五年（789）病逝于夏州任所，终年五十四岁，同年葬于长安城东白鹿原霸陵乡的祖茔。

书者韩秀弼，为志主韩涓的从兄（堂兄），是唐代隶书名家韩择木的第二子。韩择木的隶书风流闲媚，开创唐隶的独特书风。同时，唐玄宗以韩择木为师，学习书法。上行下效，因而在开元、天宝年间，出现了一大批隶书名家。当时凡天下树碑立传者，书丹部分以求得韩择木隶书为荣耀。正是在韩择木的推动下，隶书出现了复古之风。韩择木之二子韩秀弼继承其父衣钵，亦以隶书著称。

唐故朝散大夫前彭州長史韓公墓誌銘并序
從姪將仕郎前守常州江陰縣主簿伯庸撰
貞元五年秋八月九日朝散大夫前彭州長史韓公遘疾
夏州之官舍享年五十四公諱涓字涓其本京兆人也
曾祖履鄯州姑臧縣令祖去惑鄆州刺史父處信兖州刺
史皆趍濟其美於唐有光公又能敦義方承惠訓旅仁
遊藝不墜餘慶是以紛南節度使崔公寧聞其佳聲特為
敷奏詔授眉州長史至大夫興元歲屬皇輿順動
薄狩西郊公復有陪扈之勳又授彭州長史理二
郡公方有聞人不敢欺政亦自舉近者以長兄潭以
啟土仗節朔陲骨肉恩深友于情切公所以駕白京色言
歸夏城到纔踰月忽嬰斯疾藥石不効奄然長逝其年
十月廿六日葬于長安城東白鹿原下邇先妣之舊
塋禮也嗣子應年未逮學忽之所天喪制之儀克能
中禮伯庸叔阮氏竹林之外宗子維城之恩故酌其遺芳
懷愴而為銘曰
吉凶倚伏天道之常哲人其萎于何不傷於維吾叔矯矯
芳躅千里還沙但歌來哭窅然窀穸玄理難言痛彼賢愚
天壽同源荒墳崔嵬秦城之下天長地久風悲松檟
從兄恩王府長史淮陽縣男秀爾書

韩涓墓志拓片

藏真律公二帖

《藏真律公二帖》，即怀素的《藏真帖》和《律公帖》，二帖合刻于一石。石为竖长形，高140厘米，宽49厘米。篇首刻“唐怀素法帖”，分五栏刻文，由上至下第一、第二栏刻怀素二帖，第三、第四栏刻周越等人题跋，第五栏刻李白《赠怀素草书歌》和刻石人游师雄之《后序》。《后序》记载了此两帖的刻石经过：“唐僧怀素书‘藏真’‘律公’二帖最号精妙，自五代以来，为吾亡友安师孟家藏，后为王思同子孙所有，近岁复归安化。噫，岂斯文之显晦亦有数耶？因摹刻于长安漕台之南厅，及以诸公题跋。李白所赠草书歌，同附于卷尾，传诸好事云。元祐八年九月初一日，武功游师雄景叔题。”游师雄曾在陕西任官，并热衷于文化事业。唐太宗昭陵就有他摹刻的《昭陵六骏图》，巧合的是，游师雄的墓志铭也收藏于西安碑林之中。

《藏真帖》共6行，计50字，录文为：“怀素，字藏真，生于零陵，晚游中州，所恨不与张颠长史相识，近于洛下偶逢颜尚书真卿，自云颇传长史笔法。闻斯法，若有所得也。”此帖记录了怀素对张旭的敬慕，恨不能与之相识，后在洛阳遇到了颜真卿，可传张旭笔法，听后觉得受益匪浅。此文虽短，却记载了唐三位大书法家之间的故事。

《律公帖》分为两段，一段为4行，计25字，录文为：“律公好事者，前后数度，遂发怀素小兴也，可深藏之箧笥也，怀素。”另一段为9行，计67字，录文为：“贫道频患脚气，异常忧闷也，常服三黄汤，诸风疾兼心中，常如刀刺，乃可处方数服，不然客舍非常之忧耳。律公能抬步求贫道颠草，斯乃好事也。卒复不尽垂悉，沙门怀素白。”

明赵崡评鉴《怀素藏真律公帖》道：“有惊蛇飞电之恍渺，有挽强拔山之气力，最奇笔也。后刻诸跋大半宜删去，李白歌赝作可笑，尤为此帖之玷。”

藏真律公二帖拓片

怀素千字文

《怀素千字文》为唐怀素书。石碑为长方形，共两块，高均71厘米，宽均135厘米，分上下两石镶嵌。上石正面分上下两层刻文，每层碑文各27行，共54行，背面刻其他文字；下石正面亦分上下两层刻文，每层碑文亦各27行，共54行，背面上层刻文22行，上下两石共130行，每行字数不等。《千字文》本是南朝梁武帝命员外散骑侍郎周兴嗣用一千个不重复的字编成的四字韵文，用以教授宫中子弟自然、社会、历史等知识，后成为历代书家习书的题材。此碑后有余子俊跋文。

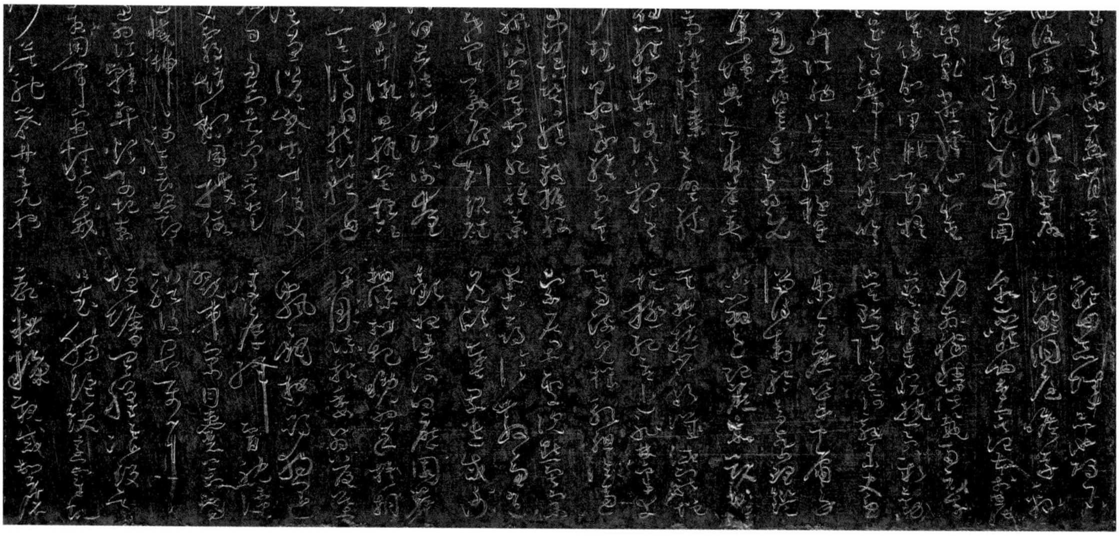

怀素千字文（局部）

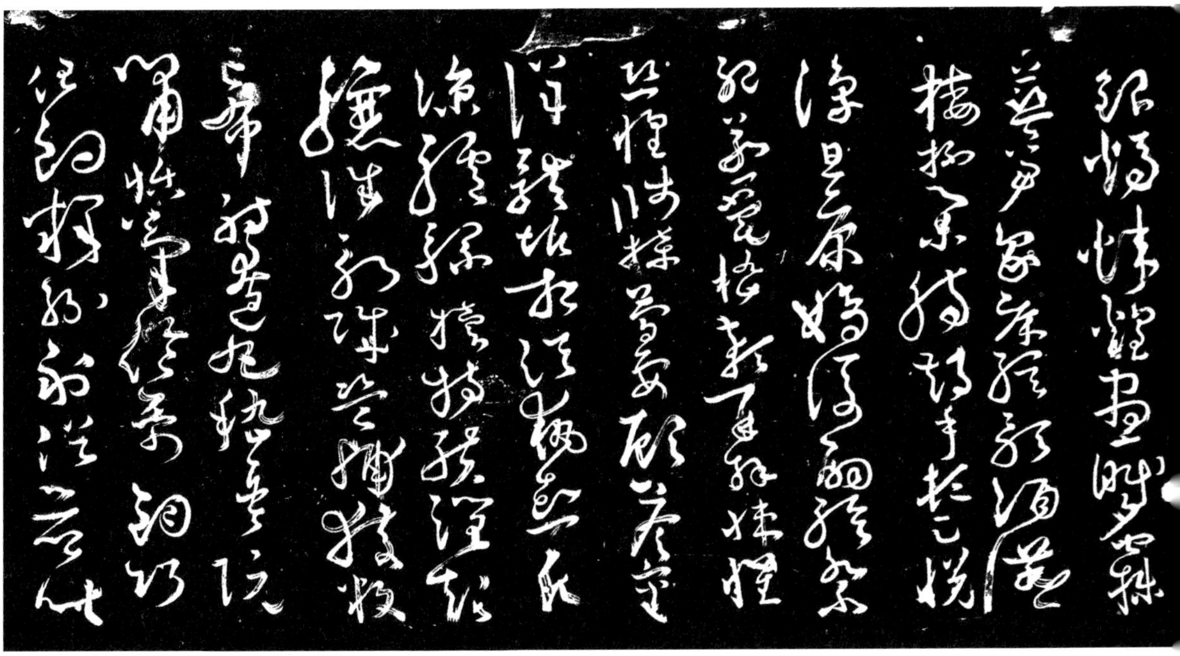

怀素千字文拓片（局部）

此石刻于明成化六年（1470），现陈列于西安碑林博物馆第三展室。

此《怀素千字文》又称《大草千字文》，因怀素另有《小草千字文》传世，故名。相对于小草，大草指今草书中形体较大、笔画较小草更简省而体势更放纵者。此帖运笔过速，字形多失，但与小草相比却易辨识。书体圆润而不瘦枯，润燥相间，飞动多姿，婉转清逸，神采十足。

大草千字文版本众多，现书法艺术界一般推崇三个版本，即绿天庵本、群玉堂本、西安本。其中绿天庵本后世存疑较多，认为其不一定是怀素草书亲笔。西安本即西安碑林博物馆中的版本，刻成年代较晚（明代），拓本在明代曾为于景瞻收藏，后经文徵明、文彭、项子京等庋藏。清代吴荣光、吴云、沈尹默等作跋。该版本有清代张照、吴荣光、吴云、潘仕成、赵烈文等人的印记。群玉堂本为宋拓本。该版本为南宋绍熙至开禧年间的权相韩侂胄家藏墨迹，由其门客向若水摹勒刻石而成，后来依据该石及其他作品拓成《阅古堂帖》。再后来韩相被戮，所有家藏充公，《阅古堂帖》被废，又有《群玉堂帖》面世。《群玉堂帖》共十卷，卷四为怀素的《大草千字文》，为美国收藏家安思远所收藏。碑林所藏怀素《千字文》的祖本应出自《群玉堂帖》。

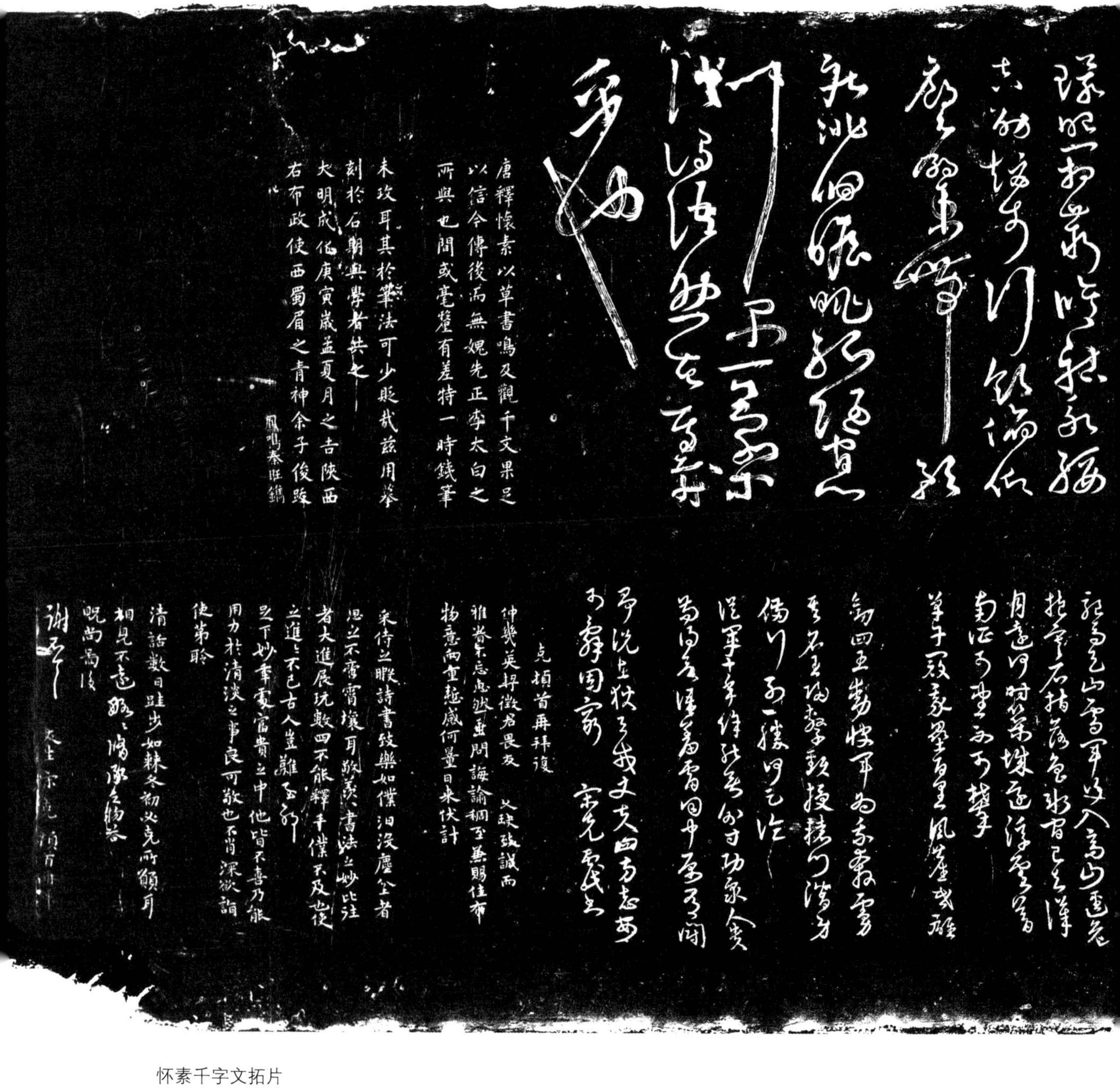
唐釋懷素以草書鳴及觀千文果足
以信今傳後而無媿先正李太白之
所與也間或毫釐有差特一時錢筆
未攻耳其於筆法可少貶哉茲用拳
刻於石期與學者共之
大明成化庚寅歲孟夏月之吉陝西
右布政使西蜀眉之青神余子俊跋
鳳鳴秦旺鐫

怀素千字文拓片

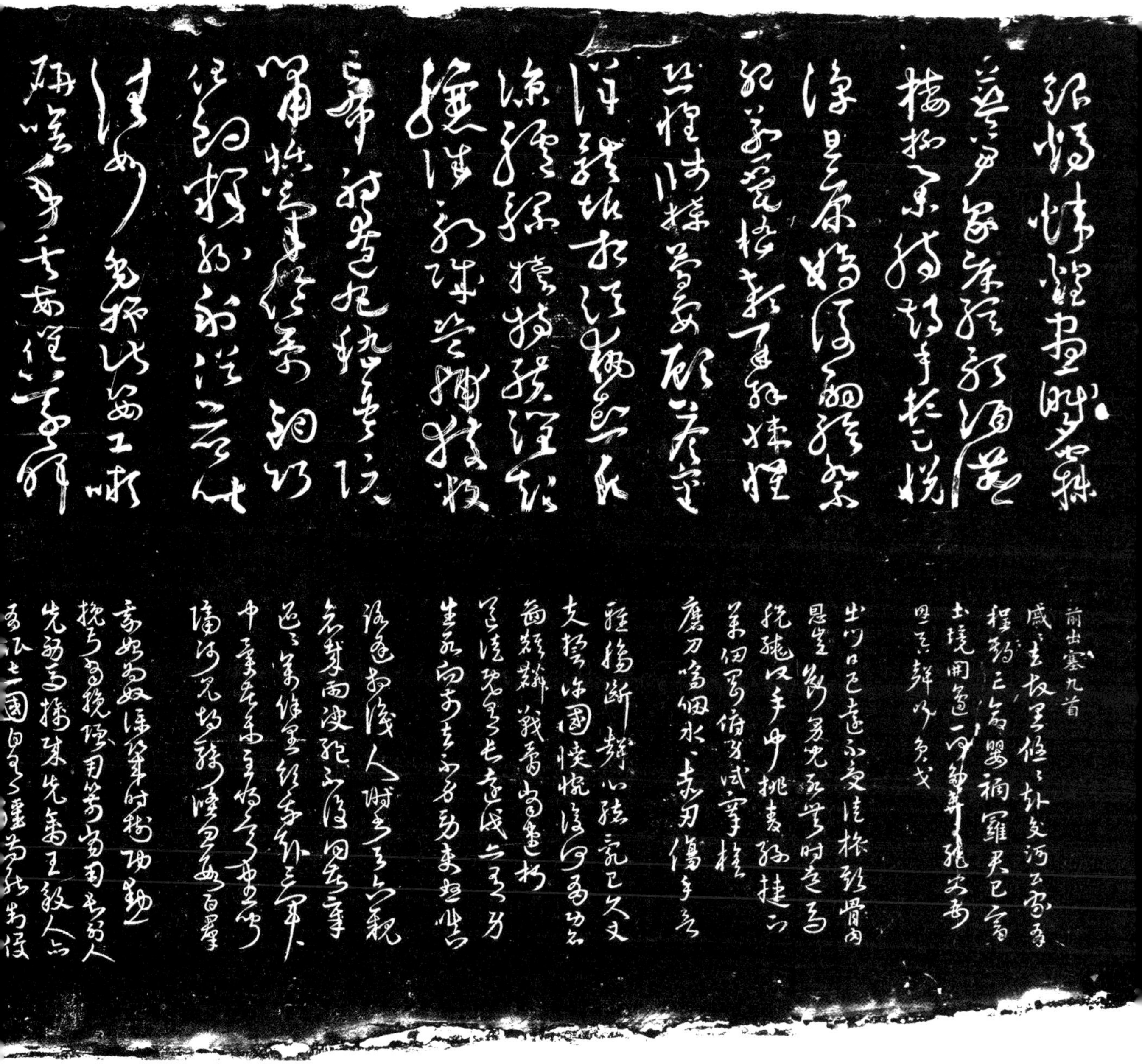
前出塞九首

东陵圣母帖

怀素（725—785），俗姓钱，字藏真，长沙人，唐代僧人，狂草大家，幼年出家，修禅之暇，全部用来练字。练字要用很多纸，怀素买不起那么多纸，便效法古人题诗芭蕉叶的先例，种了十亩芭蕉，以叶代纸。怀素又漆了一盘和一方板，用于写字，写了擦，擦了再写，以至于把盘、板写穿。怀素写坏的笔也有一堆，后来怀素把这些弃笔埋在山下，号为“笔冢”。怀素书法以草书著称，其书法如骤雨旋风，飞动圆转，随手万变，而法度具备，与张旭齐名，后世有“张颠素狂”或“颠张醉素”之称。他能写诗，与李白、杜甫等诗人都有交往。他还喜欢喝酒，每当饮酒兴起，不分墙壁、衣物、器皿，任意挥写，时人谓之“醉僧”“狂僧”。

《东陵圣母帖》又名《圣母帖》。怀素晚年途经江都仙女庙时，前去拜谒东陵圣母祠，因被其德行深深感动，遂提笔写下了著名的《东陵圣母帖》。《东陵圣母帖》，草书，书于唐贞元九年（793），北宋元祐三年（1088）摹刻上石，立于东陵圣母祠中。它追述了东晋康帝时，有广陵人杜氏之妻，得真人刘纲“授之秘符，饵以珍药”，妻子的身心发生了很大的变化——“神仪爽变，肤骼纤妍，脱异俗流，鄙远尘爱”。超凡脱俗的妻子不愿意再过尘世间的夫妻生活，而丈夫无法忍受，竟将妻子告到官府，关进监狱。杜氏之妻遂携二女一同升仙。晋康帝闻此事，“以为中兴之瑞，诏于其所置仙宫观，庆殊祥也，因号曰东陵圣母”。自此，广陵之圣母宫数百年香火不断，直至隋唐。由于历史变迁，战事频仍，东陵圣母祠屡遭破坏，原纪事碑亦毁，后怀素另写一幅，以帖的形式刻石。此碑后几经辗转，现藏于西安碑林博物馆。石为横长方形，高 70 厘米，宽 139 厘米，分两层刻文，共 52 行，计 410 字。篇首刻“唐释怀素书”，楷书。

《东陵圣母帖》是怀素的代表作之一，其书法成就完全可以与他的另一幅草书名作《自叙帖》相媲美，甚至有人认为，《东陵圣母帖》乃诸帖中最佳者。这是因为，《东陵圣母帖》是他晚年所书，系由绚烂之极复归平淡的经典之作。如果说《自叙帖》的笔触潇洒、纵横自如，是对其个人身世与遭遇的一种直率宣泄，透出书者的成熟与自信，那么，《东陵圣母帖》则是沉着顿挫、尽脱火气、笔法圆融、应规入矩、浑古自然，故而受到历代书法大家的推崇。

东陵圣母帖拓片（局部）

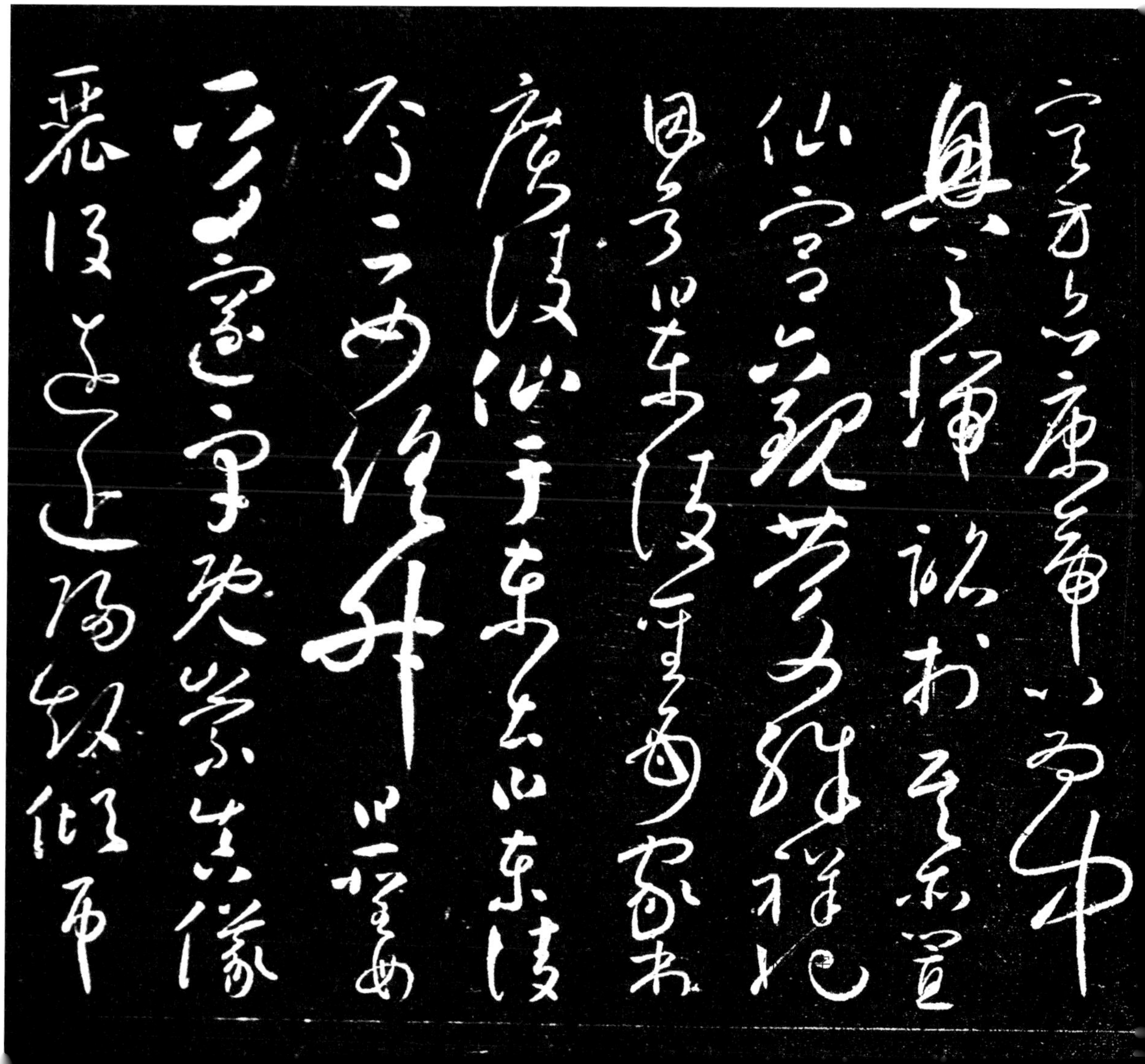

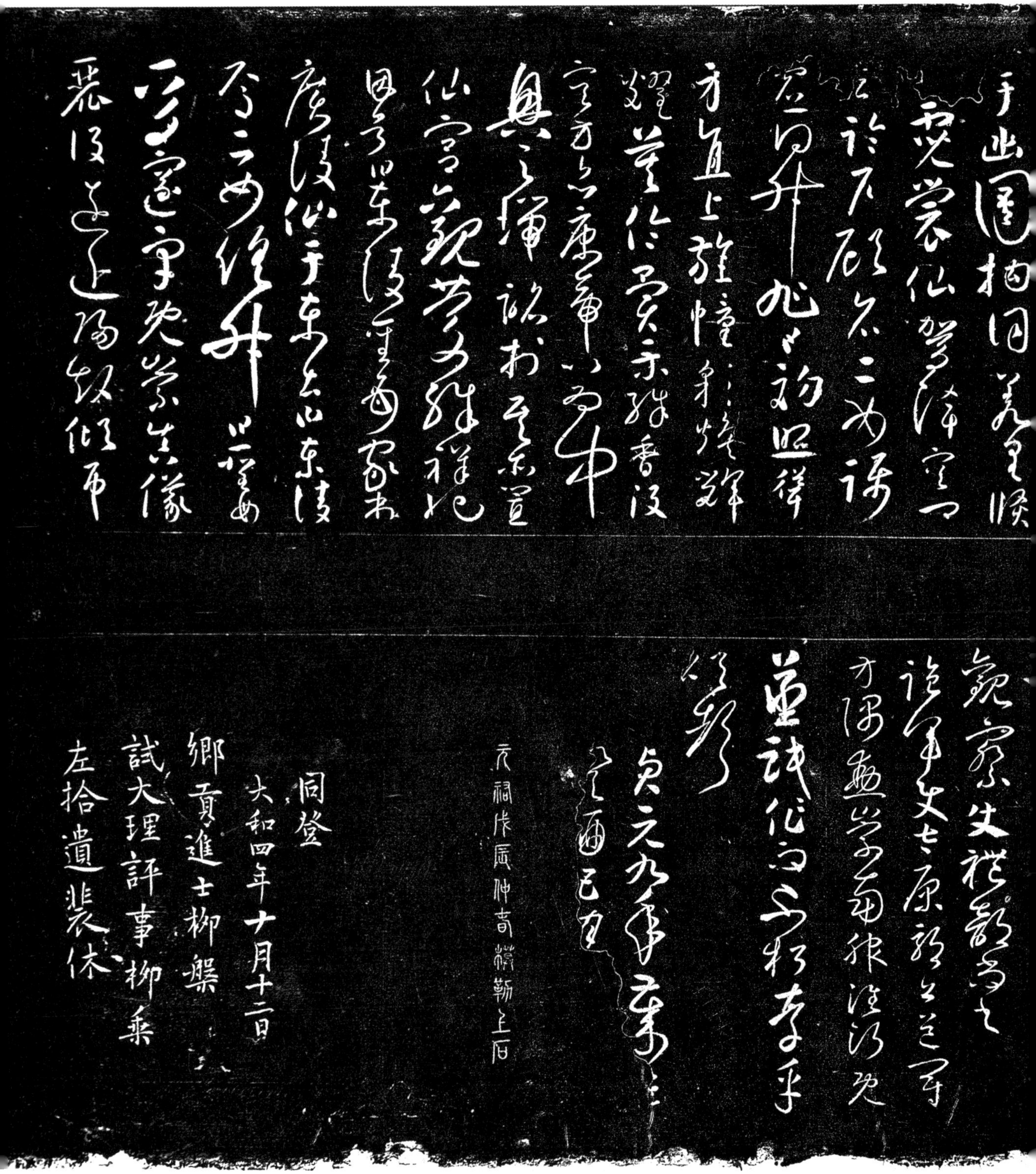

东陵圣母帖拓片

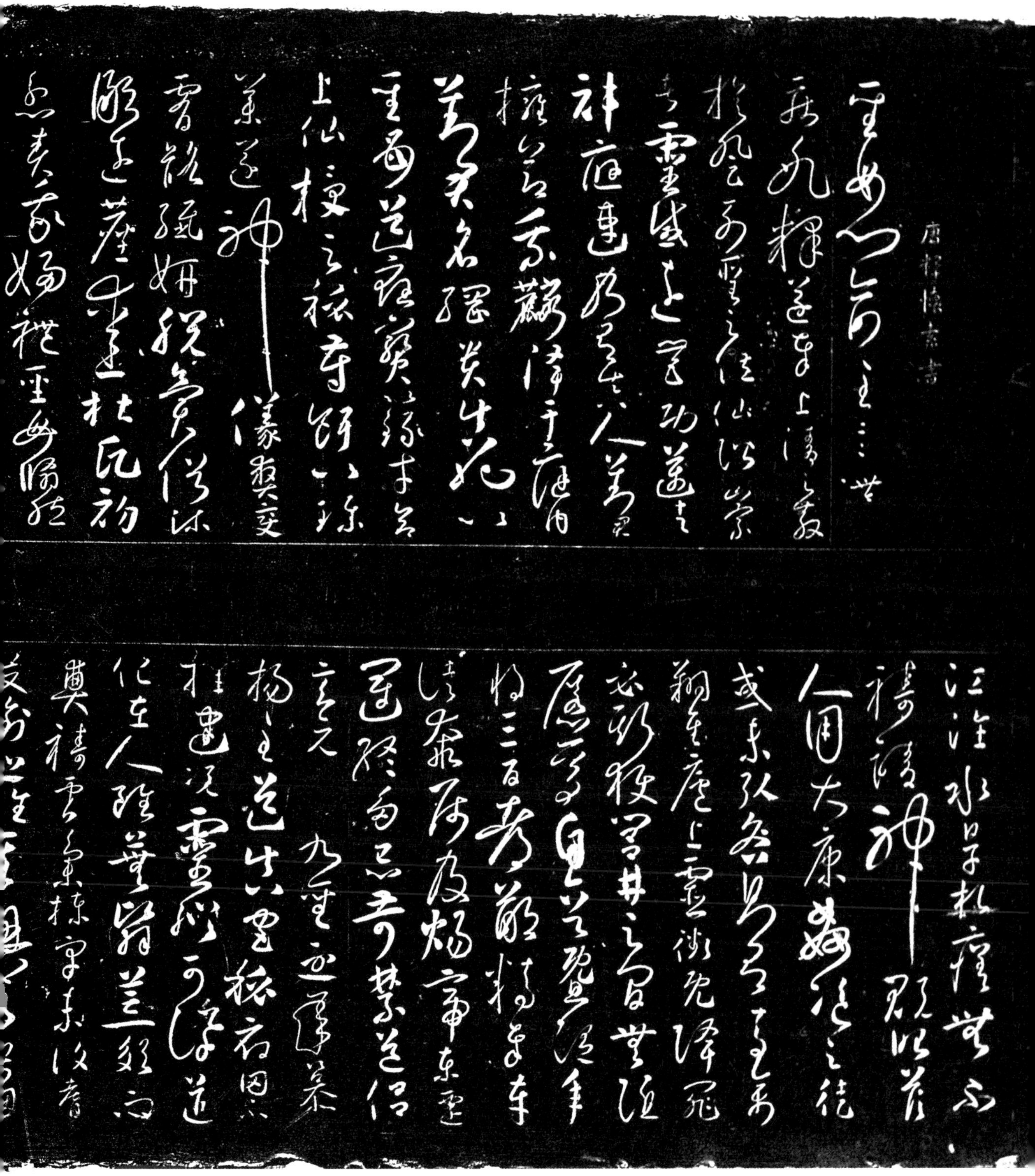

陀罗尼经幢

碑石中有一类外观呈八棱形的石柱，柱身刻满经文，通常立于莲花台座上，其上再垒砌石雕华盖、宝珠等装饰，层层叠叠竟可达数米高，我们称这一类石刻为“经幢”。它自唐代出现，越往后发展，叠加的层数越多，装饰愈加繁复、华丽。它们常被放置在通衢大道、高山、寺院或者坟域，高高耸立，十分醒目。

碑林第二展室内陈列的一通唐代经幢，仅保留下八棱形的幢身部分，其上镌刻着用汉文和梵文两种文字书写的《佛顶尊胜陀罗尼经》。据经文记载，信徒如能每日念诵此经，便可以消除一切病患、苦痛，可以延年益寿，还可以免除地狱道、饿鬼道、畜生道的恶道轮回之苦。不仅如此，如果能将经文书写在高幢上，每当经幢的影子映照于身上，或者经幢上的尘土飘落于身，亦可消除信徒的所有罪业恶报，即所谓“尘沾影覆”。也许正是因为《佛顶尊胜陀罗尼经》所具有的这种神妙无比的威力，使它首次被译为汉文之后，便迅速吸引了众多信徒，成为唐代最广为流传的佛经之一。而专用于镌刻此经的佛教石刻——经幢，也随着陀罗尼经信仰的流传和风靡，遍布于大唐疆域的各个角落。

我们知道，佛教经历了魏晋南北朝时期统治者们的推崇，至唐代已经深深扎根于中原大地上。在数百年的传播史上，既有大量西域僧人在中原传经布道的足迹，更有唐高僧玄奘历经十七年赴西天取经的壮举。唐王朝的李姓统治者们虽然尊崇道家创始人李聃为祖先，也曾一度提出“道先佛后”的主张。但是无论佛、道孰先孰后，佛教信仰从来没有远离，那些由中外高僧带入大唐的卷帙浩繁的佛

陀罗尼经幢

教经典，正等待着被逐一翻译和传播。

《佛顶尊胜陀罗尼经》是在唐高宗时期，由北印度罽宾沙门佛陀波利带入中国。在唐代，所有外来的梵文佛经都必须奏请皇帝批准，方可译成汉文流传，因此，如何能在众多佛经中脱颖而出，获得翻译的许可，也是传教僧人们面临的难题。佛陀波利在觐见皇帝之前一定是做足了准备工作，他了解到武则天不但笃信佛教，而且还大力推崇以文殊菩萨为中心的五台山信仰，于是便讲述了一段自己在五台山的奇遇。故事是这样的：佛陀波利不远万里从天竺国来到五台山朝拜，希望能一睹文殊菩萨圣容。正当他五体投地地向山顶礼拜时，从山中走来一位老人，告知他，只有从西国取回《佛顶尊胜陀罗尼经》并在汉土传布，解除众生罪业，拯济幽冥，便能带他去见文殊菩萨。佛陀波利闻此欣喜不已，正要向老人道谢，却不见其踪影。他虽觉惊愕，还是立即返回天竺，取来了梵文经书，并呈献给大唐东土的皇帝。这一灵验事迹也得到了武则天的重视，她很快批准了《佛顶尊胜陀罗尼经》的翻译。随后，专用于镌刻经文的石经幢也应运而生。后来经幢上还出现了《心经》《金刚经》等其他佛教经典，但镌刻《佛顶尊胜陀罗尼经》的数量最多。

郭晞及妻长孙璀墓志

郭晞，字晞，郭子仪第三子。郭子仪是平定安史之乱的功臣，后又平定回纥、吐蕃叛乱，一生屡建奇功，位至宰辅，德宗时更被尊为尚父，是中唐时期安邦定国的砥柱重臣。墓志追溯至郭晞高祖郭昶，对郭氏家族世系的记载较《新唐书》为详。郭晞未满十六岁即补骑士，随父讨伐漠北诸蕃，以军功获授轻车都尉，后参与平定安禄山叛乱、绛州朔方军兵变、仆固怀恩叛乱等。他戎马一生，为稳固李唐皇室立下汗马功劳，官至工部尚书，兼太子宾客，累封赵国公，死后追赠兵部尚书。

郭晞妻长孙璀，字璀，唐名臣长孙无忌之后，唐太宗长孙皇后的侄孙女，卒于贞元九年（793），先郭晞一年而亡。唐高宗时期，长孙无忌因反对立武则天为后而被陷构自缢。中唐时期，长孙家族虽不复往昔声势，但仍然是颇有名望的世家大族。而郭晞与长孙璀的婚姻，是唐代门阀士族通过联姻获得政治资本的一个例证。

《郭晞墓志》高、宽均为 76 厘米，盖题“大唐故郭府君墓志铭”，楷书，杜黄裳撰，郑云逵书。《长孙璀墓志》高、宽均为 73 厘米，盖题“唐故鲁郡夫人墓志铭”，隶书，杜黄裳撰，王瑀书。2007 年出土于西安市长安区，现藏于西安碑林博物馆。

《郭晞墓志》如实记载了郭晞在泾原兵变中被叛军俘获之事。《长孙璀墓志》则记载了长孙璀的生平。其中，“组训琴瑟之工艺，图史缃缃之诂训。蠡斯苹藻之德礼，珩璜黼黻之容范，莫不目阅心得，洞如悬解”，“至于奉上接下之勤，赈乏恤孤之惠，有马伦之清辩，穆姜之慈育，钟夫人之法度，辛宪英之鉴裁”等语，读来口齿留芳。

《郭晞墓志》撰者杜黄裳，字遵素，京兆杜陵人，宏词科进士，学识渊博，文采斐然，通达权变，有王佐之才，宪宗朝官至宰相。他曾是郭子仪的朔方从事，郭子仪入朝，杜黄裳主管朔方事务，深得郭子仪器重。他与郭晞夫妇亦熟识，所撰墓志记述翔实、措辞优美、用典精妙。

《郭晞墓志》书者郑云逵，荥阳人，大历初年进士，曾为泾原兵变的叛臣朱泚幕僚，娶其弟朱滔之女。朱滔与田悦叛乱，郑云逵弃妻子投奔长安，拜谏议大夫，官至京兆尹。清梁巘在《评书帖》中称其书法“笔意类王缙”。《石墨镌华》评其所书《李广业碑》书法类徐浩。而此墓志书法平和秀丽、清俊雅致，与《李广业碑》风格截然不同，从中可见其书法的多变风格。

《长孙璀墓志》书者王瑀，天宝初人，善隶书。唐代书法虽以楷书为大成，但隶书亦有出众者。前期隶书多沿袭魏晋南北朝隶楷过渡时期的风格，开元以来则兴复古之风，杜甫诗有“开元以来数八分”。然而唐人以楷书的法度来衡量隶书，唐隶便难脱平稳规范、端正严谨的格调。《长孙璀墓志》书法规整清丽、结体宽博，隶书之中见楷法，虽有韩择木清新典雅之风，但不复汉隶开放洒脱、舒朗自如、华丽张扬的韵味。

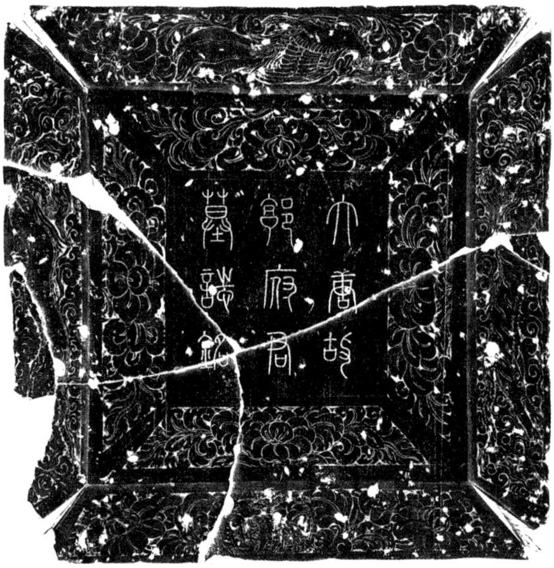

郭晞墓志盖拓片

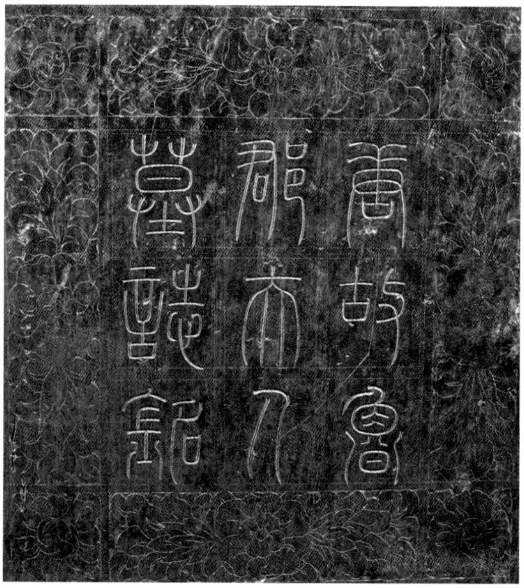

长孙璀墓志盖

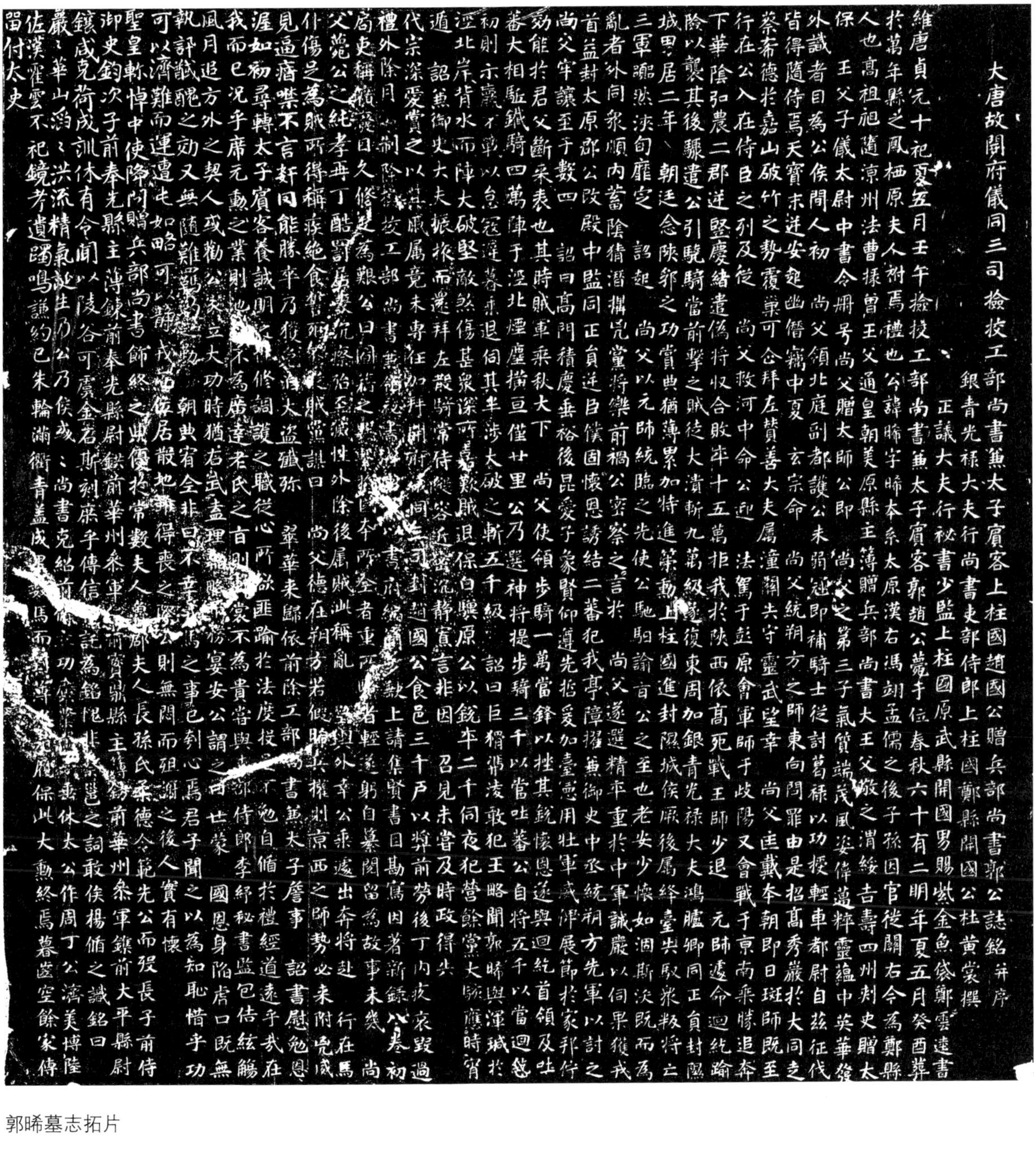

郭晞墓志拓片

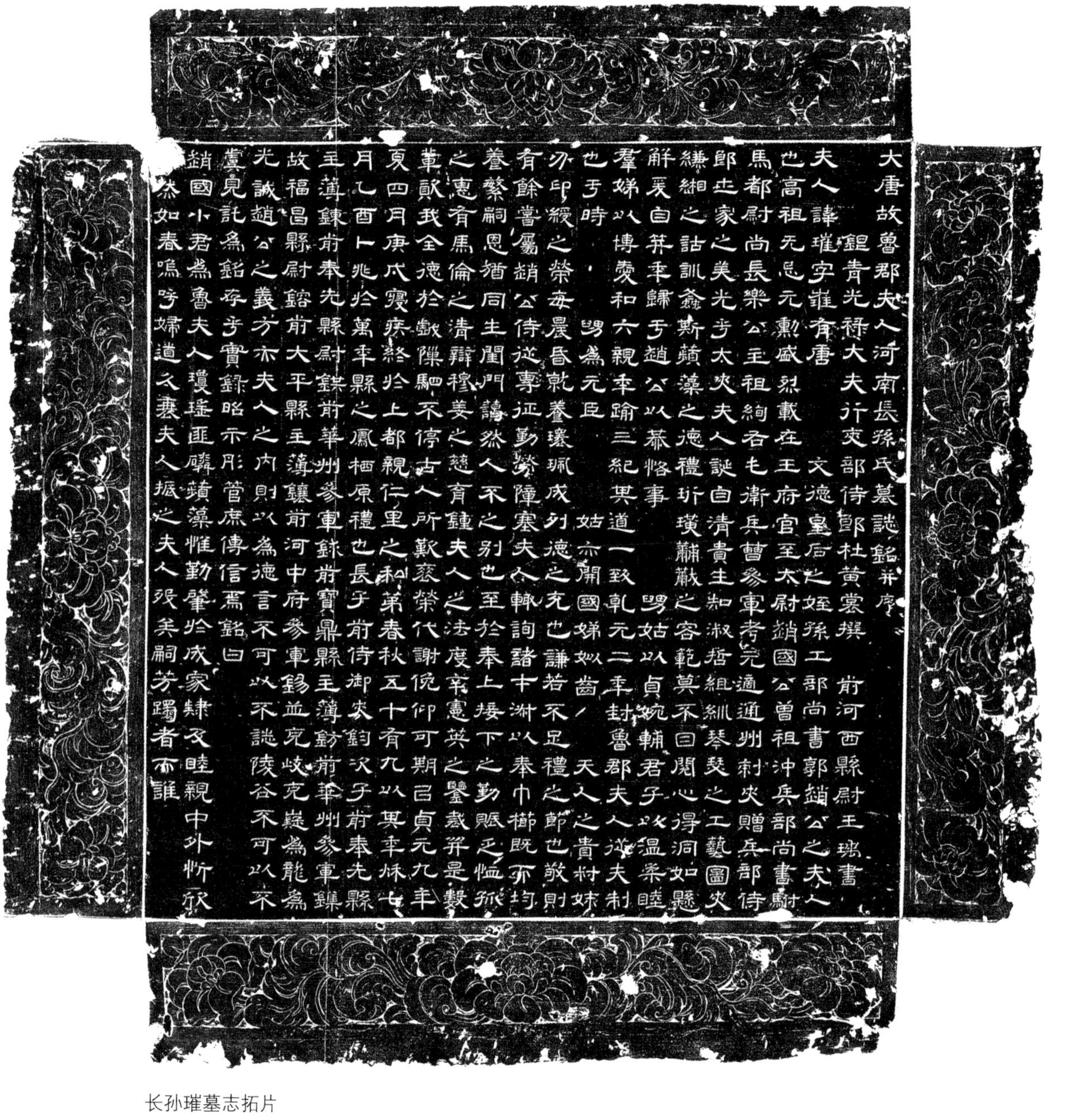

长孙璀墓志拓片

韦应物家族墓志

韦应物是唐代著名诗人，文昌右相韦待价之曾孙，出自京兆韦氏逍遥公房。因出任过苏州刺史，世称“韦苏州”。他的诗歌诗风恬淡高远，以善于写景和描写隐逸生活著称。他的著名诗篇《滁州西涧》：“独怜幽草涧边生，上有黄鹂深树鸣。春潮带雨晚来急，野渡无人舟自横。”意境深远，传诵至今。

2007年夏，韦应物家族的四合墓志在西安市长安区韦曲东北塬上出土，经多方努力，于同年岁末，终得入藏西安碑林博物馆。这批墓志包括《韦应物夫人元蘋墓志》（大历十一年，776）、《韦应物墓志》（贞元十二年，796）、《韦应物子韦庆复墓志》（元和四年，809）及《韦庆复夫人裴棣墓志》（会昌六年，846）。韦应物在唐代文学史上占有重要地位，苏东坡曾赞曰：“乐天长短三千首，却爱韦郎五字诗。”但历史上关于他的生平记载却很少，人们只能依据韦应物诗歌中提供的线索，探究韦应物的生平事迹，不免多有缺漏和分歧。这批墓志的发现，对于我们了解韦应物生平，研究韦诗艺术，以及中晚唐科举制度、选官途径、世族婚姻和世族妇女文学素养等提供了丰富的信息。

韦应物夫人元蘋墓志

《韦应物夫人元蘋墓志》于大历十一年（776）刻立，是由韦应物亲自撰文并书写的，表达了韦应物对夫人深切的哀悼之情。志盖高43.3厘米，宽44.5厘米，

韦应物夫人元蘋墓志拓片

韦应物夫人元蘋墓志盖拓片

厚6.5厘米。志盖书“大唐故元夫人墓志铭”，3行，行3字，楷书。盖四刹饰牡丹花纹。志石高44.8厘米，宽43厘米，厚8.5厘米。志文楷书，27行，满行27字。碑石为青石材质。

元蘋生于唐玄宗开元二十八年（740），天宝十五载（756）嫁于韦应物，卒于大历十一年，去世时年仅三十六岁。两情相悦、生死相许的爱妻永远消逝，诗人满腔的愁绪、累积的思念转化为字里行间无处不在的痛楚，生离死别的哀伤充斥在行文中。“死事”成为志文中的强音，其中一些词句感人至深，如“每望昏入门，寒席无主，手泽衣腻，尚识平生，香奁粉囊，犹置故处。器用百物，不忍复视”。联想到韦应物诗集《韦苏州集》中《伤逝》《送终》等十几首悼亡诗，其中的某些诗句与志文有相似之处，可知这些诗均是韦应物为亡妻所作。与那些悼亡诗相比，志文中的抒情文辞称不上新颖独特，而是近乎白描，读来却让人感同身受。人性中沉淀的共同的人伦情爱被自然地唤醒，中年丧妻的切肤之痛，婴孩幼年丧母哀哭无所依，皆是抒情之笔，却情感真挚、朴实自然。

韦应物墓志

《韦应物墓志》于贞元十二年（796）刻立，由韦应物友人丘丹撰写。碑石为青石材质。志盖高 47.5 厘米，宽 47.5 厘米，厚 6.8 厘米。志盖书“大唐京兆韦府君之墓”，3 行，篆书。盖四刹饰花卉纹。志石高 46.3 厘米，宽 46.2 厘米，厚

韦应物墓志拓片

唐故尚書左司郎中蘇州刺史京
守尚書祠部員外郎騎
君諱應物字義博京兆杜陵人也其
有韋孟者孫賢爲鄒魯大儒累遷代
國爲丞相弈世繼位家于杜陵後十
紊纏之禮竟不能屈以全黄綬之志
國史逍遥公有子六人俱爲尚書五
皇刑部尚書兼御史大夫黄門節部

韦应物墓志拓片（局部）

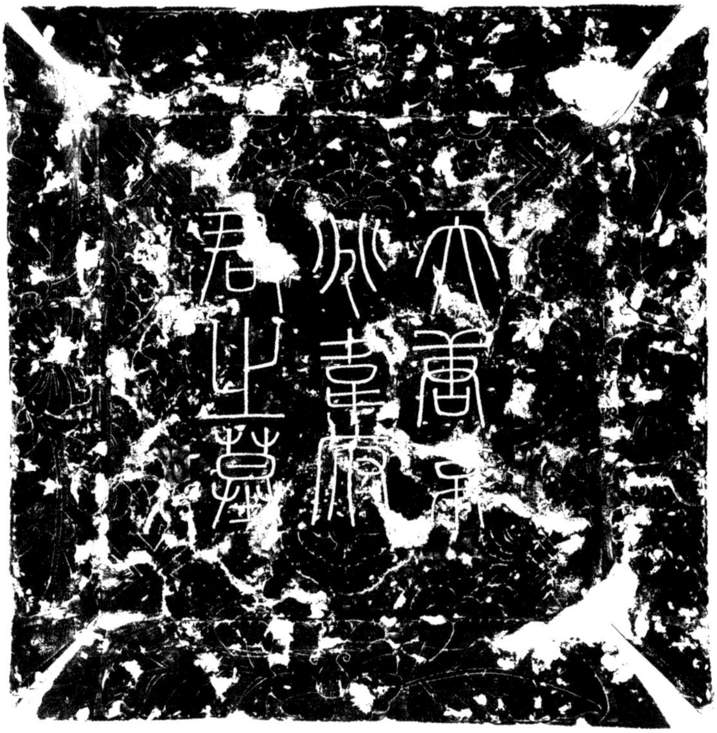

韦应物墓志盖拓片

9厘米。志文30行，满行30字，楷书。

韦应物友人丘丹是苏州嘉兴人，曾任诸暨令，《全唐诗》收有丘丹所作十一首诗。《韦苏州集》中有韦应物为丘丹写的七首诗，从诗文内容分析，这些诗均为韦应物在苏州时所作，可见两人私交之深。

据志文记载，韦应物"所著诗赋、议论、铭颂、记叙凡六百余篇行于当时"。《韦苏州集》收录韦应物诗五百六十多首，可见其诗绝大多数皆得流传，这也从一个侧面反映了韦诗在当时的影响和时人对其作品的珍视。志文中对其历任官职未注明起止时间，但依先后顺序记述颇详，称其"历官一十三政，三领大藩"。三领大藩即指担任滁州、江州、苏州刺史。韦应物最初以资荫补右千牛，这是因为按唐制"三品以上荫曾孙"，而韦应物曾祖韦待价在武后时任宰相，正合此制。德宗贞元六年（790），韦应物仍在苏州任刺史，后罢刺史任，闲居苏州永定寺，直至次年（791）卒于苏州官舍。丘丹在志文中深情回顾了韦应物任苏州刺史期间，他与韦应物的友谊，志文曰：“余，吴士也，尝忝州牧之旧，又辱诗人之目，登临酬和，动盈卷轴。”接着他对韦应物诗作的渊源、造诣给予极高评价：“公诗源于曹（植）刘（桢），参于鲍（照）谢（灵运），加以变态，意凌丹霄，忽造佳境，别开户牖。”

韦应物子韦庆复墓志

韦应物只有一子名庆复，乳名玉斧，其母元蘋去世时他还未满周岁，其父去世时年方十五。据志文记载，韦庆复继承父亲遗志，刻苦攻读，争取入仕，元和二年（807），韦庆复为监察御史里行，跟随兵部尚书李鄘。元和四年（809）以本官加绯，为河东节度判官，当年七月病逝于渭南县灵岩寺，终年三十四岁。

《韦应物子韦庆复墓志》于元和四年刻立，杨敬之撰。碑石为青石材质。志盖高 47 厘米，宽 46.2 厘米，厚 10 厘米。志盖题“大唐故韦府君墓志铭”，3 行，

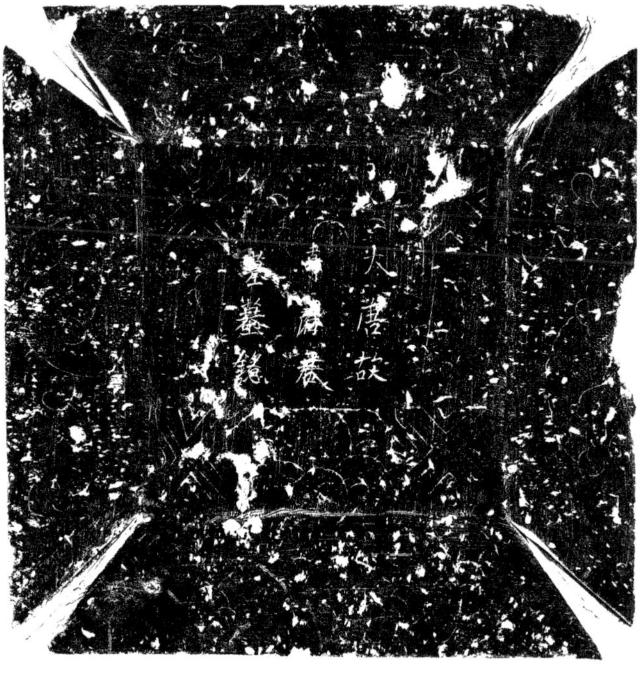

韦应物子韦庆复墓志盖拓片

韦应物子韦庆复墓志拓片

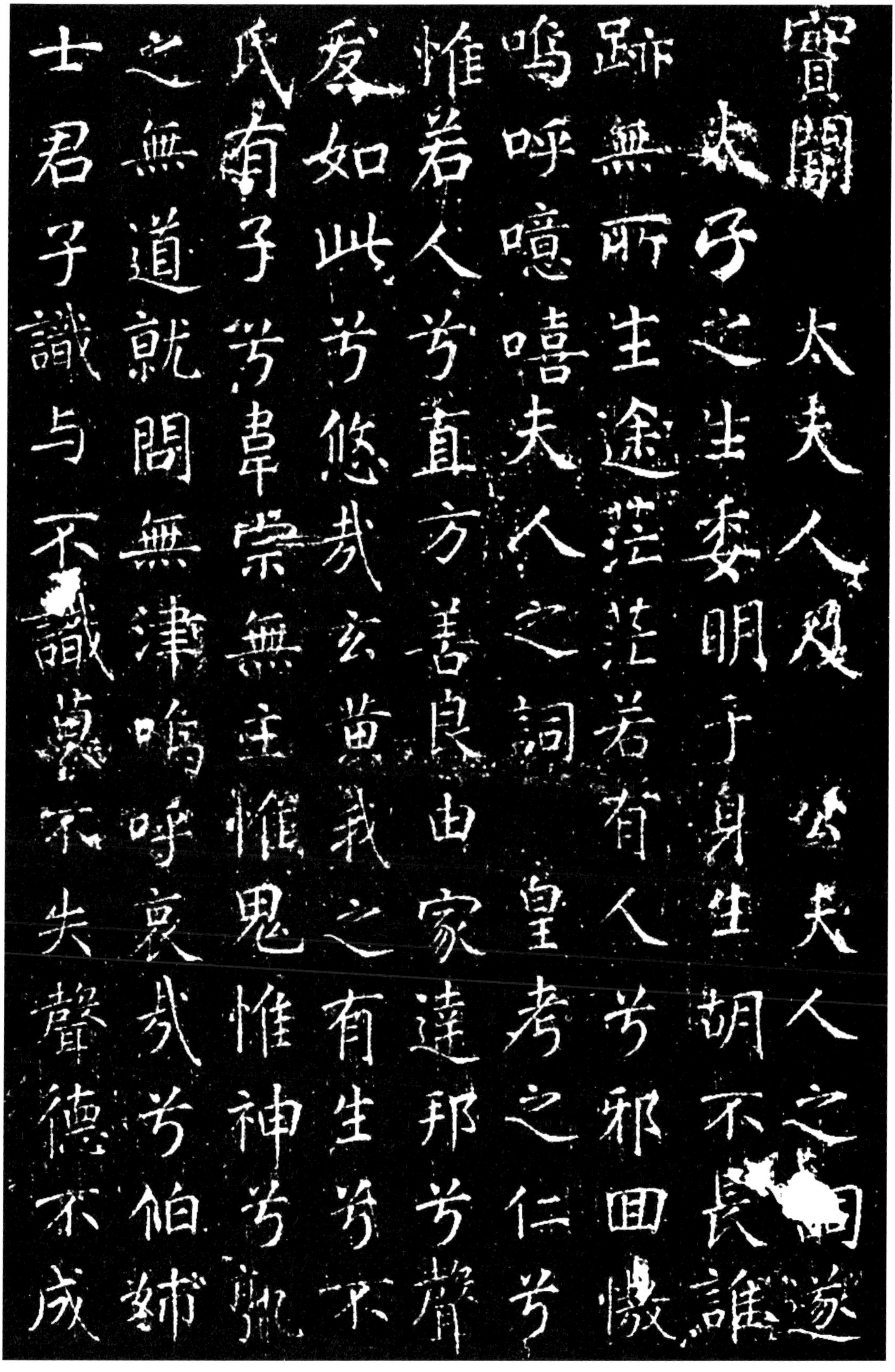

寳闕 太夫人殁 故夫人之[illegible]遂
夫子之生委明于身生胡不長誰
跡無所生途茫茫若有人兮邪回儌
嗚呼噫嘻夫人之詞 皇考之仁兮
惟若人兮直方善良由家達邦兮聲
爰如此兮悠哉玄黄我之有生兮不
氏有子兮皐宗無主惟鬼惟神兮亂
之無道就閟無津嗚呼哀哉兮伯姊
士君子識与不識莫不失聲德不成

韦应物子韦庆复墓志拓片（局部）

楷书。盖四刹饰云纹。志石高 46.4 厘米，宽 46 厘米，厚 7 厘米。志文 27 行，满行 27 字，楷书。

韦庆复墓志的撰文者是他的外甥即韦应物的外孙杨敬之。杨敬之是唐代文学家杨凌之子。据《新唐书》可知，杨敬之字茂孝，元和初年擢进士第，是一位既通儒典又精文辞诗赋的才子，最后官至三品高位。

韦庆复夫人裴棣墓志

《韦庆复夫人裴棣墓志》于会昌六年（846）刻立，志文由韦庆复之子韦退之撰。碑石为青石材质。志盖高 44.5 厘米，宽 44.2 厘米，厚 4.6 厘米。志盖书“唐韦府君夫人裴氏志”，3 行，楷书。盖四刹饰四神纹。志石高 45.4 厘米，宽 45 厘米，

韦庆复夫人裴棣墓志盖拓片

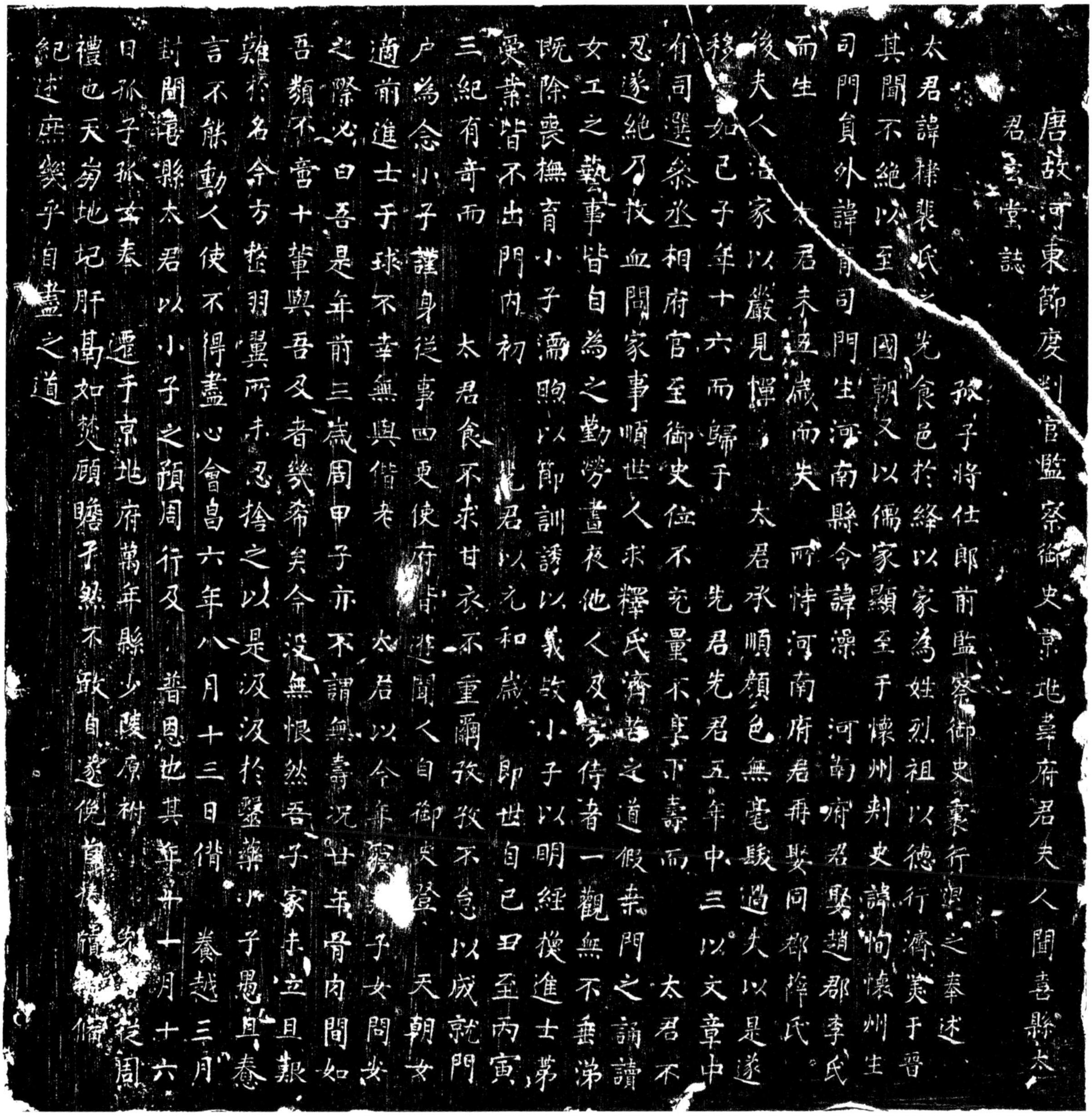

韦庆复夫人裴棣墓志拓片

厚 7.5 厘米。志文 25 行，行 25 字，楷书。

韦庆复夫人裴棣，出身于河东闻喜县裴氏家族，十六岁出嫁，生二子，长子在韦庆复去世后十六日丧。夫人强忍失夫丧子之痛，日夜操劳，"抚育小子，濡煦以节，训诱以义。故小子以明经换进士第，受业皆不出门内。"裴棣与韦应物夫人元蘋一样知书达理、贤良淑德。她在其夫去世三十七年后的会昌六年卒，并被封闻喜县太君，当年十一月葬于韦氏墓地。韦庆复子韦退之为其母撰墓志时，署衔"将仕郎、前监察御史里行"。将仕郎是品秩最低一级的文阶散官，从九品下。巧合的是，其父韦庆复去世时，亦官"监察御史里行"。

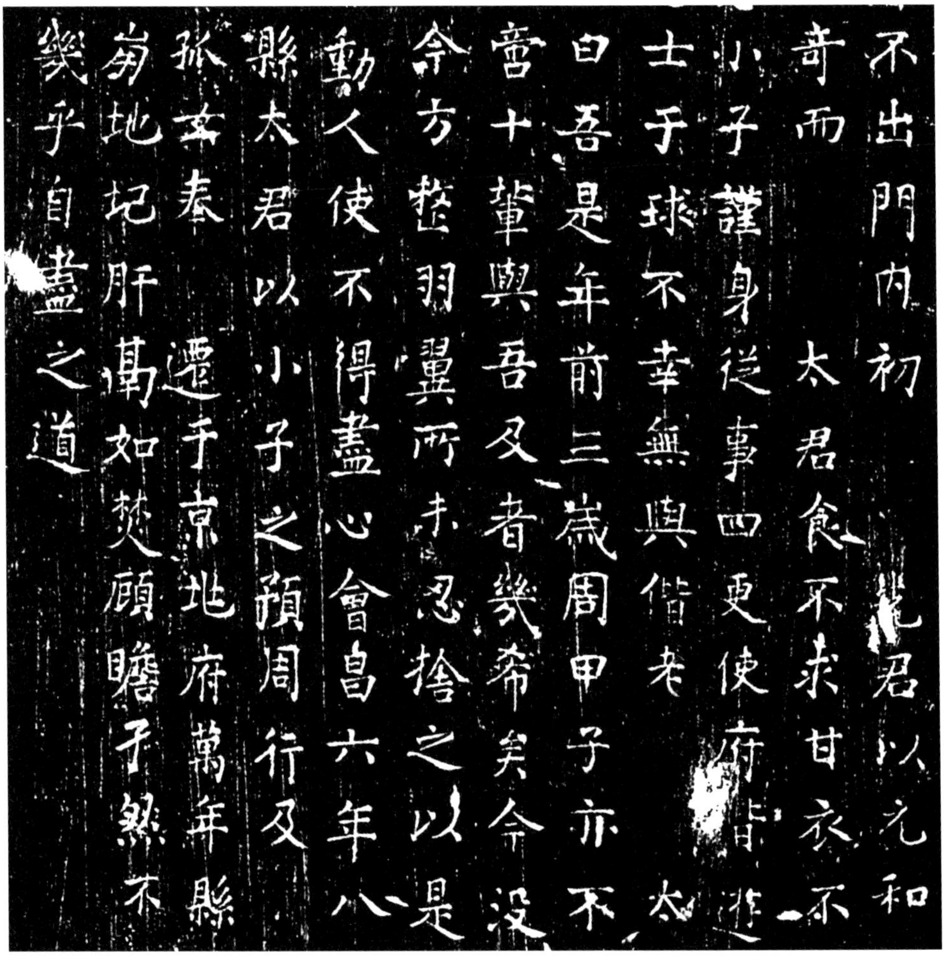
不出門內初 先君以元和
奇而 太君食不求甘衣不
小子謹身從事四更使府皆進
士于球不幸無與偕老 太
曰吾是年前三歲周甲子亦不
嘗十輩與吾及者幾希矣今没
命方整羽翼所未忍捨之以是
動人使不得盡心會昌六年八
縣太君以小子之頹周行及
孫女春 還于京地府萬年縣
岗地圮肝膈如焚顧瞻子然不
幾乎自盡之道

韦庆复夫人裴棣墓志拓片（局部）

独孤申叔墓志

唐德宗贞元十八年（802）七月初七，一代文豪韩愈、柳宗元、刘禹锡及王涯、吕温等文坛名人共计十一人，齐聚长安城南凤栖原畔，同为一位故去的挚友独孤申叔凭吊送行。这一份哀挽之情连同十一位友人的姓名，被柳宗元郑重地记录在为故友所撰写的墓志文后，而这篇题为《亡友故秘书省校书郎独孤君墓碣》的志文后来被收入《柳宗元集》，并传承至今。

2000 年，《独孤申叔墓志》的实物在西安市长安区大兆乡出土，并于同年入藏西安碑林博物馆。当贞石上镌刻的字迹与文集中流转千年的文字逐渐重叠，一位业已远去的唐代青年文学家独孤申叔的身影又鲜活起来。这方墓志高、宽仅 40 厘米，厚 11 厘米。志文 21 行，满行 22 字，楷书。未署书者姓名，而撰文者为唐代大文豪柳宗元。

柳宗元在志文中仅用寥寥数语勾勒出独孤氏短暂的生命历程，而把更多的笔墨用在了抒发他对这位挚友的褒扬，以及痛失友人的哀恸之情上。从柳宗元的记录来看，独孤申叔的生命实在太过短暂。他二十二岁便考中进士，二十四岁凭着出众的文学造诣又中博学宏词科，擢为秘书省校书郎，主要负责典校群书，仕途前景一片光明。不料却在三年后为父守丧期间突然去世，年仅二十七岁。

独孤申叔生前与柳宗元同在秘书省担任校书郎，又与柳宗元、韩愈、刘禹锡等当年长安城内的文学青年们年龄相仿，故而交往颇多，他的才华也得到了众多友人的欣赏和肯定。柳宗元曾由衷地称赞他：“其为文深而厚，尤慕古雅，善赋

独孤申叔墓志拓片

墓志

京兆府藍田縣尉柳宗元撰

墓祔于其父太子舍人諱

子少保諱間俗而上其墓皆

營陵於其側故再世在此嗚

端而明內之爲孝外之爲仁

其樂也不淫讀書推孔子之

颂，其要咸归于道”，甚至推崇他为“唐代之颜回”。如此才华横溢的青年却不幸早逝，令好友们无不悲恸惋惜，于是纷纷借文辞寄托哀思。如散文家皇甫湜作《伤独孤赋》云：“伤独孤者，伤君子也，盖伤君子有道而无命也！”作为韩愈古文运动大旗下的一名骁将，独孤申叔去世后，一代文宗韩愈也特作《独孤申叔哀辞》怀念他，文中写道：“濯濯其英，晔晔其光，如闻其声，如见其容。呜呼远矣，何日而忘！”于是便有了文章开头提到的众多文坛名人，为其凭吊送行的感人一幕。

一颗正在升起的唐代文坛新星就此陨落，正如柳宗元在墓志中所言，独孤申叔“行道之日未久，故其道信于其友，而未信于天下”，何其痛惜！

慧坚禅师碑

《慧坚禅师碑》全称为《唐故招圣寺大德慧坚禅师碑铭并序》，刻立于唐宪宗元和元年（806）。此碑由徐岱撰、孙藏器书。此碑于1945年在西安市西郊出土，1948年移入西安碑林。碑呈竖长方形，螭首方座。碑通高299厘米，宽91厘米。志文27行，每行50余字不等，行书。额题为“唐故招圣寺大德慧坚禅师碑”，3行，每行4字，隶书。此碑完整无缺，碑文清晰。碑文叙述了当时佛教禅宗代表人物慧坚禅师受唐睿宗器重的情况，有重要的史料价值和书法价值。

碑侧饰有图案，其全部用线勾成，以双波纹为干线，用盛开的花朵的正面和侧面为主要内容，中间还穿插有鸟兽人物。碑左侧刻有生机盎然、展翅欲飞的鸳鸯，右侧则刻一挺立的朱雀，和一个身绕宽长飘带、半跪莲花上的赤身小人儿。碑左右两侧的底部相对刻着长翼短尾、头有独角、遍身花斑的瑞兽。所有构图极其紧密均衡，显得格外生动饱满、富丽堂皇。碑末空处有民国三十四年（1945）题记一则，记碑之出土始末。

慧坚禅师（718—792），俗姓朱氏，陈州淮阳人，为禅宗第八代弟子，是曹溪南宗一派之高僧。据碑文载，他弱冠时即离家求佛，遇禅宗七祖神会大师付以心要。虢王李巨曾请住洛阳圣善寺，后西至长安，至化度、慧日二寺，大历年间奉代宗皇帝诏命移居圣善寺，尊为宗师。贞元初，诏译新经，曾入禁中为宫中太子等讲禅，贞元八年（792）正月卒。弟子普济等为纪念先师，建塔于长安龙首原西。

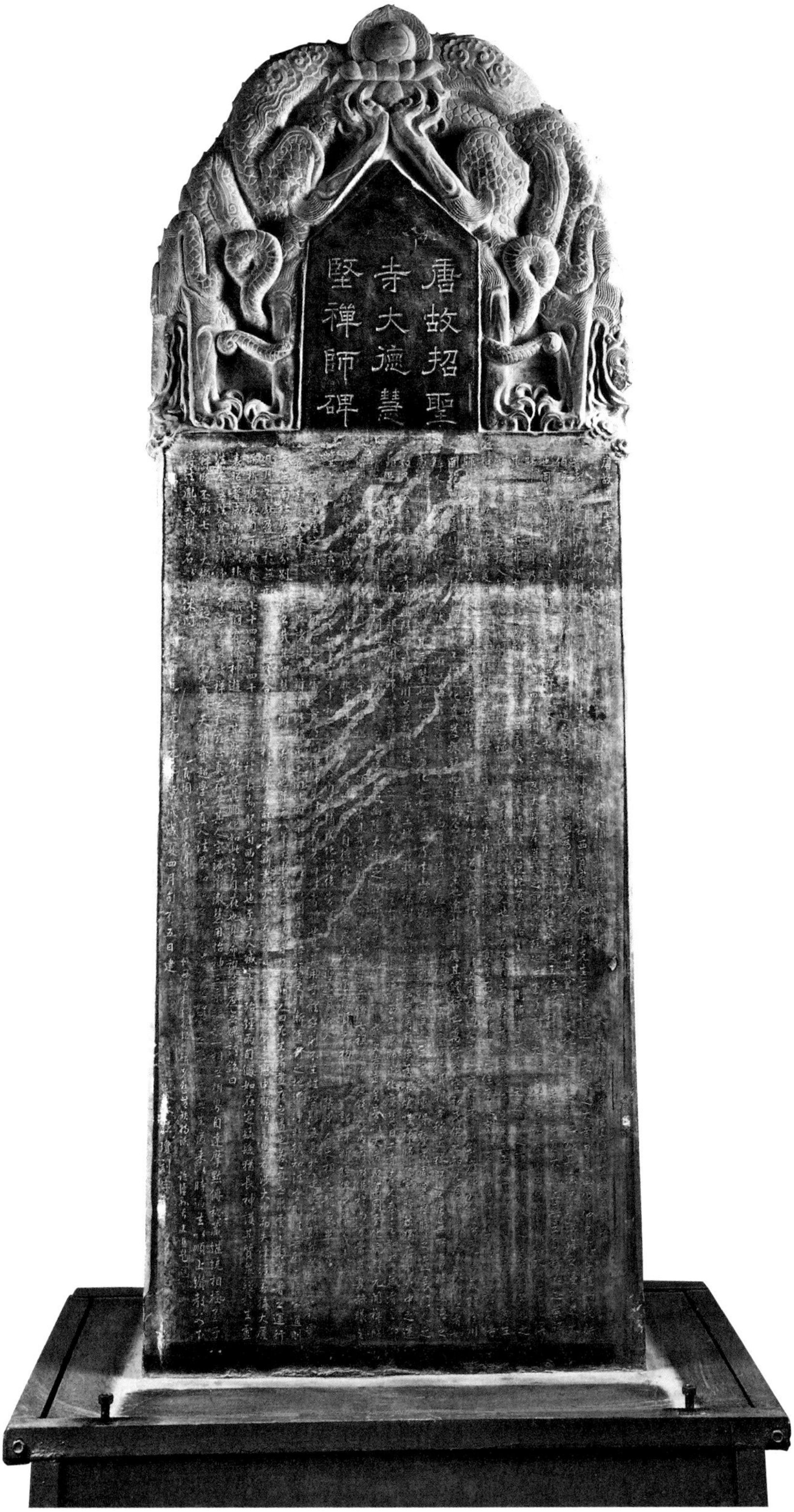

慧坚禅师碑

撰者徐岱，字处仁，苏州嘉兴人，熟读六经诸子，代宗大历年间（766—779）初任校书郎，德宗贞元年间（785—804）初为太子、诸王侍读、迁侍中、史馆修撰，卒后赠礼部尚书。德宗在每年生日诏佛、道二教到麟德殿对论，曾召徐岱等儒者讲说。

此碑书者孙藏器，唐著名书法家，其书法似王羲之，笔法健劲流畅，笔势圆转，点线多变。此碑中许多字的结体，与《集王圣教序碑》中的字体极为相似。此碑用笔圆润，结字严谨，遒美婉丽，流畅闲雅，流动中含有静穆，端雅稳健，清朗虚和，具有阴柔之美感。孙藏器的传世书作还有《秦朝俭墓志》和《骆夫人墓志》等。

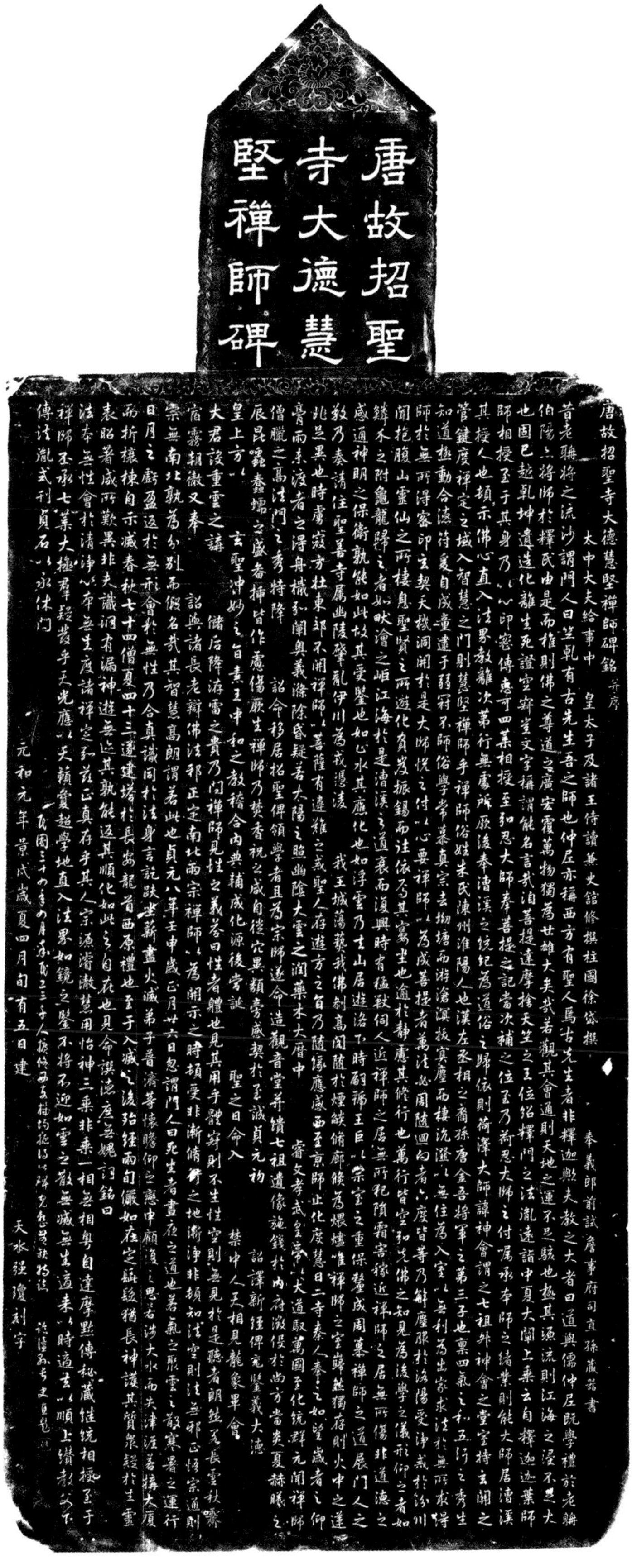

慧坚禅师碑拓片

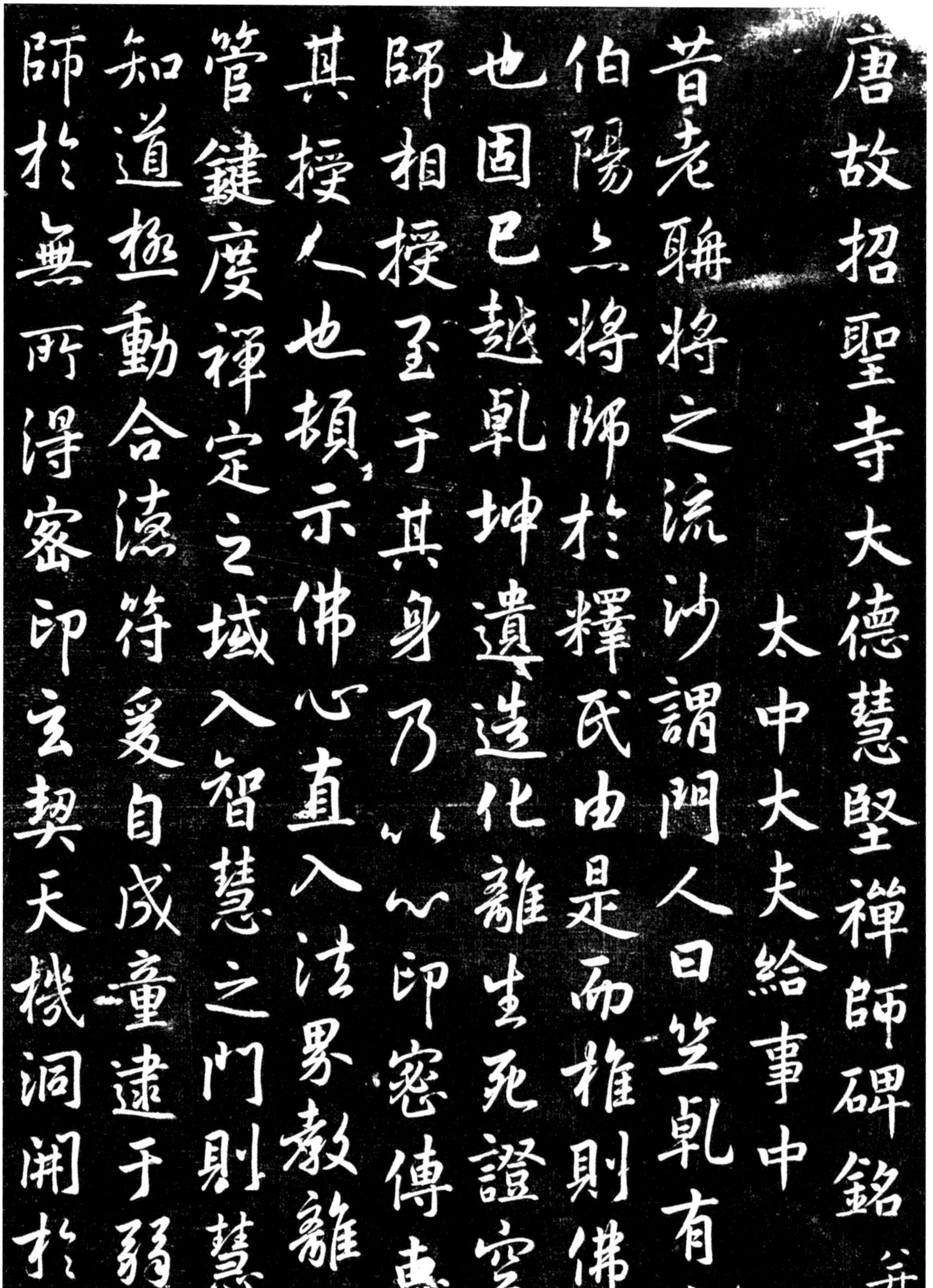
唐故招聖寺大德慧堅禪師碑銘并
太中大夫給事中
昔老聃將之流沙謂門人曰竺乾有
伯陽之將歸於釋氏由是而推則佛
也固已越乾坤遺造化離生死證空
師相授至于其身乃以心印密傳惠
其授人也頓示佛心直入法界教離
管鍵度禪定之域入智慧之門則慧
知道極動合德符爰自成童逮于弱
師於無所得密印玄契天機洞開於

慧坚禅师碑拓片（局部）

米继芬墓志

这方墓志的志石及盖均高 48 厘米，宽 47 厘米。盖题“大唐故米府君墓志铭”，篆书。志盖呈覆斗形，四刹饰四神图案。志题“大唐左神策军故散副将游骑将军守左武卫大将军同正兼试太常卿上柱国京兆米府君墓志铭并序”。志文 20 行，满行 27 字，行书，翟运撰并书。志及盖泐损严重。1955 年出土于西安市西郊三桥，现藏于西安碑林博物馆。

米继芬属昭武九姓中的米国人，其父突骑施是在唐帝国的威力下，作为质子的身份来到唐朝的。当时朝廷对他待遇优厚，赐宅供奉，并给予高官厚禄。其子米继芬“公承质子”，唐帝国给他的官职是在禁军中左神策军充当一名闲散的副将。由此志文还可得知，米继芬一家虽然来自祆教盛行的粟特地区，却不信奉祆教，其一家世代都为景教徒。

通过《米继芬墓志》，我们对唐代禁军中的神策军、将军、大将及散副将等官职的情况有了进一步的了解。更重要的是，了解到唐代不仅形成了以汉族为中心的多民族的统一国家，而且与其他各国也有经济、文化上的交往。甚至有中亚、西亚国家的人们在唐朝做官，其生活习惯大致与汉人相同，因而死后也按照汉人的风俗把墓志埋在地下，这充分说明了唐代的对外关系和交往是非常地开放。

在西安碑林关于中外文化交流的石刻文献史料中，除反映中国古代与中亚交往的唐永贞元年（805）刻《米继芬墓志》外，还有记述基督教传入中国的唐建中二年（781）刻《大秦景教流行中国碑》，记述与波斯友好往来的咸通十五年

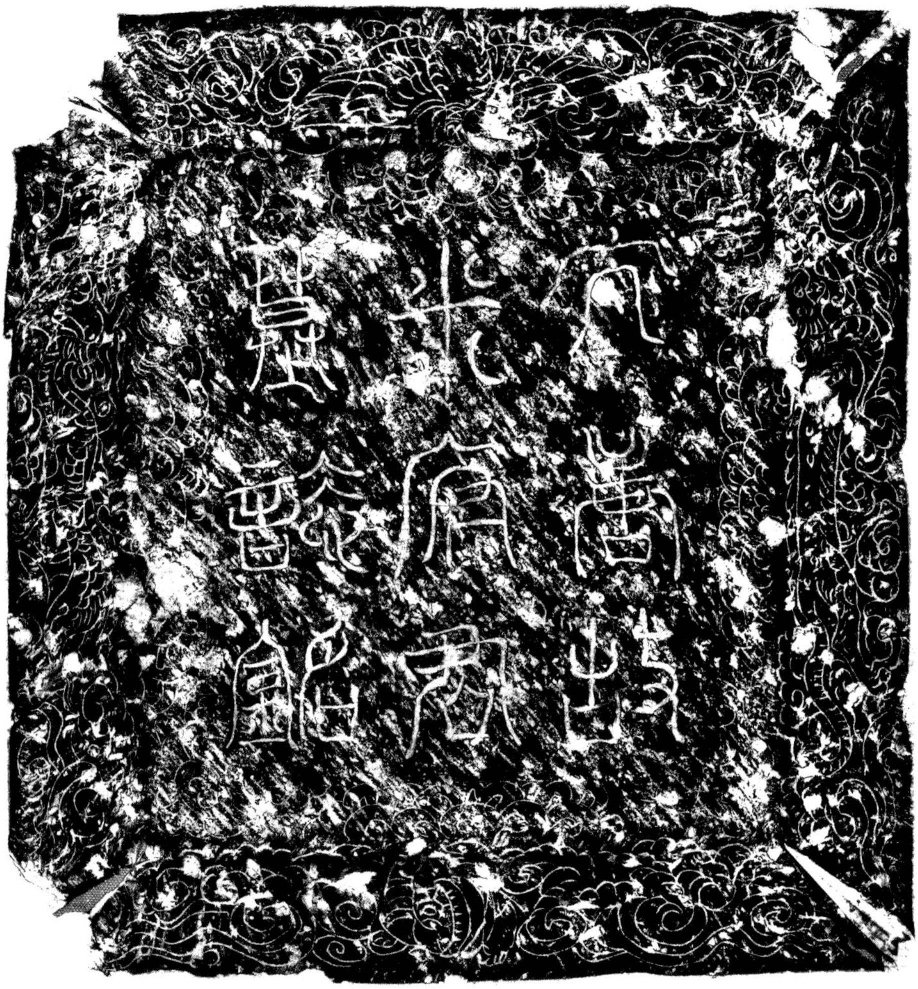

米继芬墓志盖拓片

（874）刻《苏谅妻马氏墓志》，记载中国与尼泊尔友好往来的唐《中尼合文陀罗尼经幢》，等等。它们不仅丰富了关于我国古代的历史文献，也为世界上其他国家提供了他们本国的一部分古代历史文献，故其价值不可估量。

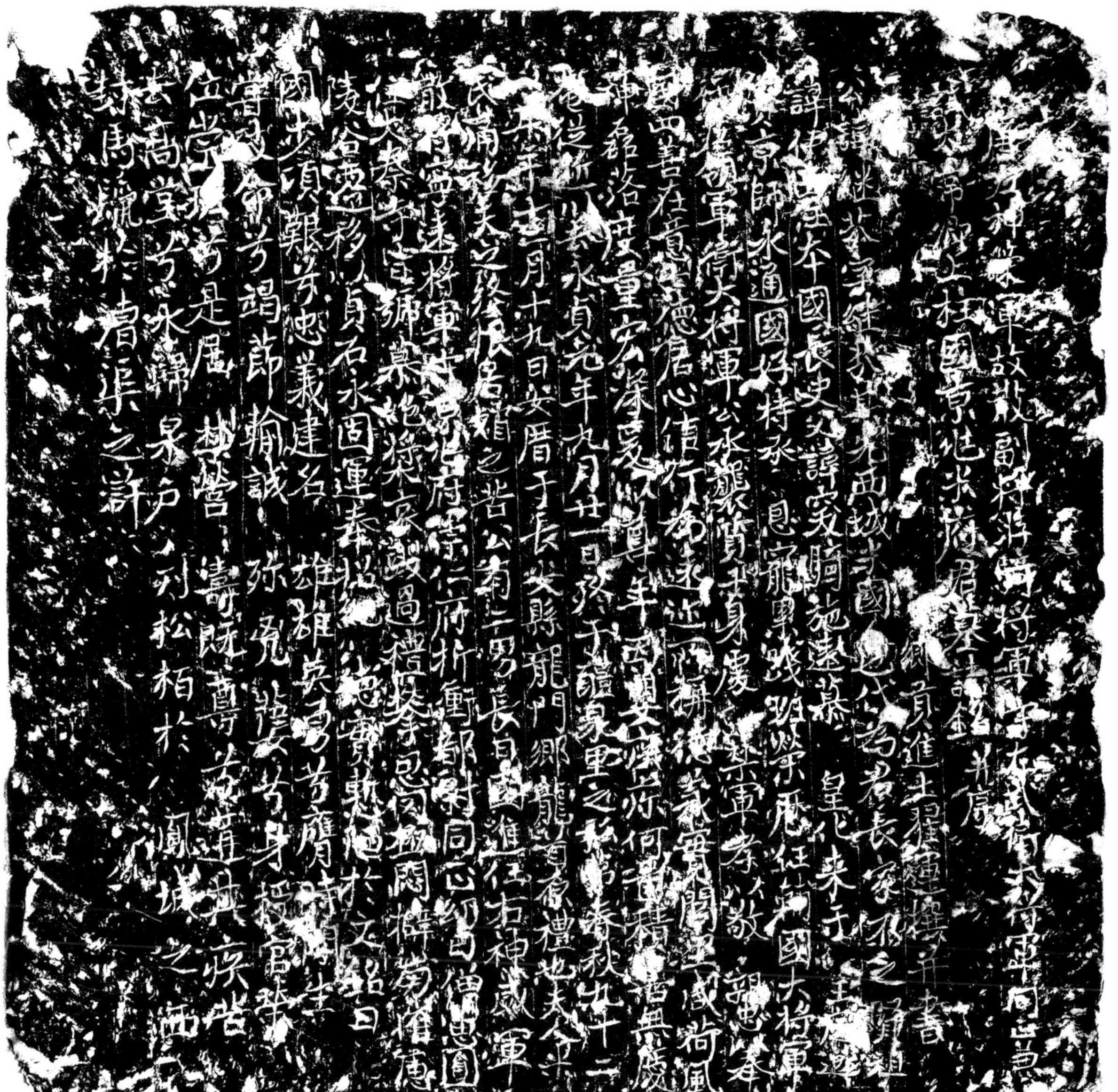

米继芬墓志拓片

廖有方墓志

唐时格局，海纳百川，风云人物从四面八方汇聚大唐，从有唐墓志可见一斑。西安碑林博物馆就珍藏有一方唐代墓志，志主为唐代交趾诗人、义士廖有方。这篇墓志不仅为我们提供了有关廖有方生平事迹的诸多信息，这对于研究唐代诗人的名字与籍贯、科举与仕宦、婚姻与家庭、交流与经历等情况具有重要价值，而且

廖有方墓志盖拓片

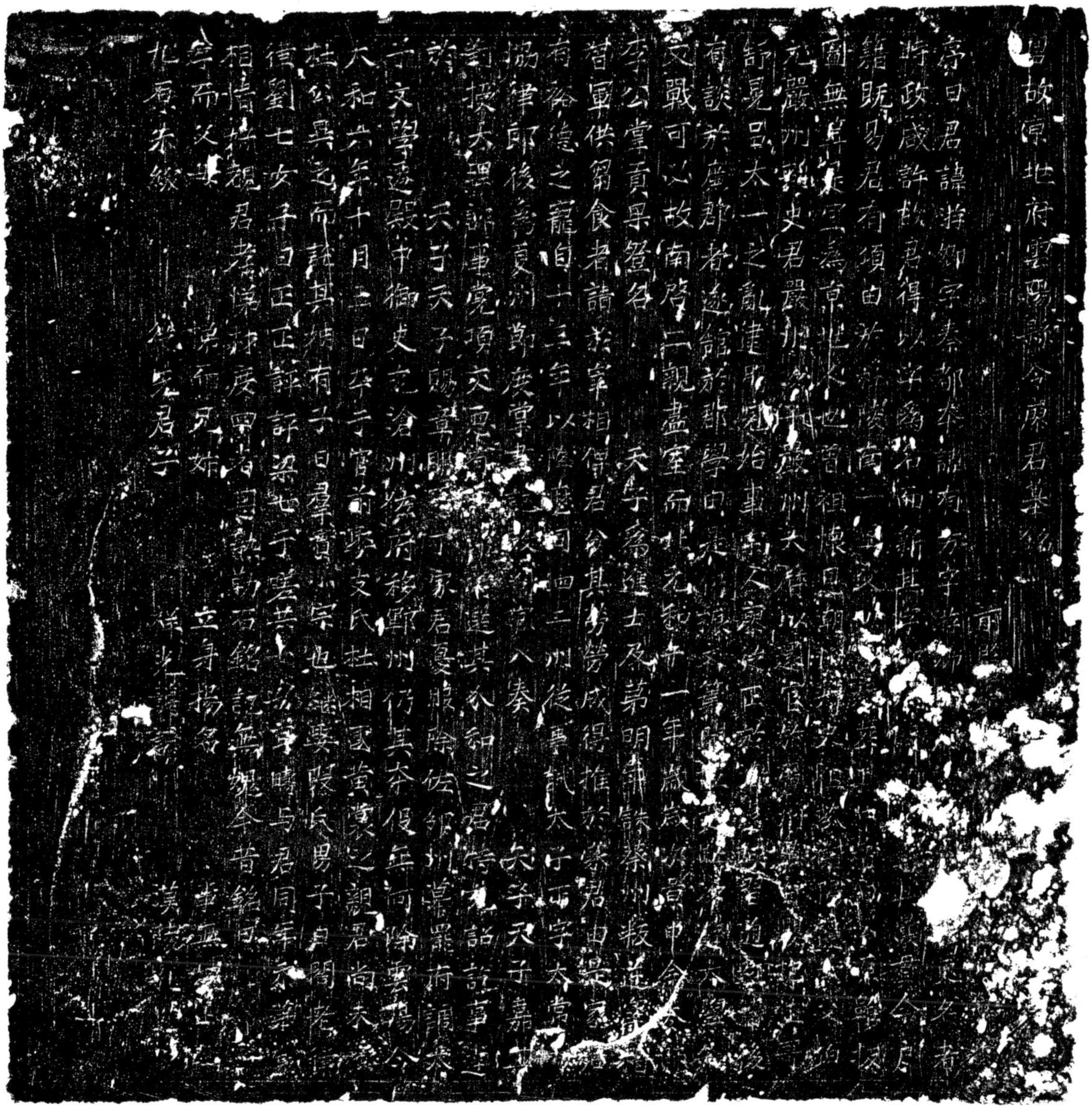

廖有方墓志拓片

涉及多种政治事件，有助于我们认识中唐的政治背景。墓志志石呈方形，有盖。盖题四周及四刹均饰云纹。志文23行，满行26字，楷书。志题“唐故廖端公府君墓铭”，3行，行书。

廖有方，新旧《唐书》无载，《全唐诗》收录其诗《题旅榇》一首，从诗文

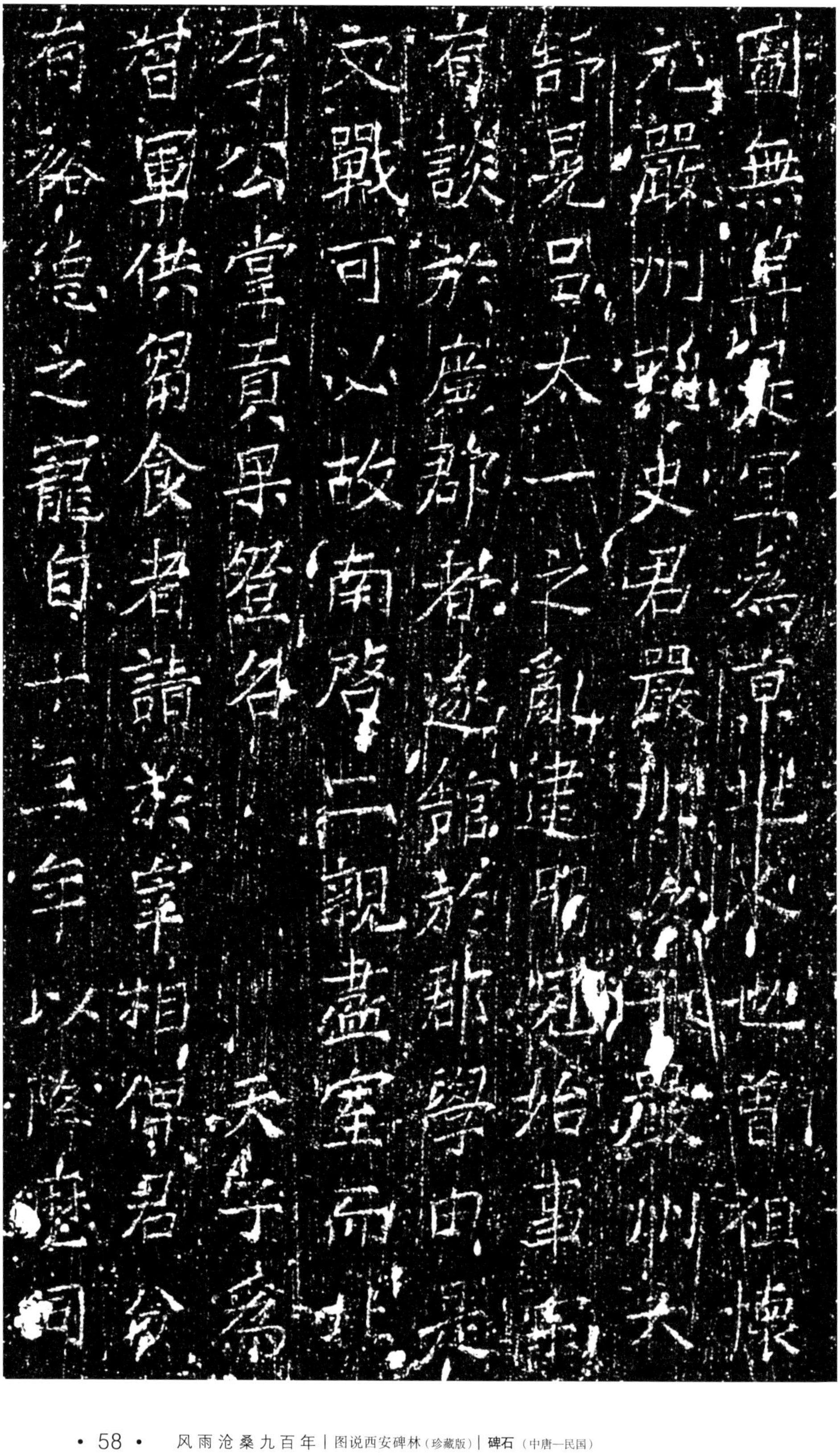

廖有方墓志拓片（局部）

题记可知其为唐代交州人。交州在唐代隶属安南都护府。据《旧唐书·地理志》记载，交州在隋时为交趾郡，唐武德五年（622）改为交州总管府，治所在交州，至德二年（757）改为镇南府，大历三年（768）复为安南都护府。安南都护府治所在交州，属于岭南道，地处今天的越南首都河内。因此，可以说廖有方是出生于今越南一带的中唐著名诗人。这方墓志是迄今为止在西安地区发现并被披露的第一方唐代交趾人的墓志，对于研究安南人在唐代的生活境遇、婚姻、交游等都极有价值。

廖有方在交趾已经以文笔高意闻名遐迩，于元和十一年（816）进士及第，他的诗名远播与他和当时在岭南为官的著名诗人柳宗元的交游及其推荐息息相关。柳宗元曾作《送诗人廖有方序》和《答贡士廖有方论文书》两篇文章，对廖有方的刚健厚重、才华横溢、文情雅致大加赞赏。这些诗文资料都对后世了解、评价廖有方产生了至关重要的作用。值得一提的是，使廖有方能够誉满天下的不仅是其文学成就，还在于他的一次轰动时人耳目的义举。根据唐代笔记小说《云溪友议》卷下《名义士》记载：廖有方在元和十年（815）应举不第后游至宝鸡西界馆，义葬了一位客死他乡的秀才，后来竟然巧遇了这位秀才的妹妹，其对廖有方殷勤招待并欲馈赠厚礼，为廖有方所拒，自此廖有方的君子美德家喻户晓，遂成就千载美谈。

廖有方有义士之名，又高中进士，这样一位岭南杰出人士必然为当时朝野人士所敬重。墓志记载其首娶的夫人就是当时宰相杜黄裳的女儿。杜家是官宦世家，想必杜黄裳是看中廖有方的才学和义举才托人联姻的。当然，这也为日后廖有方的仕途发展，产生了积极的影响。

墓志的撰者部分已模糊不清，题款仅有“前监察”三个字，据推测是唐代著名书法家任畴，史书称其颇善行书。《宣和书谱》记载：“任畴，不知何许人也。颇工行书，其步骤类欧阳询，得险劲妩媚之妙。大抵唐人多宗欧虞褚柳，不知书法成于王氏羲、献父子，散于百家。家自为学，各持一体，语其大成，则无有也。”从墓志来看，任畴书风严谨，有初唐欧虞之风。

迴元观钟楼铭

《迴元观钟楼铭》碑全称《大唐迴元观钟楼铭并序》，刻立于唐文宗开成元年（836）。碑为横长方形，无座，碑长 124 厘米、宽 60 厘米、厚 18 厘米。碑文 41 行，满行 20 字，总计 761 字。令狐楚撰文，柳公权书，邵建和刻。1986 年出土于西安东郊，现藏于西安碑林博物馆。

由于碑石长期埋于地下，字面残损很少，字口清晰，棱角分明，没有后人剜刻的痕迹。碑文记述了唐迴元观的历史沿革、观内设置状况及钟楼的使用情况。其中简练而隐晦地提到迴元观旧址曾是唐玄宗赏赐给安禄山的宅第，后因安史之乱，

迴元观钟楼铭

威儀麟德殿講論大德賜紫郄玄表冲用
門領袖抗疏上論請加崇飾其明曰
一口不侈不揜有銑有予而帶篆之鬪元
之人其罔聞後之人其罔知四年夏有
侯瓊珎等聞於明宮之玉晨觀設壇進
信金帛刀鏡之直并中朝大僚外舍信
捨合七十万於殿之前少東創建層樓
冀冀既設合大力者扛而登于懸間鯨魚
皆滿初拗然而怒徐寥然而清沉伏既樛
終峯業以振動觀臺廓而開爽聞其聲者

迴元观钟楼铭拓片（局部）

安禄山被杀，宅邸废弃，唐肃宗时改建为迴元观的历史史实。安史之乱是唐朝历史上重大的政治事件之一，是唐朝统治由盛转衰的转折点。玄宗时期，胡人安禄山因骁勇善战，成为玄宗爱将，甚至被杨贵妃收为养子，位居平卢、范阳、河东三镇节度使，拥有重兵十五万之众。天宝十四载（755）冬，安禄山在范阳（今河北涿州）起兵叛乱，南下攻陷东都洛阳。次年称帝，攻入长安，大肆烧杀抢掠。同时，安禄山部将史思明占有河北十三郡地，无奈之下，玄宗皇帝逃往四川。756年，太子李亨于灵武（今宁夏灵武市区）为朔方诸将所推而自行登基，遥奉玄宗为太上皇，改年号为至德，是为唐肃宗。两年后，安禄山被其子安庆绪所杀。这次叛乱史称安史之乱，前后历时七年之久，社会政治、经济均遭到严重破坏。碑文中的"燕戎"当指安禄山及其部将，而"贪狼""猰豖"则是对安禄山的蔑称。"迴元"二字有恢复元气和回归正元的意思，由此也可看出肃宗皇帝的良苦用心。

《迴元观钟楼铭》的撰文者令狐楚（766—837），字殼夫，华原（今陕西耀县）人。他是晚唐政坛上的有名人物，文名亦颇高，新旧《唐书》均有其传。宪宗元和之末，入为中书侍郎、同中书门下平章事。文宗大和年间，历任户部尚书、吏部尚书、尚书左仆射，进封彭阳郡开国公。撰写这篇碑文的开成元年，他已七十高龄。也是在这一年，他出为兴元尹（治所在今陕西汉中）、山南西道节度使，次年便卒于任上。

此碑为柳公权五十九岁时所书，柳书筋骨显露、锋芒凌厉的特征得到全面彰显。此时正值柳书由古法转向新法的过渡期。碑中文字体态虽然相近，但神采各异，充分体现出柳公权这一时期"无一字无来处"的书法追求。例如，第二行、第三行的小楷有钟繇、王羲之的体貌，取其平和、温润、古朴、清秀之风；正文中的楷书结体，又得褚遂良的端庄舒逸、纤劲秀美之气；从文中许多字的写法看，柳公权受欧阳询的影响至深，如"大""门""年"等字的写法与欧阳询《皇甫诞碑》中的写法极其相似，得其清劲爽利、结体严谨、平缓含蓄之风格。

尽管《迴元观钟楼铭》汇聚了许多书法名家的风格特征，但同时也开始展现出柳体"内紧外松"的书风。其用笔重骨力，一笔不苟，以方笔为主，辅以圆笔，瘦劲挺拔，横画平稳劲健，点画圆中带方，竖画端正挺立。其结构往往在错位中求变化，在不平衡中求韵趣，于端庄之中透出险绝之气。

玄秘塔碑

《玄秘塔碑》全称为《唐故左街僧录内供奉三教谈论引驾大德安国寺上座赐紫大达法师玄秘塔碑铭并序》，唐武宗会昌元年（841）刻立。碑螭首方座，高386厘米，宽120厘米。碑文28行，行54字。裴休撰文，柳公权书并篆额，邵建和及其弟邵建初镌刻。此碑原立于唐长安城安国寺内，北宋时移至西安碑林至今。

碑文主要记载了大达法师端甫的生平。大达法师，俗姓赵，甘肃天水人。十岁时便随崇福寺道悟禅师学习佛法，十七岁剃度为僧，后任长安安国寺上座，宣扬佛法，在德宗、顺宗、宪宗时备受恩宠，曾任左街僧录。开成元年（836）圆寂，葬于长安城长乐原之南。玄秘塔即为法师埋骨之所。《宋高僧传》卷六《唐京师大安国寺端甫传》的内容完全照录了《玄秘塔碑》碑文，所以此碑为研究高僧传记，提供了不可多得的实物资料。

该碑气韵浑一，用笔果断，结体紧凑，神韵刚健，除却晋以来王氏书风求柔取媚的书风，以其铮铮的骨气率为柳体书风，与颜真卿并称“颜筋柳骨”，开创了我国书法史上的一代新风。字字结体精密严紧，字形端正俊丽，用笔果敢利落，引筋入骨，寓圆润与遒劲之中。又骨肉相匀，刚柔相济，游刃于古法之外，寓新意于颜书之中而更富变化。通碑丰润清劲，爽朗有神。《玄秘塔碑》极度体现了柳书的特色——结体紧密、笔法锐利、字形瘦硬、筋骨明显，一如刀劈斧砍，令人耳目一新。

玄秘塔碑

在柳公权书写的众多碑刻中，《玄秘塔碑》无疑最为幸运。它有幸与唐《开成石经》《石台孝经》及诸多唐代名碑一起，为碑林的形成奠定基础，并在以后的岁月里，作为碑林藏石而得到历代有识之士的保护。千年之后，其他柳书碑刻大多毁失，能保存至今日的，也多已字迹漫灭，唯有早早入藏碑林的《玄秘塔碑》基本完好——除碑身上部横断损字外，可以说相当完整。《玄秘塔碑》历来被认为是柳书的代表作品，因此千余年来，一直被奉为学习柳书的入门之帖。

书者柳公权，字诚悬，历穆宗、敬宗、文宗三朝，官至太子少师，封河东郡公，是晚唐的大书法家。他初法“二王”，后又遍阅初唐前辈笔法，尤得力于欧阳询、颜真卿。他之所以成为开一代新风之大家，是由于他并未就此停步，泥于古人，而是“极力变右军法，盖不欲与《禊帖》面目相似”，“出于颜，然内蕴变为外棱”。他身处中唐藩镇割据之时，特殊的历史环境使得他的书风有着兼收并蓄的特点：既有欧阳询的缜密欹侧，更有颜真卿的豁然大度、凛然不可犯之色。特别是柳公权与颜真卿基本同处一个时代，柳书对颜体确有很大的继承，而更为重要的是，其以颜为本而更出新意——颜书以丰润、雍容取胜，而柳书在丰润之外更加一层遒劲利落，终自成一家。

《玄秘塔碑》是目前最具神韵、保存最好的柳书碑刻之一，尤其是柳书书风“骨”的代表。

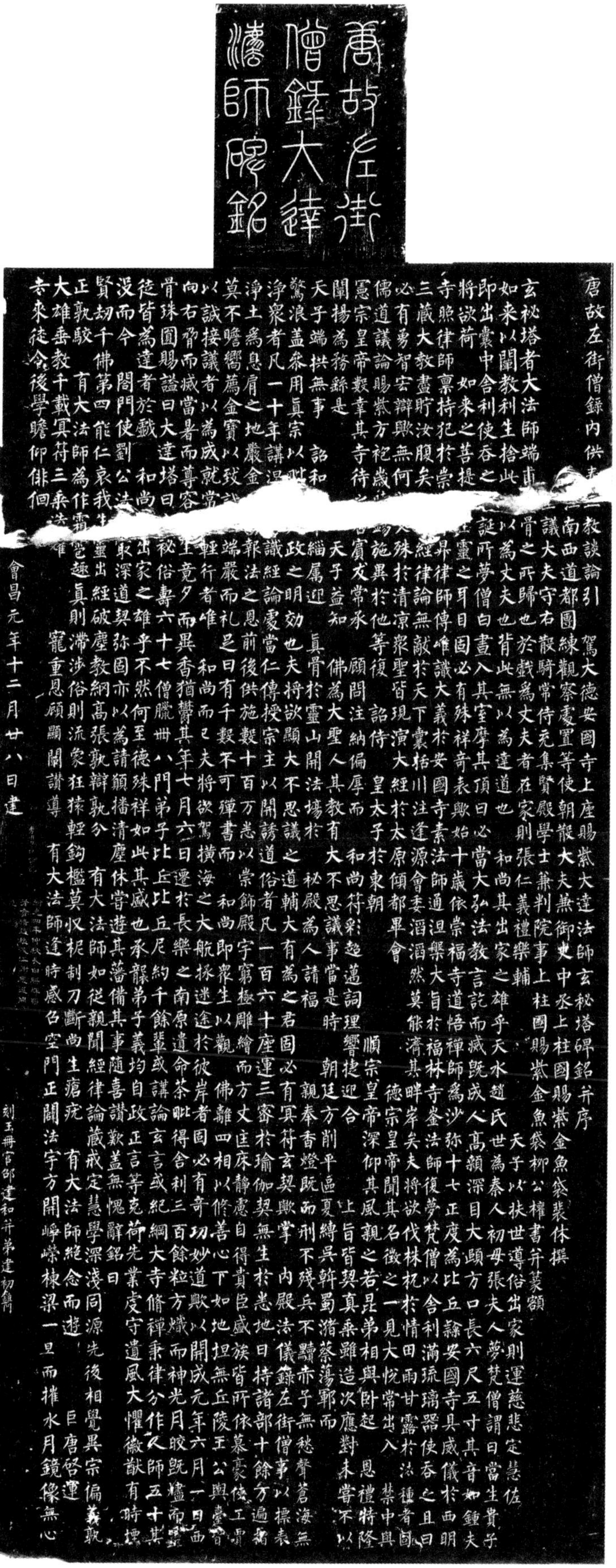

玄秘塔碑拓片

唐故左街僧錄內供
玄祕塔者大法師端甫
如來以闡教利生捨此
即出囊中舍利使吞之
將欲荷如來之菩提
寺照律師稟持犯於崇
三藏大教盡貯汝腹矣
必有勇智宏辯歟無何
儒道議論賜紫方袍歲
憲宗皇帝數幸其寺待
闡揚為務繇是

教談論引駕大德安國寺
南西道都團練觀察處置等
議大夫守右散騎常侍充集
骨之所歸也於戲為丈夫者
以為丈夫也背此無以為達
誕所夢僧白晝入其室摩其
靈之耳目固必有殊祥奇
昇律師傳唯識大義於安
經律論無敵於天下囊括
殊於清涼衆聖皆現演大
施異於他等復詔侍
賓友常承顧問注納偏
天子益知佛為大聖人

玄秘塔碑拓片（局部）

开成石经

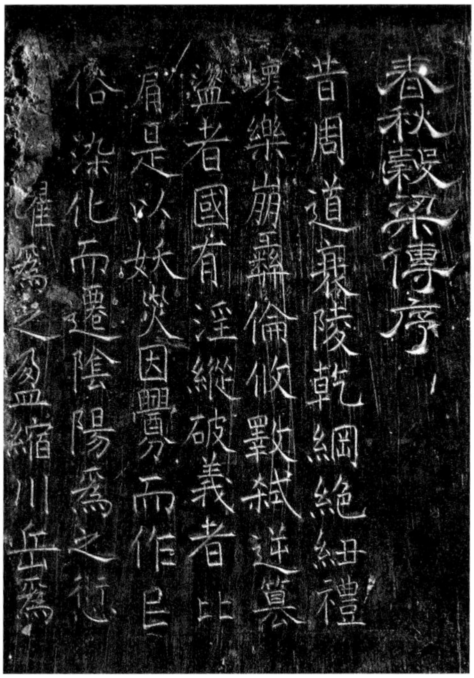

《开成石经·春秋谷梁传序》(局部)

《开成石经》被称为“中国现存最大、最完整的石头图书”，现展陈于西安碑林博物馆的第一展室。作为保存历代碑刻之特定场所的碑林，是在唐末至北宋近两百年间数次迁置《开成石经》的过程中逐步形成的。可以说，没有《开成石经》便不会有今天的西安碑林。

中国历史上有过多次刻经，最早上迄东汉灵帝熹平四年（175）所刻《熹平石经》，共刻七部儒家经典，之后有曹魏《正始石经》、唐《开成石经》、后蜀《广政石经》、北宋《嘉祐石经》、南宋《绍兴石经》、清《乾隆石经》。除清刻《乾隆石经》完整地立于北京国子监内，其余六种刻经唯有唐《开成石经》保存得最为完好。《开成石经》刊立于唐代中期的开成二年（837），原置放于唐长安城务本坊的国子监内，经唐末战乱，至宋代辗转移立于今址。

石经由 114 通石碑组成。现存的每通石碑高约 2.16 米，宽约 0.93 米。碑石皆为两面刻字，每面上下分为 8 栏，每栏约刻字 37 行，满行 10 字。经文皆为法度严谨的唐楷小字，每经篇首标题则用唐隶刻成。在石经的末尾刊刻有“开成二年丁巳岁月次于玄日维丁亥”，默默地向世人揭示着其初创的那段历史。

在距今一千二百年前的唐代中期，雕版印刷术尚未推广应用于刊刻图书，唐人所读的书籍以手抄卷为主。唐代宗大历年间，国子司业张参详细勘定了儒学五

《开成石经》展厅

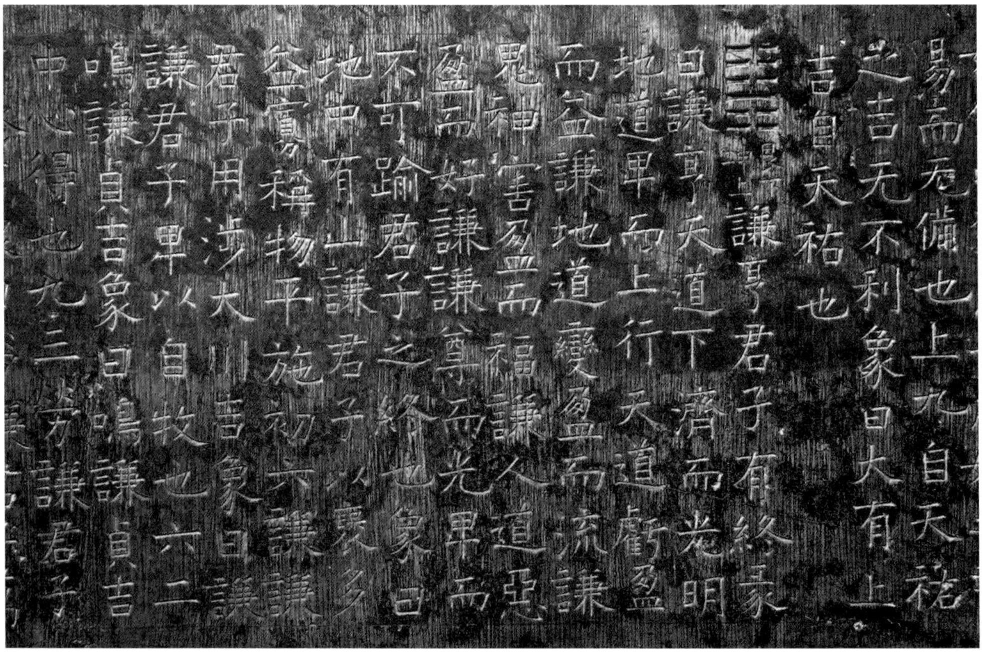

《开成石经·周易》(局部)

经，并书写于国子监讲论堂的东西两厢墙壁上，使国子监的学生们学有范本。但时日历久，因墙壁“崩剥汙蔑”，字迹逐渐漫漶不清，国子祭酒齐皞与太常博士韦公肃，便选用高大、坚实的木料制作成大型版牍立于墙前，组织国学生重新书写儒经于其上，以“五经壁本”之名风行天下。唐文宗大和四年（830），翰林侍讲学士郑覃，鉴于长期以来儒家经典在手抄传承中仍存在着“经籍讹谬，博士相沿，难为改正”的弊端，创议发起校订六籍，并模仿东汉刻立《熹平石经》于太学的工程，希冀能够勘正范本，以作为后世的典范。四年后，这项动议终被获准——允许在国子监讲论堂两廊创立石壁九经及《孝经》《论语》《尔雅》等经，由升任尚书右仆射、同平章事、兼国子祭酒的郑覃主持这项规模浩大的文化工程。开成二年九月，石经竣工完成，其中包含了《周易》《尚书》《毛诗》《周礼》《仪礼》《礼记》《春秋左氏传》《公羊传》《穀梁传》

《开成石经·周易》拓片

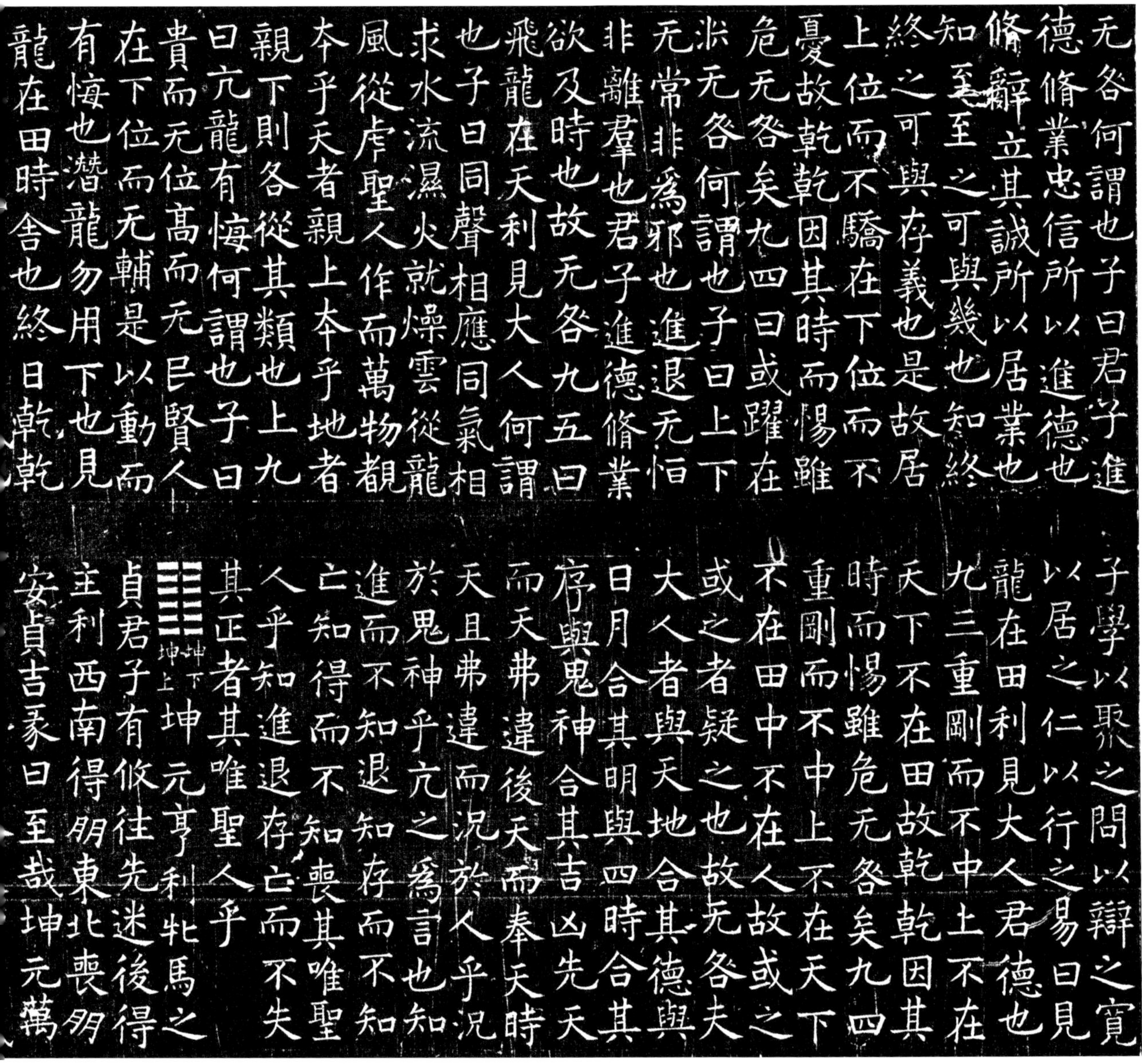
无咎何謂也子曰君子進
德脩業忠信所以進德也
脩辭立其誠所以居業也
知至至之可與幾也知終
終之可與存義也是故居
上位而不驕在下位而不
憂故乾乾因其時而惕雖
危无咎矣九四曰或躍在
淵无咎何謂也子曰上下
无常非爲邪也進退无恒
非離羣也君子進德脩業
欲及時也故无咎九五曰
飛龍在天利見大人何謂
也子曰同聲相應同氣相
求水流濕火就燥雲從龍
風從虎聖人作而萬物覩
本乎天者親上本乎地者
親下則各從其類也上九
曰亢龍有悔何謂也子曰
貴而无位高而无民賢人
在下位而无輔是以動而
有悔也潛龍勿用下也見
龍在田時舍也終日乾乾
子學以聚之問以辯之寬
以居之仁以行之易曰見
龍在田利見大人君德也
九三重剛而不中上不在
天下不在田故乾乾因其
時而惕雖危无咎矣九四
重剛而不中上不在天下
不在田中不在人故或之
或之者疑之也故无咎夫
大人者與天地合其德與
日月合其明與四時合其
序與鬼神合其吉凶先天
而天弗違後天而奉天時
天且弗違而況於人乎況
於鬼神乎亢之爲言也知
進而不知退知存而不知
亡知得而不知喪其唯聖
人乎知進退存亡而不失
其正者其唯聖人乎
坤下坤上 坤元亨利牝馬之
貞君子有攸往先迷後得
主利西南得朋東北喪朋
安貞吉彖曰至哉坤元萬

《开成石经·周易》拓片（局部）

《孝经》《论语》《尔雅》等经典及《五经文字》《九经字样》等，共计 160 卷，勘定刻字共计 650252 枚。

历史的脉息在起伏中成就了文化艺术的经典。唐帝国在安史之乱后已走向凋落，而《开成石经》的刊刻则是在帝国中后期绽放出来的一朵文化奇葩。在石经刻成的第二年（838 年），唐帝国的国考遂以《太学创置石经诗》作为入贡院面试的题目，留下了一段国家文化史上的千古佳话。唐末乱战，五代更迭，唐长安城遭到了彻底的破坏，诸多镌刻着名经书典的丰碑大碣被弃置郊野。《开成石经》历经韩建、刘鄩等地方官吏的陆续迁移，逐渐移至原唐尚书省之西隅放置。北宋元祐二年（1087），在转运副使吕大忠的主持下，体量巨大的唐《开成石经》和巍峨高耸的《石台孝经》，从地杂民居的唐尚书省故地迁徙至府学北墉，与颜、柳、欧、褚等书法名碑一起，共同奠定了西安碑林的基础。《开成石经》在明嘉靖年间关中大地震的劫难中倒扑断裂 44 方，后由明朝学官叶世荣等人将缺失的字补刻于 97 方小石上，亦陈列于石经之后。清康熙三年（1664），陕西巡抚贾汉复等人集唐《开成石经》中的字样补刻《孟子》17 通。这批碑石为圆首方碑，每石高 225 厘米，共刻 36506 字。1937—1938 年间，时任国民党中央宣传部部长的邵力子先生主持对西安碑林的整修工作，将集唐人字样所成的清康熙三年《孟子》刻石等由室外移入唐《开成石经》展室内东侧，遂与唐《开成石经》合称为“十三经”，使西安碑林在九百多年风雨沧桑的历史变迁中，完整地保存了迄今所能见到的儒家经典的最早版本。

如此来看，《开成石经》要比《熹平石经》《正始石经》等其他古代刻经幸运得多，在经历了一千一百多年的历史风雨后，被完整地保存到了今天，成为中华民族重要的历史文化遗产。

晚唐

韩復墓志

2008 年，西安碑林博物馆新入藏一方唐代书法大家柳公权撰文的《韩復墓志》。该墓志为青石制成。志盖覆斗形，盖题篆书“唐故左庶子韩公墓志”。盖题四周线刻云纹，四刹线刻四神图像。志盖背面残存“佛造”“维摩诘”等字，说明此碑应是用佛经刻石改刻的。志石高 66 厘米，宽 67 厘米。四侧线刻兽首人身的十二生肖像，均手执笏板而立。志文 32 行，满行 32 字，楷书。

志主韩復为柳公权的外甥。韩復于唐元和十年（815）三十六岁时进士及第，官历试秘书省正字、彰义军巡官、唐随节度掌书记、襄阳节度参谋、试大理评事、魏博节度判官等职，所任官职多为节度使府中的幕职文官，虽然品级不算高，但任者大多是科举出身的“清贵”之士，也可见志主韩復品格端正、德行优良。韩復因病逝世，享年六十九岁。他去世时已是家徒四壁，由堂弟为其操办了丧事，堂舅柳公权撰写墓志，内弟仲年书写上石，书风很接近柳公权。

唐代士族名门的婚姻形态，承袭了魏晋南北朝以来重门阀的传统，世家大族借助错综复杂的姻亲关系，又在政界官场上形成更加紧密的联系。志文记载韩復祖辈“名显位高”，为当时的“德门盛族”。韩復的父亲韩述官至阆州刺史，赠太子少保，是三品左右的高官；韩復的母亲河东柳氏，是柳公权的堂姐；其岳父张士陵，官历使持节都督雍州诸军事、邕州刺史、御史中丞等职；其岳母京兆杜氏，为唐德宗、顺宗、宪宗三朝宰相杜佑之女。因此，虽然韩復清简一生，直至临终

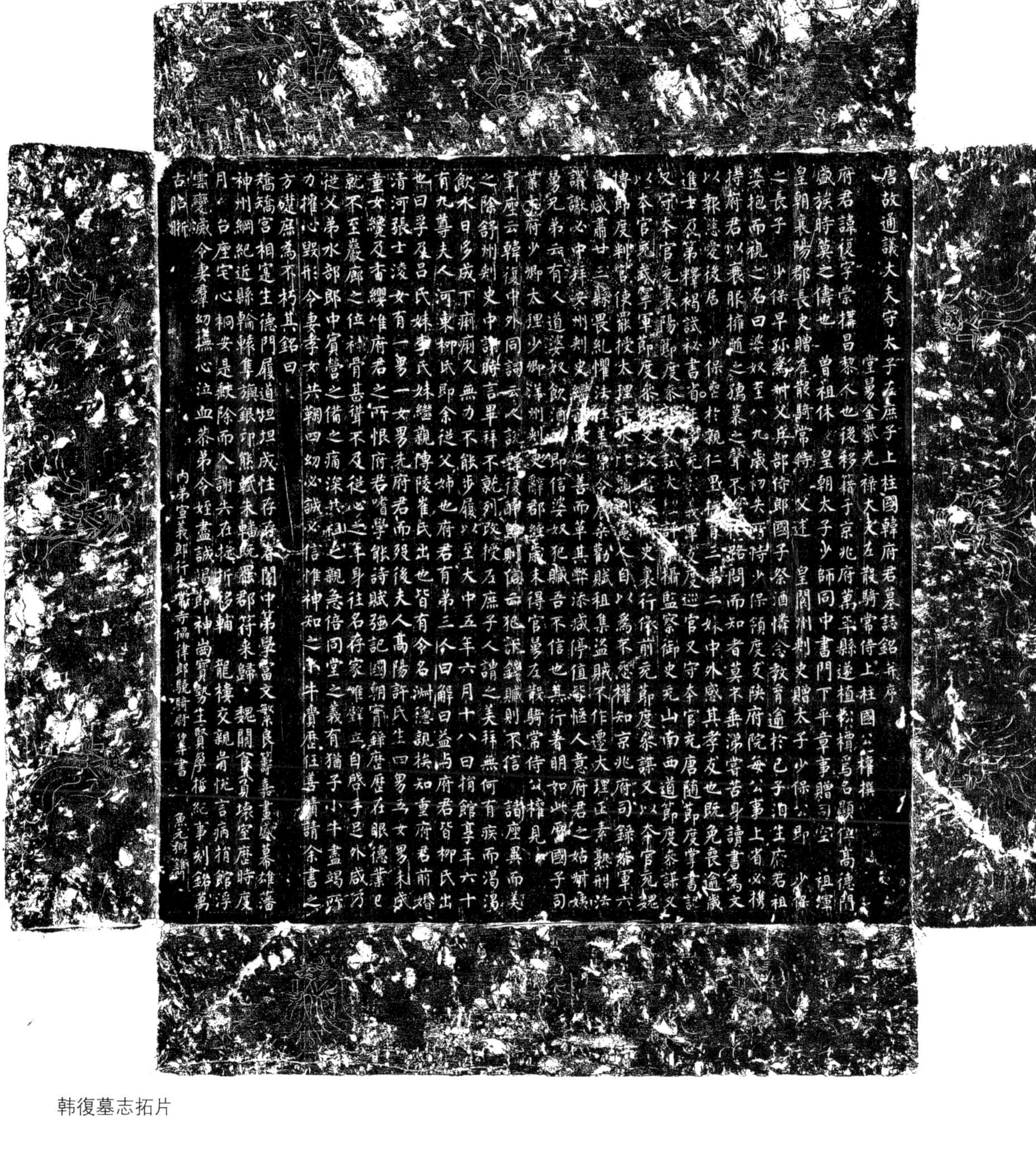

韩復墓志拓片

也未谋得高官厚禄，但仰仗支系繁茂的亲属关系，能得到金紫光禄大夫、左散骑常侍、上柱国柳公权为其撰写志文，也算是一大幸事吧！

柳公权因为书名隆盛，其文才往往被人忽略。其实柳公权自幼嗜学，年十二工辞赋，后来博贯经术，尤其精通《左传》《国语》《尚书》《毛诗》等。他三十岁时登进士科，又登博学宏词科。据说柳公权工诗，有出口成章之才，民间流传了很多关于他的小故事。有一年夏日，唐文宗与学士乘凉对诗，文宗作：“人皆苦炎热，我爱夏日长。”柳公权续曰：“薰风自南来，殿阁生微凉。”此诗最为文宗所赏，遂令其题于殿内。又有一次，柳公权跟随文宗来到未央宫，文宗突然停住车辇，说戍边将士的衣裳供给经常不及时，而今刚到仲春就将衣物发放下去了，要求柳公权当即作一首贺诗，柳公权应声成文：“去岁虽无战，今年未得归。皇恩何以报，春日得春衣。挟纩非真纩，分衣是假衣。从今貔武士，不惮戍金微。”文宗叹息：“子建七步，尔乃三焉。”还有一次，文宗怪罪一个宫女，柳公权见宫女受到了冤枉，就为宫女求情。文宗答应柳公权若能立刻作出一首好诗，便饶恕宫女。于是柳公权略加思索，提笔而就一首七绝，曰：“不忿前时忤主恩，已甘寂寞守长门。今朝却得君王顾，重入椒房拭泪痕。”文宗听后觉得甚好，便饶恕了宫女。

柳公权流传下来的丰碑大碣众多，但撰文的碑却很少。《全唐文》只收录了一篇文章，《全唐诗》仅存诗五首，这篇为他的外甥韩復所作的墓志文为其中最完整的文章。撰写此志时，柳公权已七十三岁。志文虽受碑志文体的局限，但读来仍觉叙事平实自然，语言流畅，感情真挚。

墓志的书法布局严谨、工整秀丽，用笔明显受“柳体”影响，而又少了几分劲健之气。镌刻者鱼元弼，刀工娴熟，较好地体现了柳公权书法的韵致。

唐故通議大夫守太子左庶子上柱國韓府

堂舅金紫光祿大夫左

府君諱復字崇構昌黎人也後移籍于京兆

盛族時莫之儔也　曾祖休　皇朝太子少

皇朝襄陽郡長史贈左散騎常侍　父述

之長子　少保早孫爲祔父兵部侍郎國子

婆抱而視之名曰婆奴至八九歲初失所恃

持府君以襄服擁隨之慟慕之聲不[illegible]於路

以報慈愛後居　少保薨於親仁里撫育三

進士及第釋褐試祕書省正字充[illegible]義軍方

文守本官充襄陽節度參謀又試大理評[illegible]

以本官充武寧軍節度參[illegible]又改監察御史

杜顺和尚碑

杜顺是由隋入唐的僧人，又名法顺，他曾住终南山弘扬《华严经》，著有《华严法界观门》《华严五教止观》各一卷，由此被尊为中国佛教十三宗之一的华严宗祖师。关于杜顺的生平，唐贞观年间著名高僧道宣所著《续高僧传》中有记载。道宣与杜顺差不多生活在同一时代。在道宣的笔下，杜顺不像是一位创立教门的思想先驱——传文几乎未提及其立教传教之事，通篇讲的则是他的异事神迹。透过这些荒诞不经的神迹，我们能获得的真实信息是，杜顺和尚是一位以其医术接近信众，从而吸引信众的传教者。在中国古代社会，这是接近民众、传播教义的重要途径。传文也透露出杜顺是个有着慈爱之心和豁达胸怀的人。传文中称他“笃性绵密，情兼汎爱，道俗贵贱，皆事邀延。而一其言问，胸怀莫二”。他从不分道俗贵贱，甚至不分良莠，均一视同仁，以爱心对之。传文还提到，杜顺曾受唐太宗的赏识，文载“今上奉其德，仰其神，引入内禁，隆礼崇敬”。他最终于唐贞观十四年（640），以八十四岁高龄无疾而终。

《杜顺和尚碑》刻立于唐宣宗大中六年（852），现藏于西安碑林博物馆。碑题“大唐花严寺杜顺和尚行记”。碑石螭首方座，高 156 厘米，宽 70 厘米。碑文 21 行，每行 28 字，行书。杜殷撰文，董景仁书。此碑在碑林众多的丰碑大碣面前显得有些貌不惊人，但碑文中的主人公杜顺，却是中国佛教史上的著名人物。

碑题中提到的“花严寺”，即华严寺，是唐长安城南樊川八大寺之一，位于城南少陵原畔，南对终南山，俯瞰樊川，是当年的风景胜地，唐人留下许多歌咏

杜顺和尚碑

其美景的诗篇。华严寺的建立，确与杜顺有关。《续高僧传·法顺传》所记杜顺的遗体“送于樊川之北原，凿穴处之”。其葬地与华严寺的方位相合，则此寺应是杜顺死后，徒众于其肉身灵骨所在地建造，后来随着华严宗发展兴盛，寺院规模不断扩大，遂成为华严宗之祖庭。

此碑的撰者杜殷应该是杜顺的后裔，特意撰碑追述自己这位大名鼎鼎的先祖的事迹。不过此碑是在杜顺去世两百多年后才刻立的，碑文词义晦涩，也并未对杜顺的生平增加多少新资料。

《杜顺和尚碑》为晚唐行书碑志之佳作。通篇布局疏朗，挥洒自如，结体左低右高，呈欹侧之势，毫笔凌厉，清劲遒丽，于圆浑中见峻峭，有王羲之书法之遗韵，又有李北海书法之风采。

杜顺和尚碑拓片

烽火遊外歸之處修
枝之功登嶺有去上危伝
中而復見胡四乃至近窗相
士之會因勵又承勵而息恣
菩薩給五銖道道糧乃安
在世有濟扶之者劫
聲每貌儒曲之般劇
月二十四日記

李沂墓志

《李沂墓志》刻于唐宣宗大中十四年（860）。志石及盖高、宽均为 75.5 厘米。此墓志由李贶撰，董景仁书，董咸篆盖，邵建初刻。2006 年入藏碑林。碑志以行书书写，是较为少见的。志文内容较少，除去例行的溢美之词，只记载了志主庆王李沂为唐宣宗第五子，其母为史氏。因李沂英年早逝，所以有关其历史记载甚少。

李沂之父为唐宣宗李忱，他是唐宪宗的第十三子，原名怡，封光王。唐武宗死后，在当时把持朝政的宦官马元贽的支持下，李忱以皇太叔的身份即帝位，时年三十七岁。《旧唐书》记载他“外晦而内朗，严重寡言，视瞻特异。幼时宫中以为不慧”。意思是说，他是一个性格内向、沉默寡言的人，幼时甚至被认为智力低下。从史书记载来看，当时他在宗室中的地位并不高，唐文宗、武宗曾在宴会上戏弄他，强诱其开口说话，还戏称他为“光叔”，武宗对他尤为不敬。但正因如此韬光养晦，他才能在残酷的宫廷斗争中生存下来，并在看似毫无机会的情况下被马元贽推上帝位。马元贽显然走错了这步棋，宣宗即位之后，逐渐显示出他的“隐德”。在宦官干政已经严重威胁皇权的中晚唐时期，唐宣宗将助他即位的马元贽牢牢控制在手中，并为死于甘露之变的大臣们昭雪，而且在其朝堂之上，从此再未出现过一手遮天的权宦。宣宗在位只有十四年，其后即位的皇帝皆为昏聩无能之辈，唐朝也就无可奈何地滑向了覆灭的深渊。

墓志撰者李贶，为韩愈的外孙，曾作《连山燕喜亭后记》。书者董景仁，翰林待诏，其传世的书法作品还有《杜顺和尚碑》，亦为邵建初所刻。从墓志书法来看，董景仁书宗“二王”，笔势转折连绵，线条流畅飘逸，但也带有明显的唐代院体书风。字体较丰润饱满，空间开阔，整体布局疏朗畅达，字约寸许，毫锋凌厉，于圆浑中略带些峻峭，使线条遒劲，尤显潇洒飘逸、变化多端。刻工邵建初，为玉册官，与其兄邵建和同刻《玄秘塔碑》。此碑勒刻精细，行书之连带、疾徐，纤毫毕现，忠实地表现了董景仁的书法面貌。此墓志书刻合璧，堪为精品。

李沂墓志盖及其拓片

李沂墓志

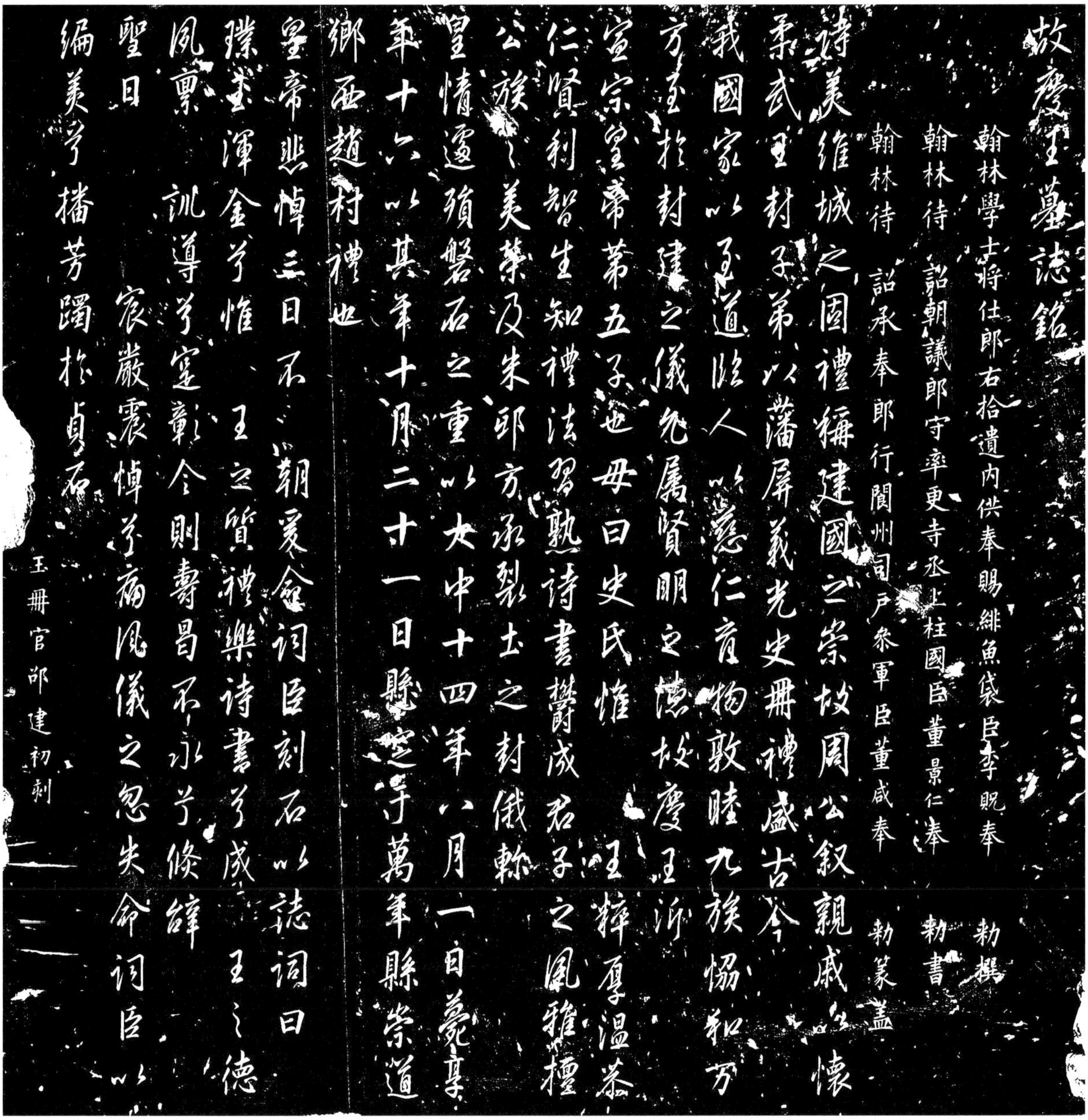
故慶王墓誌銘
翰林學士將仕郎右拾遺內供奉賜緋魚袋臣李眖奉　勅撰
翰林待詔朝議郎守率更寺丞上柱國臣董景仁奉　勅書
翰林待詔承奉郎行閬州司戶參軍臣董咸奉　勅篆蓋
詩美維城之固禮稱建國之宗故周公叙親戚以懷
柔武王封子弟以藩屏義光史冊禮盛古今
我國家以至道臨人以慈仁育物敦睦九族協和万
方主於封建之儀允屬賢明之德故慶王沂
宣宗皇帝第五子也母曰史氏惟　王粹厚溫恭
仁賢利智生知禮法習熟詩書蔚成君子之風雅擅
公族之美榮及朱邸方承裂土之封俄軫
皇情遽殞磐石之重以大中十四年八月一日薨享
年十六以其年十月二十一日懸窆于萬年縣崇道
鄉西趙村禮也
皇帝悲悼三日不朝爰命詞臣刻石以誌詞曰
璞玉渾金兮惟　王之質禮樂詩書兮成　王之德
風稟訓導兮宜彰令則壽昌不永兮倏韡
聖日　宸嚴震悼兮痛風儀之忽失命詞臣以
編美兮播芳躅於貞石
玉冊官邵建初刻
李沂墓志拓片

李虔墓志

《李虔墓志》刻于唐宣宗大中十二年（858）。志石及盖高、宽均为60厘米。盖题为“唐李夫人墓志铭并序”。志盖四周线刻团花纹，四刹线刻四神图案。志文共19行，满行21字，楷书。志题“有唐陇西李夫人墓志铭并序”。志文由邵雄撰并书。2004年入藏西安碑林博物馆。

志主李虔是一位女性，其父李璲，母陈氏为唐玄宗的宰相陈希烈的曾孙女。李虔于大中十二年卒，终年四十一岁。唐承魏晋南北朝之风，门阀士族拥有较高的政治地位，因此在社会生活中，婚姻也极重门第郡望。女性墓志中，对于女性本人及家庭生活的描述一般比较少，也多趋于程式化，对夫妻之间感情的描述更是惜字如金，但对其家世门第的描述却力尽其详。李虔之父李璲可能并无官职在身，故墓志追溯其母亲陈氏家世至曾祖辈，以证其士族身份。关于李虔婚后的生活，墓志所述不外乎孝顺姑舅、严

李虔墓志盖拓片

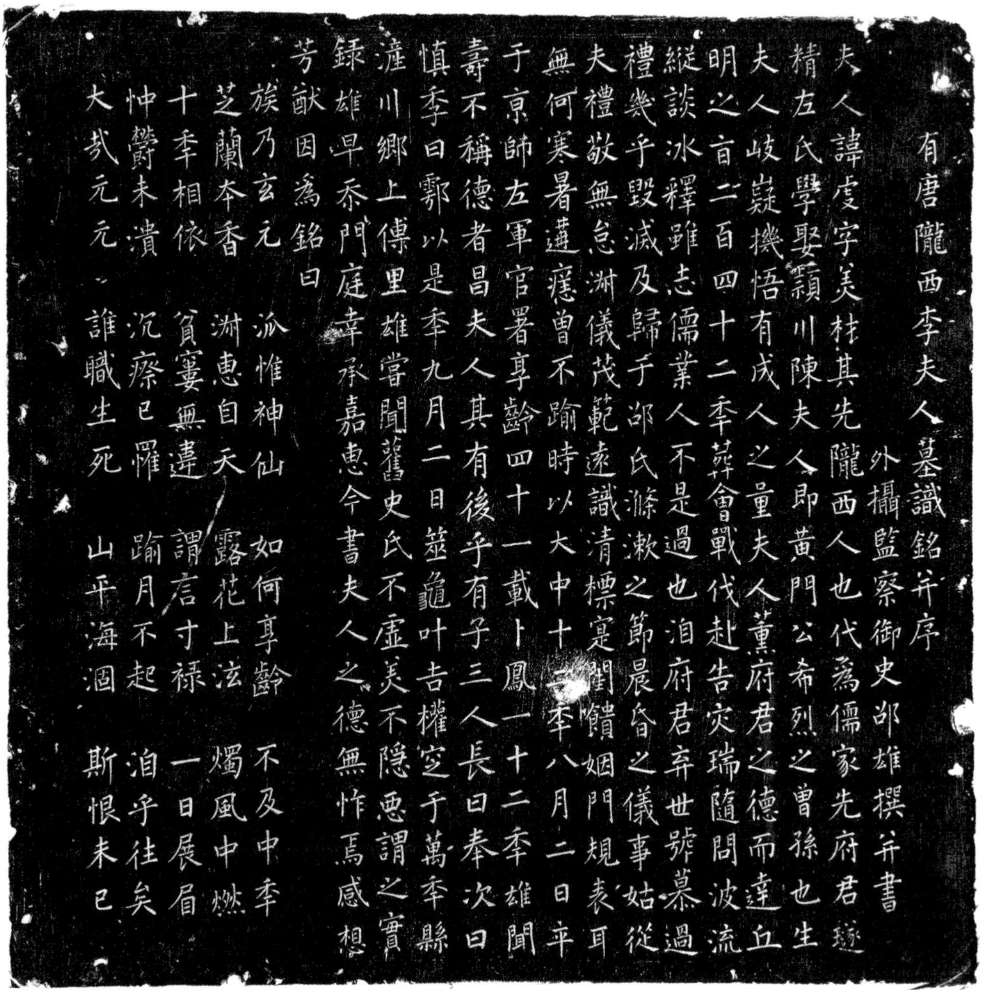
有唐隴西李夫人墓識銘并序
外攝監察御史邵雄撰并書
夫人諱虔字美桂其先隴西人也代為儒家先府君遯
精左氏學娶潁川陳夫人即黄門公希烈之曾孫也生
夫人岐嶷機悟有成人之量夫人薰府君之德而達丘
明之旨二百四十二年葬會戰伐赴告灾瑞隨問波流
縱談冰釋雖志儒業人不是過也洎府君弃世號慕過
禮幾乎毀滅及歸于邵氏滌漱之節晨昏之儀事姑從
夫禮敬無怠淑儀茂範遠識清標寔閨闈姻門規表耳
無何寒暑遷癘曾不踰時以大中十二年八月二日卒
于京師左軍官署享齡四十一載卜鳳一十二年雄聞
壽不稱德者昌夫人其有後乎有子三人長曰奉次曰
慎年曰鄠以是年九月二日筮龜叶吉權窆于萬年縣
滻川鄉上傳里雄嘗聞舊史氏不虛美不隱惡謂之實
録雄早忝門庭幸承嘉惠令書夫人之德無怍焉感想
芳猷因為銘曰
族乃玄元 派惟神仙 如何享齡 不及中年
芝蘭本香 淑惠自天 露花上泫 燭風中燃
十年相依 貧窶無違 謂言寸禄 一日展眉
忡欝未潰 沉瘵已羅 踰月不起 洎乎往矣
大哉元元 誰職生死 山平海涸 斯恨未已

李虔墓志拓片

守礼仪这类泛词。她出身高门，受过良好的教育。其夫邵雄显然对她的才情和学识颇为赞许，志文中称赞她："薰府君之德，而达丘明之旨，二百四十二年葬会战伐，赴告灾瑞，随问波流，纵谈冰释。虽志儒业，人不是过也。"寥寥数语，一个通博古今、机智聪慧、颇有见地的女子形象便跃然石上。

这方墓志书于晚唐时期。此时，由徐浩、颜真卿、怀素、褚遂良、李阳冰等书法大家所开创的唐代书法的鼎盛时期已经过去，但他们的成就无疑是书法史上宝贵的财富，故而晚唐时期书法逐渐脱离了"二王"书风的影响，更多地取法近代。此墓志书法大体宗于欧体，其中"寿""德""大"等字明显带有欧体风格，但也可以看出书者兼受褚体、颜体、虞体等书风的影响。墓志融入了书者深厚的个人情感，与志铭中"十年相依，贫窭无违""山平海涸，斯恨未已"相应和，表达了邵雄对亡妻的深切思念之情。

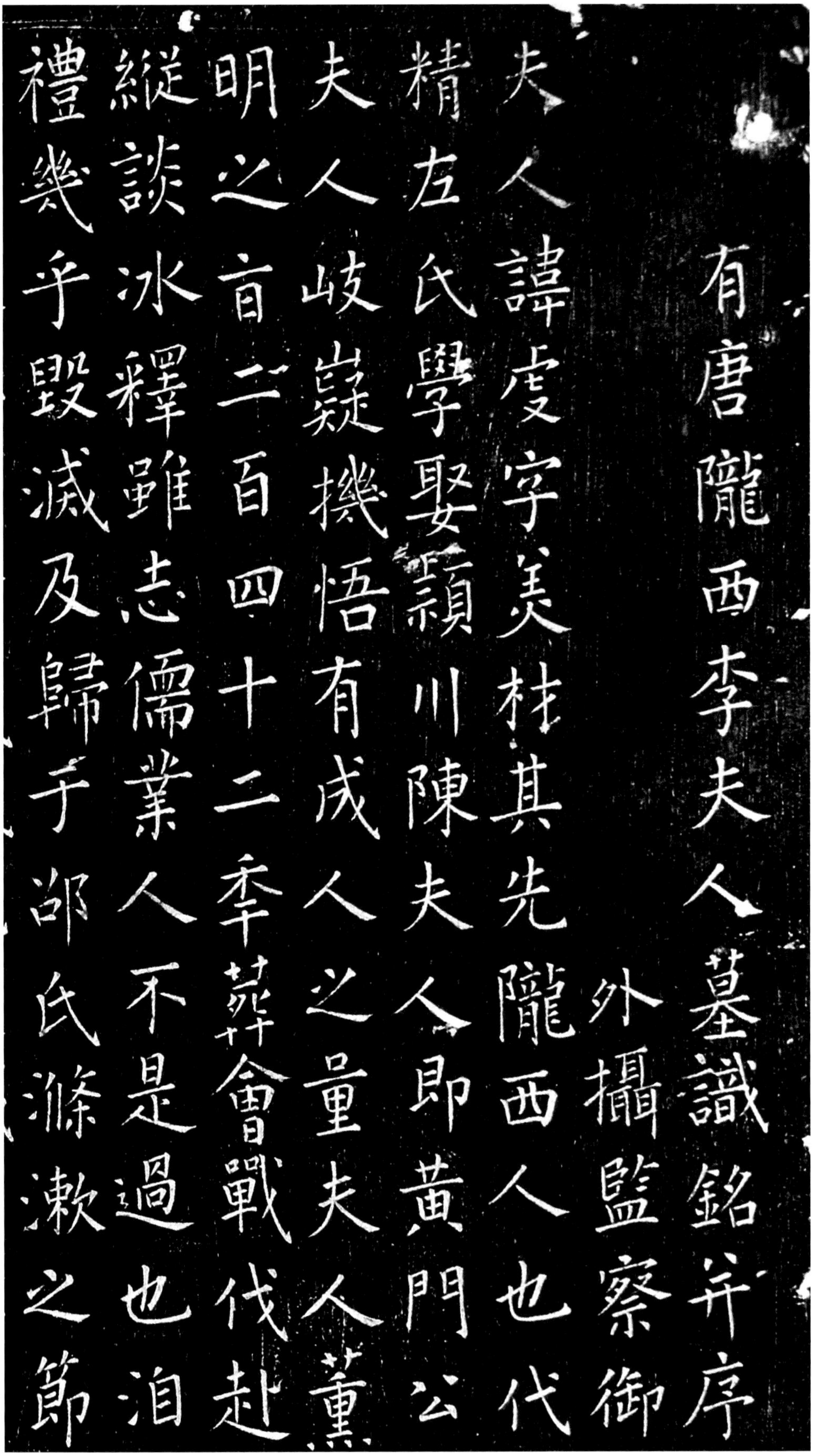

有唐隴西李夫人墓識銘幷序
外攝監察御
夫人諱虔字美桂其先隴西人也代
精左氏學娶潁川陳夫人即黄門公
夫人岐嶷機悟有成人之量夫人薰
明之旨二百四十二秊葬會戰伐赴
縱談冰釋雖志儒業人不是過也洎
禮幾乎毀滅及歸于鄧氏滌潄之節

李虔墓志拓片（局部）

刘中礼墓志

《刘中礼墓志》刻于唐懿宗咸通十四年（873）。志石及盖高、宽均 93 厘米。盖题“唐故彭城刘公墓志铭”，篆书。盖题四周线刻花卉，四刹饰四神图案。志文 45 行，满行 45 字，楷书。此墓志由韦蟾撰，崔筠书，邵建初刻。2002 年入藏西安碑林博物馆。

刘中礼，字子威， 彭城人，墓志记载其“曾祖英，皇任游击将军、左武卫

刘中礼墓志盖拓片

翊府中郎将。祖弘规，皇任左神策军护军中尉、特进，行左武卫上将军、知内侍省事，赠开府仪同三司、扬州大都督、沛国公。父行深，开府仪同三司、行内侍监致仕、徐国公”。夫人谢氏，有子五人，分别为重谕、重楚、 重晖、重颖、重锐。不熟悉唐代官制的人，或许会以为这只是一个高官墓志。实际上，刘中礼是晚唐时期刘弘规创建的宦官世家中的一员。刘氏家族中，刘弘规、刘行深分别是拥立唐敬宗、唐僖宗即位的重要人物。墓志中记载刘中礼的子嗣，实际上都是义子，从官职上看也多为宦官。

《刘中礼墓志》详细记载了志主的生平，反映了晚唐宦官专权的重要史实，对于研究唐代宦官的官司职、职能、世家提供了翔实的资料。自掖庭宫教博士，至河东监军使、银青光禄大夫、守左监门卫将军，仕途通达，颇受皇帝倚重。墓志中记载的“徐方之乱”，史称“庞勋起义”，是唐懿宗咸通九年（868）发生的一场重大兵变。墓志记载了刘中礼参加平叛的内容，印证了史实，弥补了史书之缺。咸通四年（863），唐懿宗派兵征南诏，唐军两千人驰援，其中八百人戍守桂林。这八百士兵皆来自徐州，原本约定三年即可换防回乡，然而三年之后又三年，始终不得归乡，加之领兵军官严苛残暴，终于发生了兵变。军士们推举粮料判官庞勋为首领，与朝廷展开了战斗，一度攻陷了宿州、徐州、滁州、濠州、和州等地，直到咸通十年（869）九月，庞勋战死方结束。

唐代宦官地位之高，对皇权的危害之大，空前绝后，尤其中晚唐时期，宦官典掌禁军，出任监军，把持朝政，甚至左右了皇帝的人选——唐代有十一位皇帝都是由宦官废立的，唐宪宗和唐敬宗甚至死于宦官之手。宦官娶妻养子，结成家族势力，在唐代更是极其普遍的现象。声势显赫的上层权宦，通过收养义子来扩大自己的权势和政治影响，将权力牢牢把握在自己手中。除了刘弘规家族，最为著名的还有仇士良家族、梁守谦家族、王守澄家族等，这些宦官家族党同伐异，左右朝政，如同附骨之疽，吸附在日渐衰败的皇权之上，加速了李唐王朝近三百年基业的崩溃。

志文由当时著名的翰林学士、户部侍郎、知制诰韦蟾撰文。文辞工整流畅，典故使用精当，楷书劲秀端庄，具有一定的文学和艺术品位。书者为崔筠，墓志新记官职为检校国子祭酒，相当于唐代中央大学的代理校长。此志形制大、字数

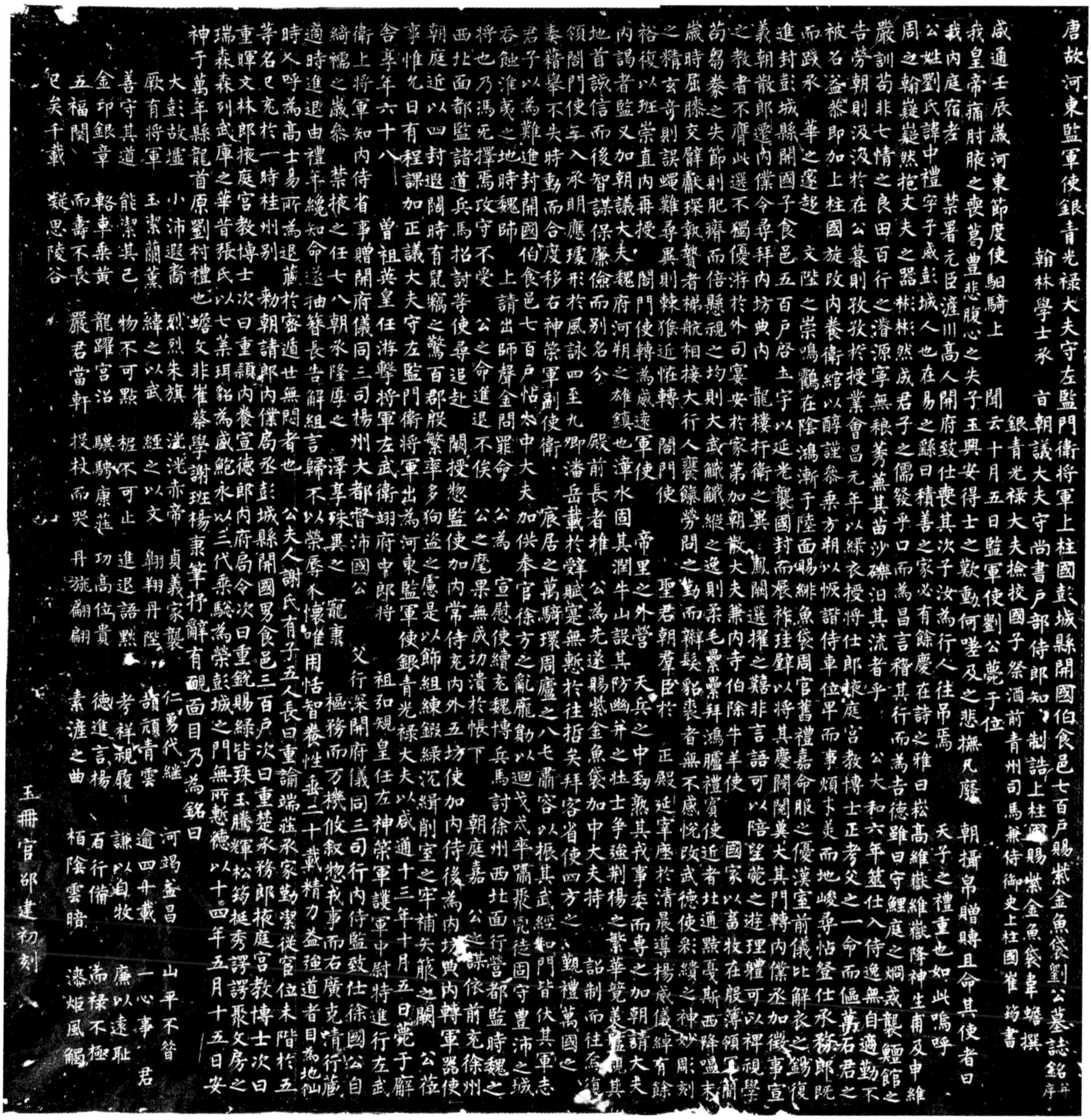

刘中礼墓志拓片

多，通篇布局疏密得当，字体隽丽，严谨规整，很明显受到了当时的书法大家柳公权的影响。刻工亦为唐代刻碑良匠、玉册官邵建初。邵建初曾刊刻过《玄秘塔碑》，其娴熟的刻工将毛笔书法的特征淋漓尽致地呈现出来，可谓精妙绝伦！

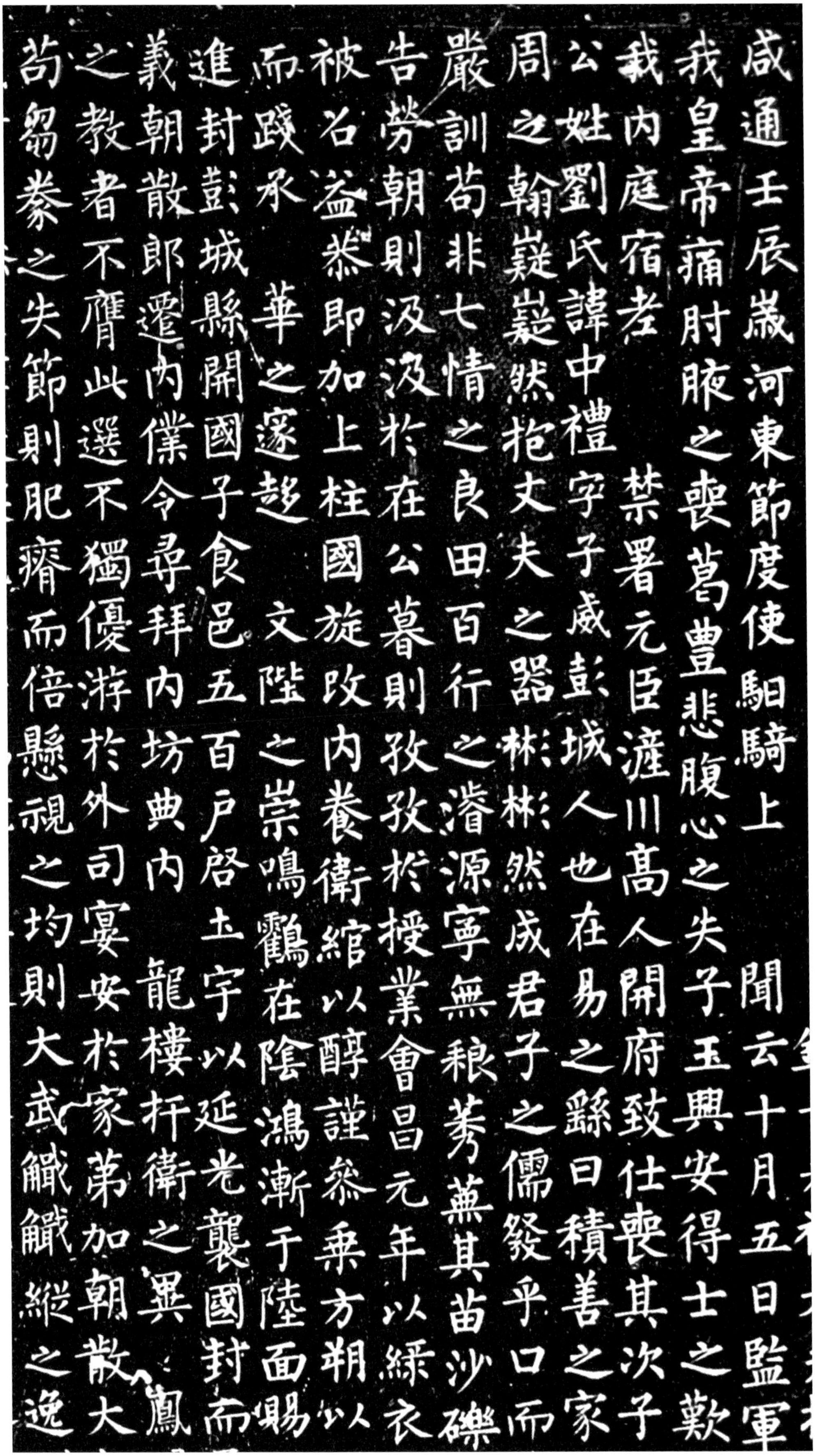
咸通壬辰歲河東節度使駙騎上 聞云十月五日監軍
我皇帝痛肘腋之喪葛豊悲腹心之失子玉興安得士之歎
我內庭宿耆 禁署元臣漄川高人開府致仕喪其次子
公姓劉氏諱中禮字子威彭城人也在易之繇曰積善之家
周之翰嶷嶷然抱丈夫之器彬彬然成君子之儒發乎口而
嚴訓苟非七情之良田百行之濬源寧無稂莠蕪其苗沙礫
告勞朝則汲汲於在公暮則孜孜於授業會昌元年以綠衣
被召益恭即加上柱國旋改內養衛綰以醇謹忝秉方朔以
而踐承華之邃趨 文陛之崇鳴鸖在陰鴻漸于陸面賜
進封彭城縣開國子食邑五百戶啓土宇以延光襲國封而
義朝散郎遷內僕令尋拜內坊典內龍樓扞衛之異鳳
之教者不膺此選不獨優游於外司宴安於家第加朝散大
苟芻豢之失節則肥瘠而倍懸覩之均則大武鱗鱗縱之逸

刘中礼墓志拓片（局部）

观音像

西安碑林博物馆馆藏清康熙三年（1664）刻《观音像》，相传是依据唐代吴道子画稿阴线摹刻而成的。吴道子尤精于佛道、人物而长于壁画创作，绘画风格独特，尤其是所绘人物衣带飘举，有满壁风动之感，因此以“吴带当风”著称，在画史上被称为“画圣”。

此碑所刻观世音菩萨立像为男相，有唇髭，前额有白毫。其面容饱满，头顶宝髻高梳，上有化佛，并饰以莲花。观世音左腕戴镯，左手牵握右腕于腹前。其身着通肩大衣，衣褶丰富，颈部与裙下露出璎珞，赤足立于云上。碑阳右侧有篆书题记六行，是明末清初陕西耀州人氏左重耀所书。据题记所述，此幅观音立像原稿本是左重耀之父左佩玹的藏品，此次刻石由叶承祧勒石、张世锡勾朱，咸宁县令黄家鼎、长安县令梁禹甸共同参与了立石。

左佩玹曾任明代御史，其家族在耀州作为佛教及地域文化的重要资助人，姓名多次出现在寺院、石刻及文献中。左佩玹之父左龙麓于明万历年间曾捐资重修了耀州龙泉寺，并与左佩玹共同经营大香山寺。左重耀有家学，工书法，有墨迹存世，除在西安碑林刻立观音像外，清顺治十六年（1659），左重耀还拿出了家藏的唐拓本石鼓文，与耀州知州共同刻石于药王山。

参与立石人黄家鼎，字升耳，号一庵，原籍安徽，清顺治十一年（1654）拔贡，被授予咸宁县令，其在任期间以清廉勤政而官声甚佳，在他的治理下，境内百姓得以安居乐业。梁禹甸，原籍山西平遥，其家族自北宋末年迁入平遥以来，逐渐成为当地一大望族。梁禹甸于康熙元年（1662）以恩贡出任长安知县，曾参与其家族对平遥梭井村老翁沟龙王庙的重建工程，在任六年间他主修了《长安县志》。其叔伯兄弟梁雉翔则是康熙十二年（1673）《平遥县志》的总纂者。

观音像拓片

宋

篆书千字文碑

梦英是五代末、北宋初的书法名家。这位出生在湖南衡阳，成长在南岳衡山之下、湘江之滨的北宋奇僧，曾活动于长安一带，以篆书名世。他在二十岁左右时离开了他出家的这块神秀之地，北上中原，来到汴梁、洛阳、长安，并以其绝妙篆文和玄妙诗句博得后周太祖郭威的恩宠，得以有“帘前赐紫”的荣耀。而梦英也借助这块金字招牌结交名士，周旋于上流社会，开始为他复兴书法艺术的宏伟抱负而践行。可以说，奇僧梦英的一生就是为复兴书法艺术而奋斗不息的一生。梦英用他最擅长的篆体写就的这篇《篆书千字文》，正体现了他“振古风，明籀篆，引上学者取法于兹”的宏大愿望 。

《千字文》是南朝梁武帝在位时，命周兴嗣从王羲之的字体中，选出一千个不重复的字编撰而成的一篇文章，内容为叙述自然、历史、伦理及教育等方面的四言韵文，起初主要是为了教授宫中子弟，后流入民间，成为一部影响深远的儿童启蒙读物。由于集的是王羲之的字，所以《千字文》受到历代书法爱好者的追捧。

《篆书千字文碑》，又称《宋梦英篆书千字文》，宋乾德三年（965）刻立。此碑现藏于西安碑林博物馆。碑通高 327 厘米，宽 103 厘米。碑文 25 行，行 40 字，梦英篆书，袁正己楷书释文。原碑螭首方趺，圭首额内刻三尊佛龛，龛边缘处有云纹和宝相花浮雕，螭首下部并刻七个佛龛，碑身周缘刻蔓草纹。此碑雕刻手法娴熟、纹饰精致，是宋代石刻艺术中的佳作。

篆书千字文碑拓片（局部）

关于梦英的生平事迹，史书记载不多，其间如何具体实施其宏图已不可详知。我们今天只能借助赞誉梦英其人其书的同时代人留下的诗作等，知之大概。这其中最权威的当属宋人朱长文《墨池编》中的记载：“释梦英，衡州人，效十八体书，尤工玉箸。尝至大梁，太宗召之帘前，易紫服。去游中南山，当世名士如郭恕先、陈希夷、宋翰林白、贾大参黄中之俦，皆以诗称述之。”这寥寥数语，便将梦英走出潇湘，辗转他乡，踏入中原，复兴书法的雄心壮志，淋漓尽致地表现出来。他把毕生研究篆书的心得刻在长安故都文宣王庙的石碑上，为碑林、为后人留下了珍贵的记录。

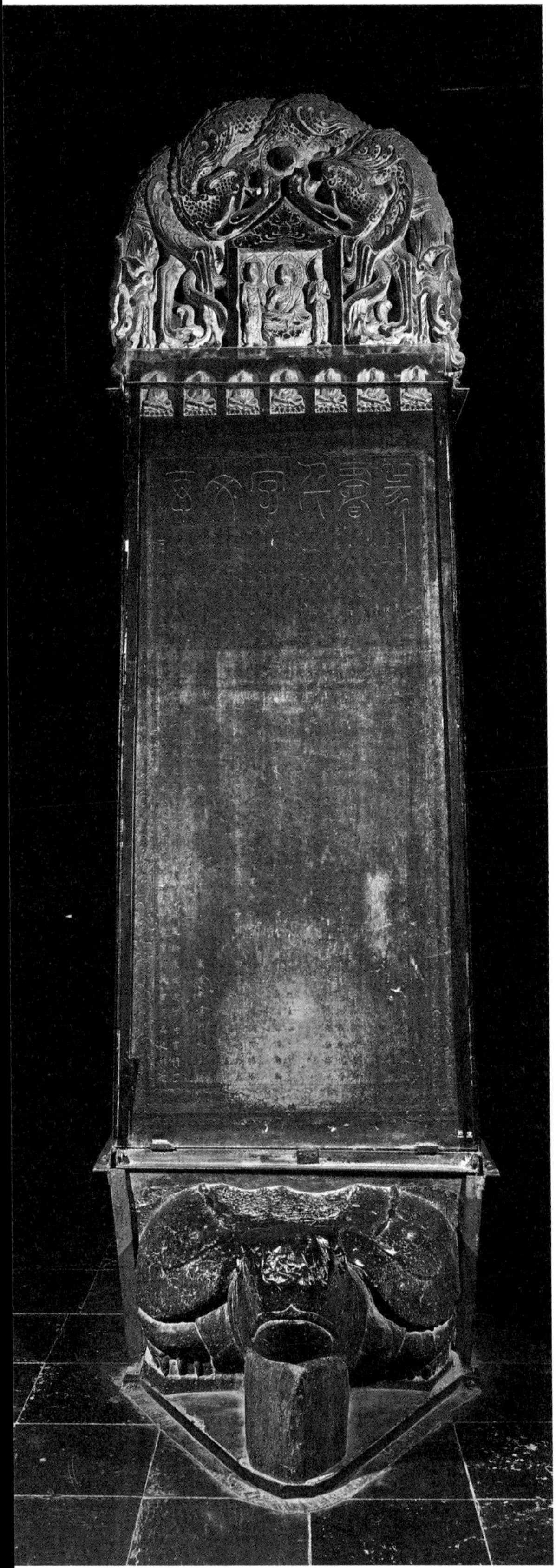

篆书千字文碑

梦英少年出家，勤奋刻苦，大量抄写佛经，再加上天资聪颖、悟性出众，为其日后在书法艺术上的发展奠定了坚实的基础。梦英书法继承了李阳冰篆书的传统，多以瘦、硬著称。《十八体篆书碑》和《赠梦英诗碑》中收录的五十六首赠诗，几乎都在赞美梦英的篆书。

这方《篆书千字文碑》，字体瘦长，流畅婉转，结体多间架结构，给人一种屈曲缭绕之感。梦英传世篆书书迹还有《十八体篆书碑》和《篆书目录偏旁字源碑》，楷书书迹有《重书夫子庙堂记》和《宋抄高僧传序》等。明王世贞云："英篆笔亦自整劲。"赵崡《石墨镌华》谓："英公书似当以正书第一，篆次之，分隶又次之。"

篆书千字文碑拓片

十八体篆书碑

梦英《十八体篆书碑》于北宋乾德五年（967）刻立，梦英书并题释，袁允中书赠诗。碑高 202 厘米，宽 80 厘米。碑身分为五栏，第一、第二栏与后三栏之间有断裂痕迹。前一、二栏刻二十九人所作三十三首赠梦英的诗作，背面刻楷书《佛遗教经》；后三栏刻梦英以古文、大篆、籀文、柳叶篆等十八种篆体，书写的沙门惠休五言诗一首，背面刻梦英书《重书夫子庙堂记》。碑左侧刻刊石人姓名及《汾阳郭忠恕致书答英公大师》。

首观此碑者，往往会被碑石上奇特的文字所吸引，《十八体篆书碑》每五字为一体，每体分别以隶书记书体之名及其由来。其中除了人们所熟知的大篆与小篆，还包括古文、籀文、回鸾篆、柳叶篆、垂云篆、雕虫篆、填篆、飞白书、芝英篆、剪刀篆、薤叶篆、龙爪篆、科斗篆、璎珞篆、悬针篆、垂露篆等，多是一些加入不同装饰效果的变形小篆。虽然梦英在碑中注明了这些书体的由来，但因年代久远，多已失传，其真伪已难考证。

在长安时梦英曾居终南山翠微寺和华山，北宋咸平二年（999）左右，他年近七十，方离开长安回归故里。他的书法造诣颇深，最擅长小篆，志在“振古风，明籀篆”，为后世取法。“帘前赐紫”的经历使梦英得以与权贵仕宦、名臣文士相结交，故赠其诗作中有“皇恩每话酬身了”“十九彤庭赐紫衣”“玉筯才书金殿里，皇恩旋降翠帘前”等语。为他赠诗的人中，有许多是当时的公卿名士，如杨昭俭、贾黄中、陶穀、赵文度、吕端、宋白等，而历来被称为“狂士”的郭忠恕亦与梦英相交甚好。此碑所刻郭忠恕赠诗中有：“伊余行止任飘蓬，与世乖违不可容。青眼交知长忆念，白云踪迹又□□。”郭忠恕将梦英视为不合流俗的同类、书法上的知己。《汾阳郭忠恕致书答英公大师》中亦有：“与师金兰敦义，香火修因，飞杯容许于醉狂，结社不嫌于心乱。共得阳冰笔法，同传史籀书踪。”郭忠恕盛赞梦英《十八体篆书》“藏势遏峰，方上圆下，可以方古教人也。”

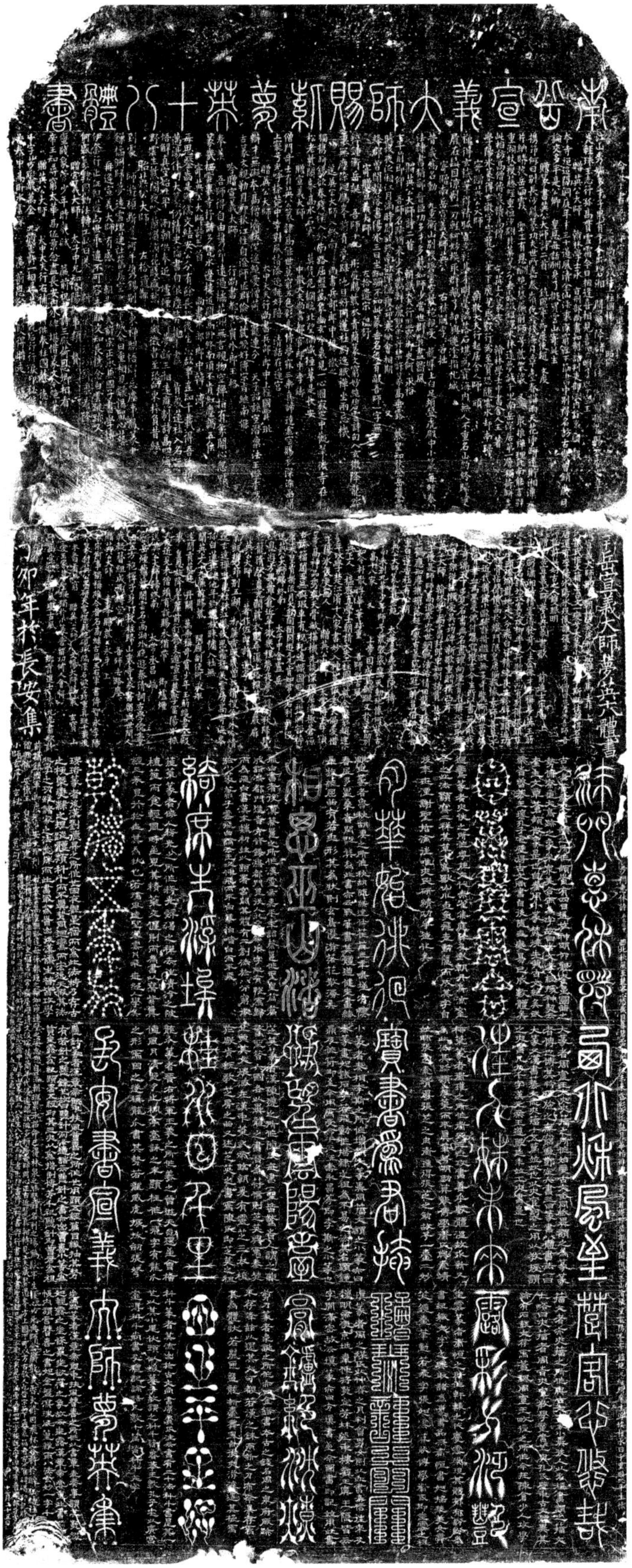

十八体篆书碑拓片

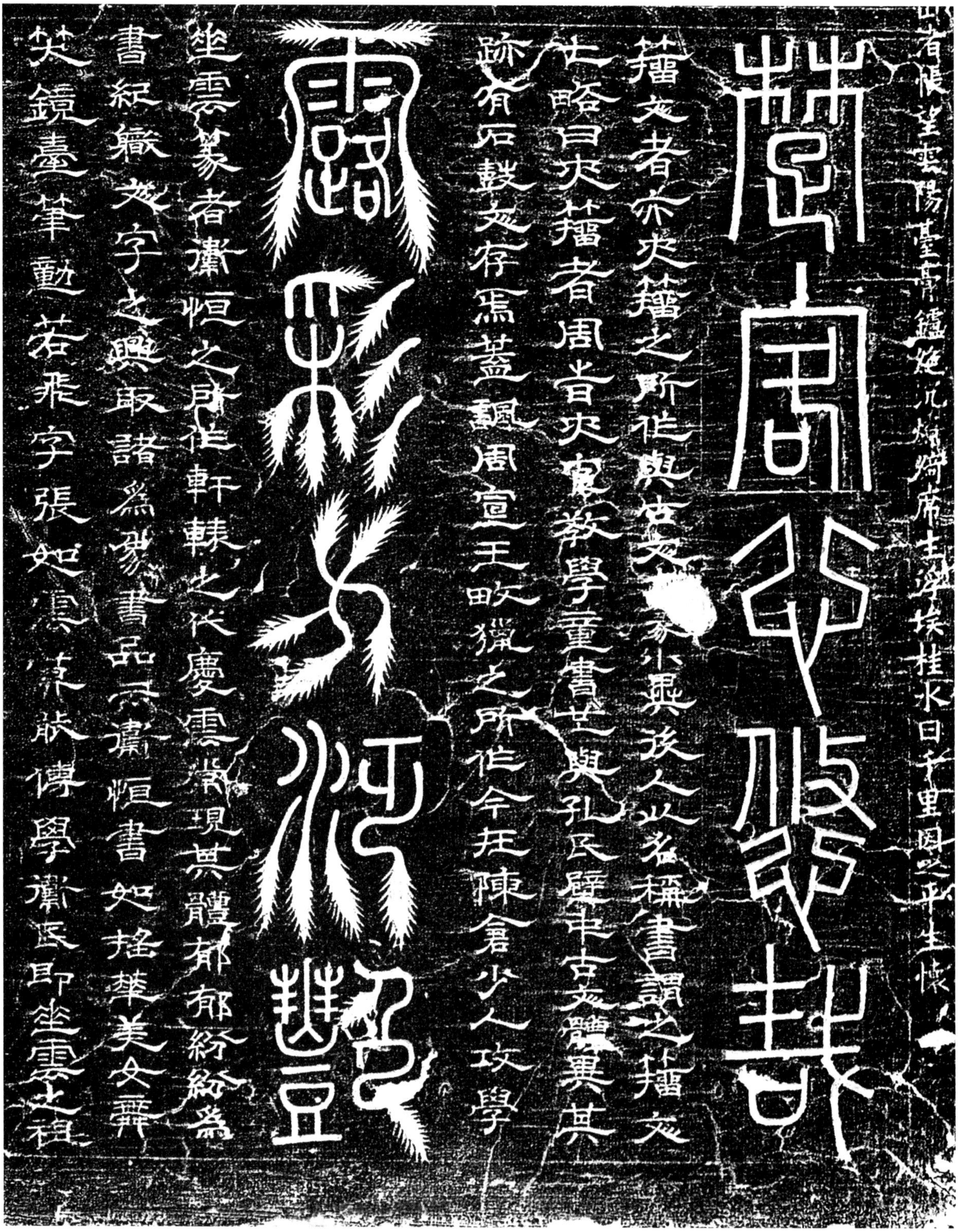

十八体篆书碑拓片（局部）

篆书目录偏旁字源碑

《篆书目录偏旁字源碑》又称《偏旁字源碑》《宋六书偏旁》《梦英说文字源》，北宋咸平二年（999）刻。梦英书偏旁字源并题额、自序，郭忠恕书释字、答书及衔名。碑螭首方趺，通高 300 厘米，宽 99 厘米。目录 17 行，每行 33 字，篆书；释字、自序及答书 11 行，每行字数不等，楷书。此碑现藏于西安碑林博物馆。

梦英以篆书名世，自命为李阳冰的继承者，他在此碑的自序中云："阳冰之后，篆书之法，世绝人工，唯汾阳郭忠恕共余继李监之美，于夏之日，冬之夜，未尝不挥毫染素，乃至千百幅，反正无下笔之所，方可舍诸，及手肘胼胝，了无倦色。考三代之文，穷六书之法，俱落笔无滞，纵横得宜。"虽不免有自诩之嫌，然其镌碑之目的则在于"使千载之后，知余振古风，明籀篆，引工学者取法于兹也"。梦英和郭忠恕志同道合，都以唐代篆书大家李阳冰的继承者自居，在当时书坛凋敝的长安城里共同进行着旨在复兴篆书的艺术实践。

此碑是北宋初年梦英法师所书碑刻中年代最晚的一件，内容是依照东汉许慎所著《说文解字》中的部首顺序，以篆体书写偏旁与碑额，其下是由宋代著名古文字学家郭忠恕以楷书写就的"反切注音"。碑中篆字风格古朴而典雅、浑厚而端凝，透过碑中文字，可以窥见中国文字造字六法——象形、指事、形声、会意、转注、假借的文字结构范例，对研究汉字的渊源、演变及篆体书法均有所裨益。此碑是梦英最重要的传世代表作之一。

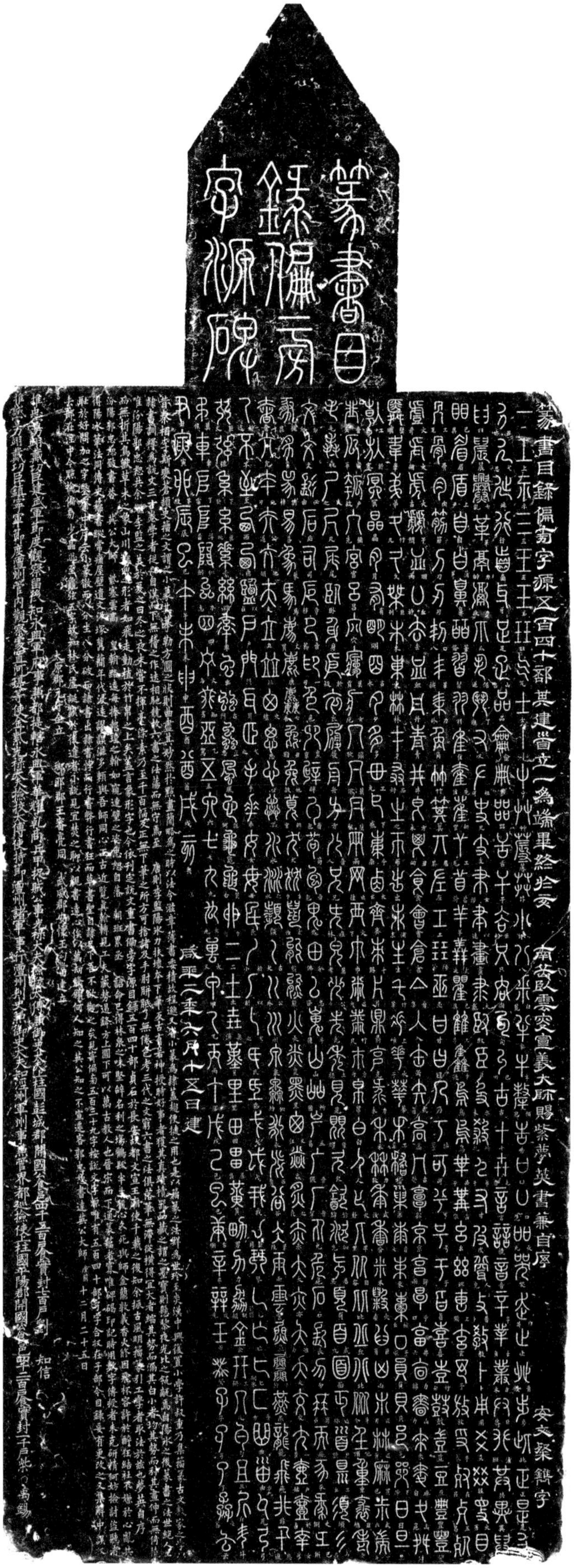

篆书目录偏旁字源碑拓片

篆书目录偏旁字源碑拓片（局部）

三体阴符经

《三体阴符经》高 185 厘米，宽 87 厘米，北宋乾德四年（966）立。碑题“黄帝阴符经”。此碑由郭忠恕书，安祚刻石。碑石下段有十五人题名，或与镌刻此碑者有关。碑阳为唐《隆阐法师碑》。

所谓三体，是指碑文由小篆、古文、隶书三种书体写成，每个小篆文字下分别书以古文和隶书书体，为后人研究字体和字形的变化提供了重要资料。《阴符经》是《黄帝阴符经》的简称，《黄帝阴符经》是假托黄帝之名而作，为道教经典，实际撰者不详。经文有文献记载为 384 字，而此碑为 397 字。内容涉及“黄老神仙之说，炉火修炼之术”，以及兵、法、术、数等内容，有所谓“百字言道，百字言法，百字言术”之说。宋代许洞评价其“论心术则秘而不言，谈阴阳则散而不备”，以此说明其艰深难解。因此，历来为此书作注者众多，旧传有“太公、范蠡、鬼谷子、张良、诸葛亮、李筌六家注”，而唐代的张果，宋代的朱熹、胥元一、夏元鼎，元代的王道渊、俞琰等人也都曾为之作注，对其内容的释义则各有侧重，从不同的侧面反映出不同时期哲学思想的流变。

书者郭忠恕，字恕先，据考为山西汾阳人。七岁能诵书属文，举童子及第，诸体皆善，尤工籀篆，后周广顺年间任宗正丞兼国子书学博士，改《周易》博士。入宋后，因与监察御史争执，被贬为乾州司户参军，后又因擅离贬所等罪，被消籍配隶灵武。宋太宗时授国子监主簿，令其刊定历代字书，后又因酒后肆言，擅卖官物，被杖责流放登州。北宋太平兴国二年（977），他在流放途中死去。郭忠

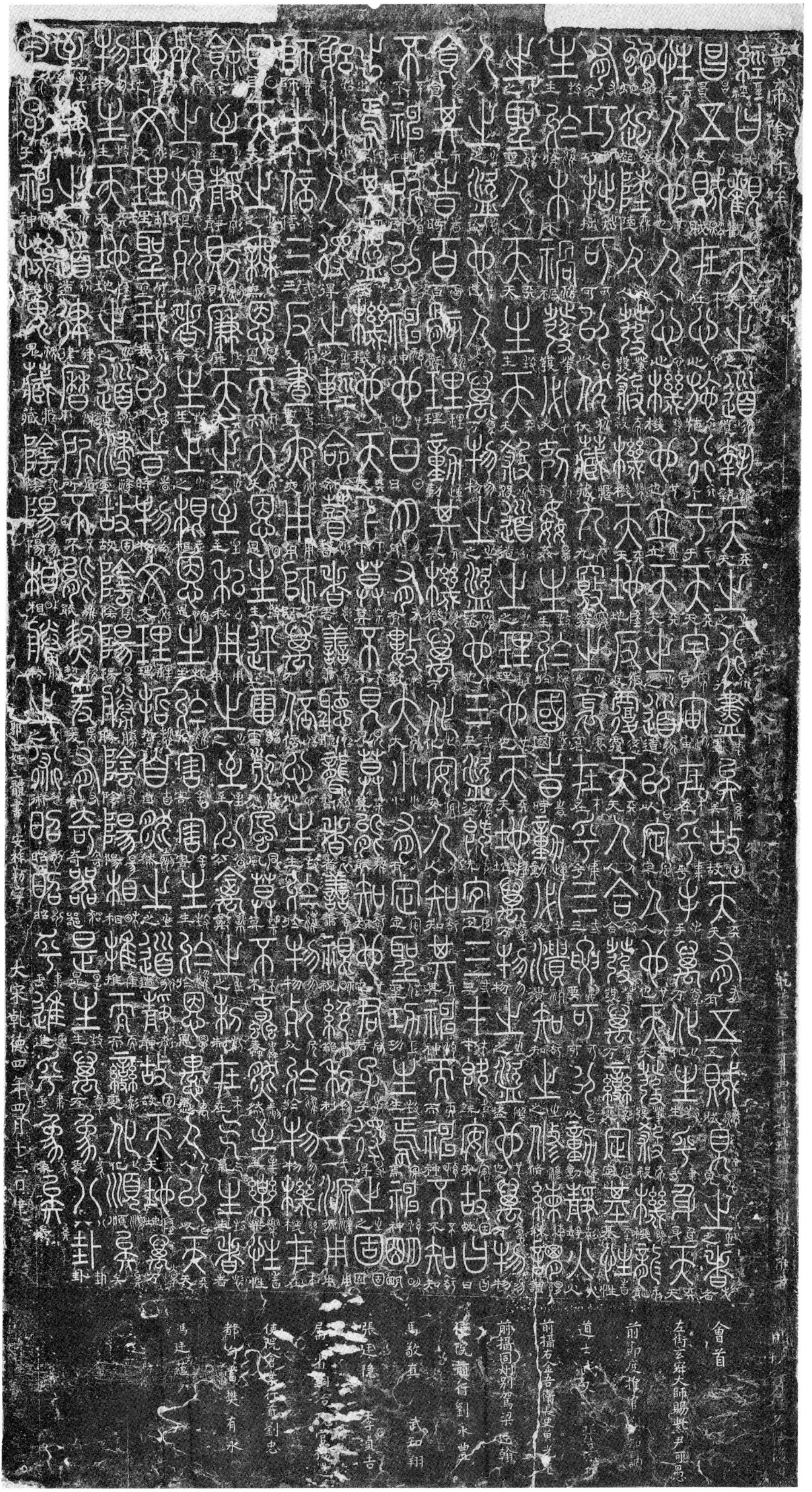

三体阴符经拓片

恕一生对仕途并无追求。他生性狂放不羁，难以融入官场，行事全凭兴之所至。他蔑视求取他字画的权贵，嘲弄皇帝亲信，却与役夫小民饮食交游，纵酒跅驰，一再被贬黜却始终不以为意。被人评价为“沉湎纵驰，凌薄权贵”，亦是中肯。就连他的死亡，也充满了传奇色彩。在流放途中，他对押送的人说：我今天就要死了！于是在地上挖了一个仅可容下面部的小坑，俯身下去，将脸埋于坑中就死去了，草草被葬在道旁。数月之后，朋友想取其尸体改葬，却发现他的身体已经如蝉蜕般只剩下一具空壳。他生性狂放，死亦洒脱，给后世留下了无尽遐想。

郭忠恕对古文字颇有研究，著有《汗简》《佩觿集》。他曾校定《古今尚书》，并撰有《释文》。他书画皆有盛名，在当时画名盛于书名，尤善画宫室建筑。明代文徵明赞其宫室画作：“独郭忠恕以俊伟奇特之气，辅以博文强学之资，游规矩准绳中而不为所窘，论者以为古今绝艺。”宋人评价其书画“俱为当时第一”“可列神品”。他的好友梦英曾言：“自阳冰之后，篆书之法，世绝人工，唯汾阳郭忠恕共余继李监之美。”而欧阳修赞其所书《说文字源》称：“世人但知其小篆，而不知其楷法尤精，然其楷字亦不见刻石者，盖惟有此耳，故尤可惜也。”

郭忠恕所书《三体阴符经》也见载于《集古录》，这既是他研究古文字的成果，也是他唯一的传世石刻。欧阳棐《集古录目》、陈思《宝刻丛编》等皆有著录。关于此碑书法，我们不妨引用赵崡《石墨镌华》中的评价：“忠恕三体阴符经，其二大、小篆，其一隶也。忠恕篆笔匹徐铉而诮英公，又兼工小楷，画品入妙，其后又能仙去不死，真异人也。余不得见其小楷与画，而于是碑亦足以窥其一斑矣。”

三体阴符经拓片（局部）

淳化阁帖

在西安碑林的第七展室中，专门陈列着被称为“古代法帖之祖”的《淳化阁帖》。

《淳化阁帖》原帖刻于宋太宗淳化二年（991）。北宋以文治天下，宋太宗本人亦“留意翰墨，润色太平”，即位后令翰林侍书王著遍征先贤名家墨迹，可以说其所收集的作品，代表了中国先秦至隋唐一千多年书法的最高成就。在这部法帖中，共收录103位作者的420篇作品，作者包括帝王、臣子和著名书法家等。王著将之收藏于内府。淳化二年，宋太宗又命王著将之编为十卷，刻于枣木板上，并专建秘阁存放，御笔飞白书“秘阁”二字以示重视。法帖刻成之后，宋太宗以拓本分赐近臣，每有大臣登二府（枢密院与中书省）则赐拓本。宋仁宗庆历年间，宫中失火，《淳化阁帖》不幸付之一炬，故而自宋代起官法帖就甚为难得。

《淳化阁帖》收藏诸家法帖共十卷，第一卷为历代帝王书迹，自汉章帝刘炟至陈朝永阳王陈伯智；第二卷至第四卷为历代名臣法帖，自东汉张芝的《冠军帖》至南朝宋薄绍之的《回换帖》；第五卷为诸家法帖，自仓颉书至南朝宋羊欣《闲旷帖》；第六卷至第八卷为王羲之法帖；第九卷、第十卷为王献之法帖。《淳化阁帖》一出，便成为天下法帖的范本。然而正是由于搜集诸家所藏，在编排和真伪上便存在诸多问题，从宋代时起便有人质疑其内容。宋元祐年间，米芾作法帖题跋，据其笔迹对其真伪进行辨别。大观年间，黄伯思作《法帖刊误》，据史籍订正其讹误，为后世所肯定。明嘉靖年间，顾从义细刊其字画曲折。至清代，何焯、徐葆光又多方引证辩论，王澍撰《淳化秘阁法帖考正》十二卷，亦可为后世研究者提供参证。

《淳化阁帖》展室

南宋曹士冕《法帖谱系》记载,《淳化阁帖》传至南宋时，已经有二王府帖、绍兴国子监本、淳熙修内司本、黔江帖、临江戏鱼堂帖利州本、庐陵萧氏本、刘丞相（刘沆）私第本等数十种，后历代亦有不同刻本流传，但现存刻石仅有肃府本、关中本、溧阳本三种。肃府本即明万历四十三年（1615）的肃王府遵训阁本，是肃宪王朱绅尧以明太祖子肃庄王朱楧所得《淳化阁帖》的原拓为底本，令温如玉、张应召二人摹勒上石的，历时七年，至其子朱识鋐时方刻成。关中本即西安碑林第七展室所藏之《淳化阁帖》，亦称“西安本”，是清顺治三年（1646），费甲铸根据肃府本摹勒上石，长安卜栋、赵璧、杨复林等名工刻字，陕西提督学政宁献功等所立。此帖共 145 石，两面刻字，石呈长方形，高宽不一。每石 8～12 行字不等，古文、篆书、楷书、行书、草书、隶书各体皆备。石质为富平墨玉。

《淳化阁帖》作为中国第一部丛帖，保留了大量重要的书法作品，其价值之高难以估量。2003 年 4 月，上海博物馆在市领导的支持下斥巨资从美国收藏家安思远处购回第四、第六、第七、第八共四卷《淳化阁帖》残本，这是目前存世的最善本。

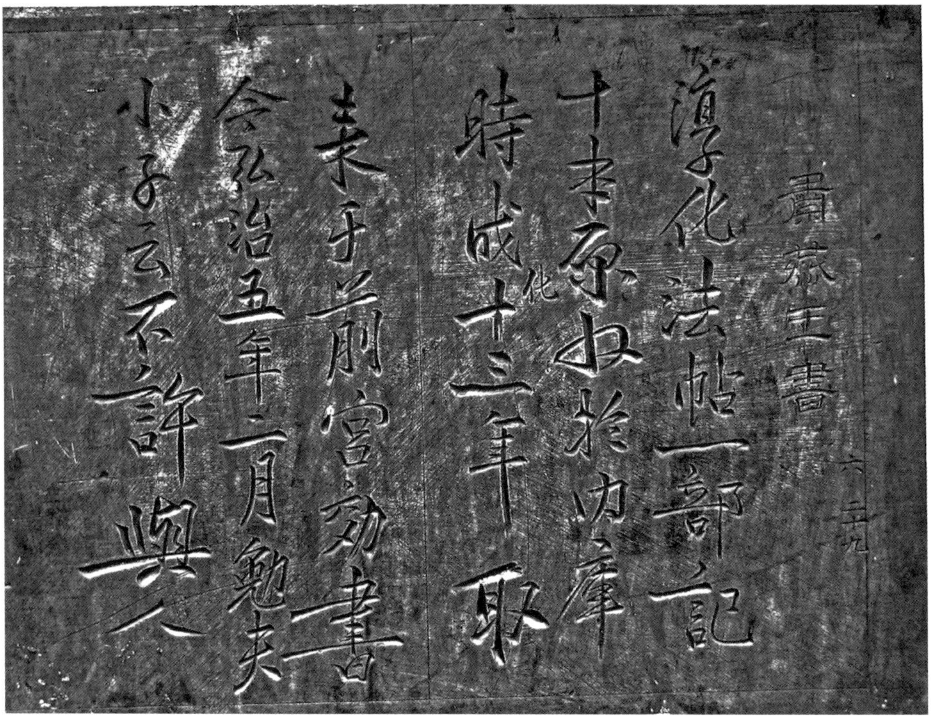

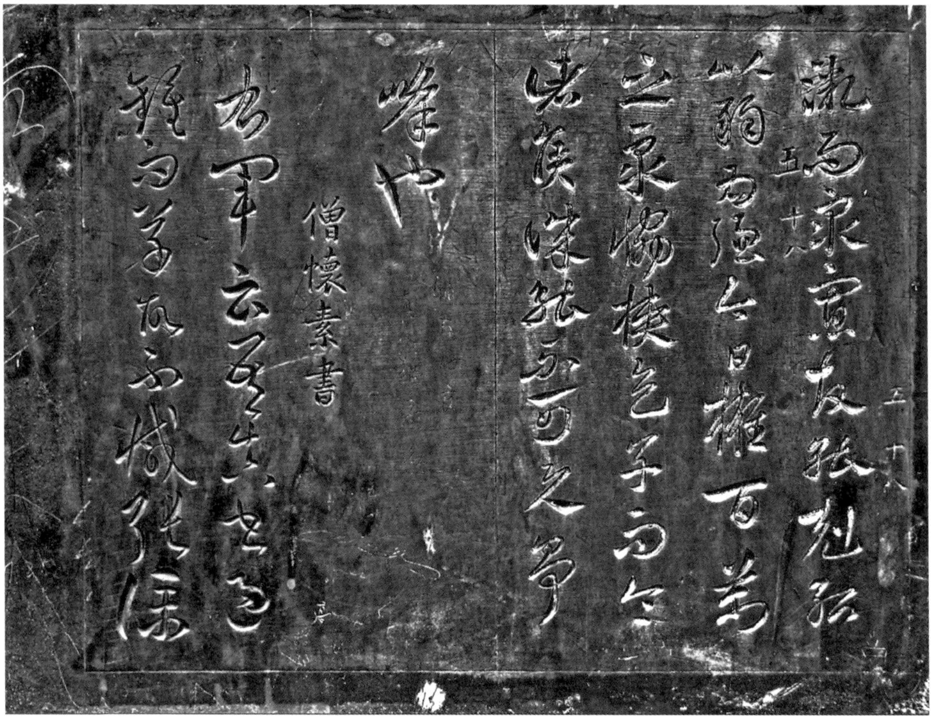

淳化阁帖（局部）

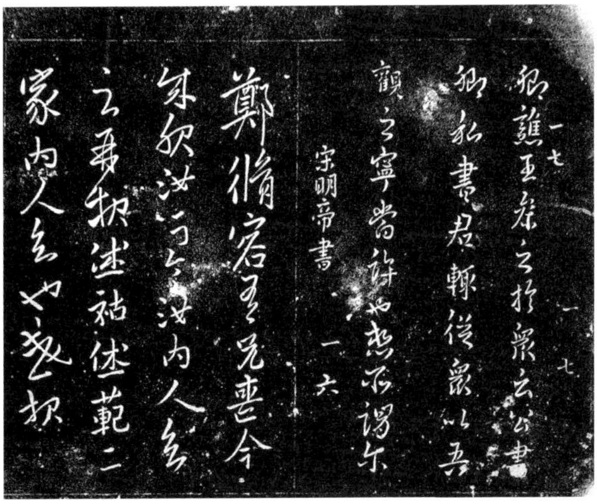

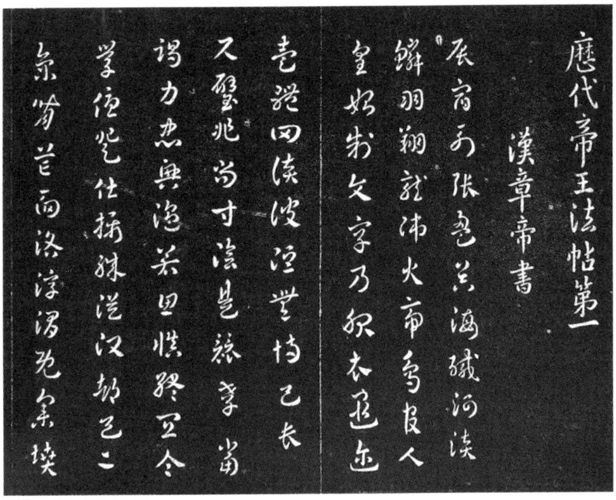

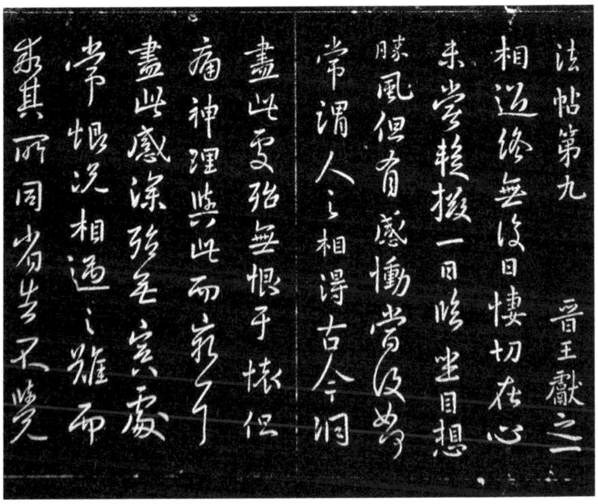

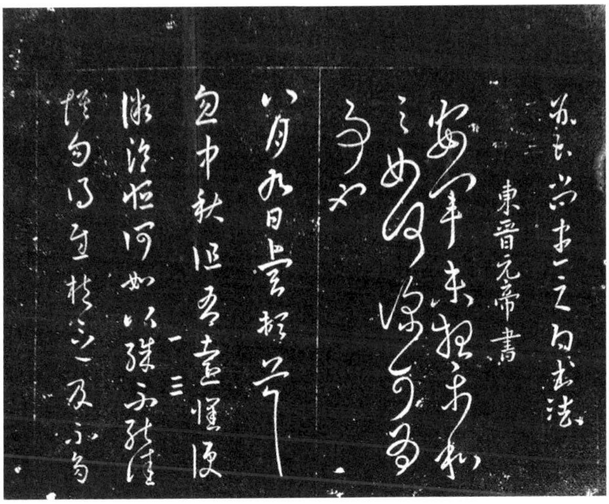

淳化阁帖拓片（局部）

德应侯碑

《德应侯碑》是我国存世最早的一方“窑神碑”。德应侯，即窑神的封号。祭祀窑神的活动由来已久，煤业历史悠久的地区都有供奉窑神的习俗。古代的窑工把德应侯视为主宰他们每一窑瓷器烧造优劣的圣人，每次烧瓷之前都要进行祭拜，场面一般甚为隆重。

《德应侯碑》立于北宋元丰七年（1084）。碑身高120厘米，宽64厘米。额题“德应侯碑”，2行，每行2字，行书。碑题“宋耀州太守阎公奏封德应侯之碑”。碑文27行，满行41字，楷书。张隆撰书并题额，刘元刊石。此碑圆首方趺，碑首及碑身左右两侧以线刻手法饰以蔓草花卉图案，比之唐碑蔓草花饰更趋于写实，融汇有民间花绘手法，并颇有耀州瓷器纹饰之韵味。1974年移藏西安碑林。

碑文详细记述了北宋熙宁年间，耀州太守阎公奏封德应侯之事。“耀州太守阎公”即阎充国，字厚民，许州人，进士，擢官至朝议大夫，为官清正，政绩卓著。清陆心源在《宋史翼》中为其立传。碑文还记载了当时极负盛名的耀州窑的发展史，制瓷、烧造的工艺技术，耀州窑所在地黄堡镇的自然环境、居民的从业结构，以及陶业的生产方式、生产关系等方面的内容，成为研究耀州窑和中国陶瓷史的弥足珍贵的石刻资料。

《德应侯碑》的发现颇有传奇色彩。《德应侯碑》原在铜川市黄堡镇小学校内。20世纪50年代初，我国著名的古陶瓷专家陈万里、冯先明先生来到陕西省铜川市耀县黄堡镇调查耀州窑遗址时，在一所区立小学食堂的角落里意外地发

德应侯碑拓片

现了沾满饭垢和油渍的《德应侯碑》。幸而有专家的一双慧眼，此碑才得以重焕生机。

耀州窑遗址位于铜川市黄堡镇，创烧于唐代，后历经五代，至宋代时达到鼎盛，金、元续烧，元末明初时逐渐衰落，前后历经八百余年，形成了“十里窑场”的宏大规模，是中国古代著名的窑址。耀州窑烧制的瓷器，据碑文比喻为“巧如范金，精比琢玉”，在中国陶器史上占据重要地位。

此碑是目前发现最早的记载我国陶瓷发展史的碑石，自 1954 年发现以来，一直受到陶瓷界的高度重视，但凡写耀州窑的文章，大多都要引用此碑文。

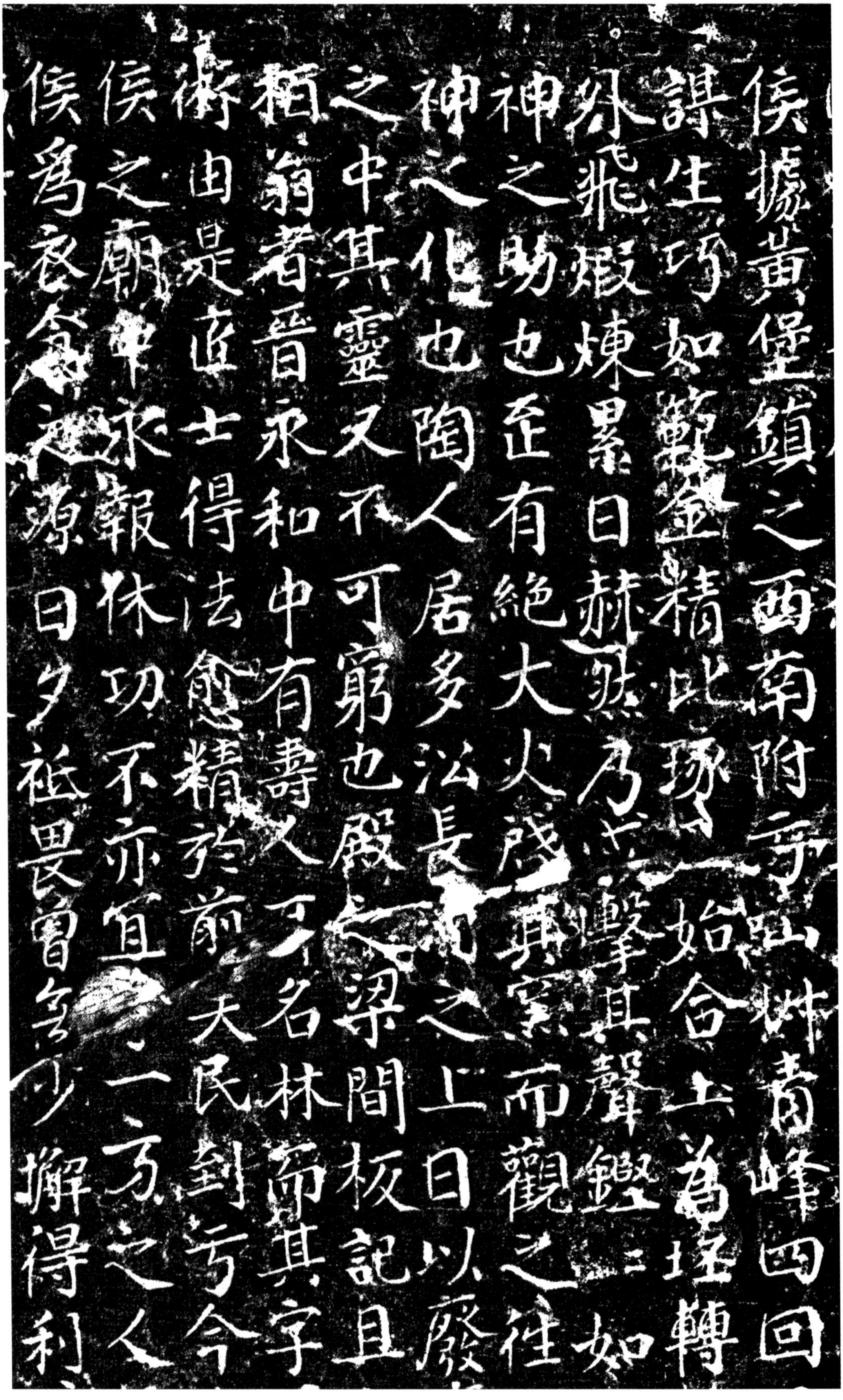
侯據黃堡鎮之西南附于山林青峰四回
謂生巧如範金精比琢玉始合土為坯轉
外飛火鍛煉累日赫然乃[illegible]擊其聲鏗鏗如
神之助也豈有絕大火伐其實而觀之往
神之化也陶人居多沿長河之上日以廢
之中其靈又不可窮也殿之梁間板記且
稱翁者晉永和中有壽人于名林節其字
術由是直士得法愈精於前天民到今
侯之廟率求報休功不亦宜乎一方之人
侯為衣食之源日夕祗畏曾無少懈得利
德应侯碑拓片（局部）

京兆府府学新移石经记

西安碑林有着九百多年的沧桑历史，然而记录西安碑林变迁发展的史籍资料极少，主要是靠碑石的记载而知。宋《京兆府府学新移石经记》碑就记载了碑林初建的情况，尤为珍贵。

此碑于北宋元祐五年（1090）刻。此碑平首方趺，通高140厘米，碑身宽83厘米。碑文23行，行37字，楷书。额题“京兆府府学新移石经记”，碑阴为“京兆府学教授题名记”。此碑由黎持撰，安宜之书，安民刻字。

碑文记述了唐《开成石经》刻成及辗转存于碑林的经过。宋哲宗元祐二年（1087），陕西转运副使吕大忠见唐尚书省之西隅地势低洼，遂将《石台孝经》《开成石经》及颜、柳、欧等名家唐代名碑一并迁至“府学之北墉”，成就了“故都之壮观，翰墨之渊薮”的基础。文中详细讲述了吕大忠迁移石经的经过，以及碑林初成之时各碑石排列的位置，并盛赞他“有功于圣人之经”。正如文中所言，中华文化传承数千载，“道虽无穷而器则有敝”，以金石为载体虽流传久远，然终难免如蔡邕所书《熹平石经》一般，初成之时观摩者填塞街陌，而历经沧桑变化，今之存者所剩无几，故如吕氏所为，实为保存珍贵的文化遗存做出了巨大贡献。

碑林迁移后的收藏展示状况，《京兆府府学新移石经记》也有着较详细的描述：“（开成石经）分列东西次比而陈列焉。明皇注孝经及建学碑则立之于中央，颜、褚、欧阳、徐柳之书，下迨偏旁字源之类分布于庭之左右……门序旁启，

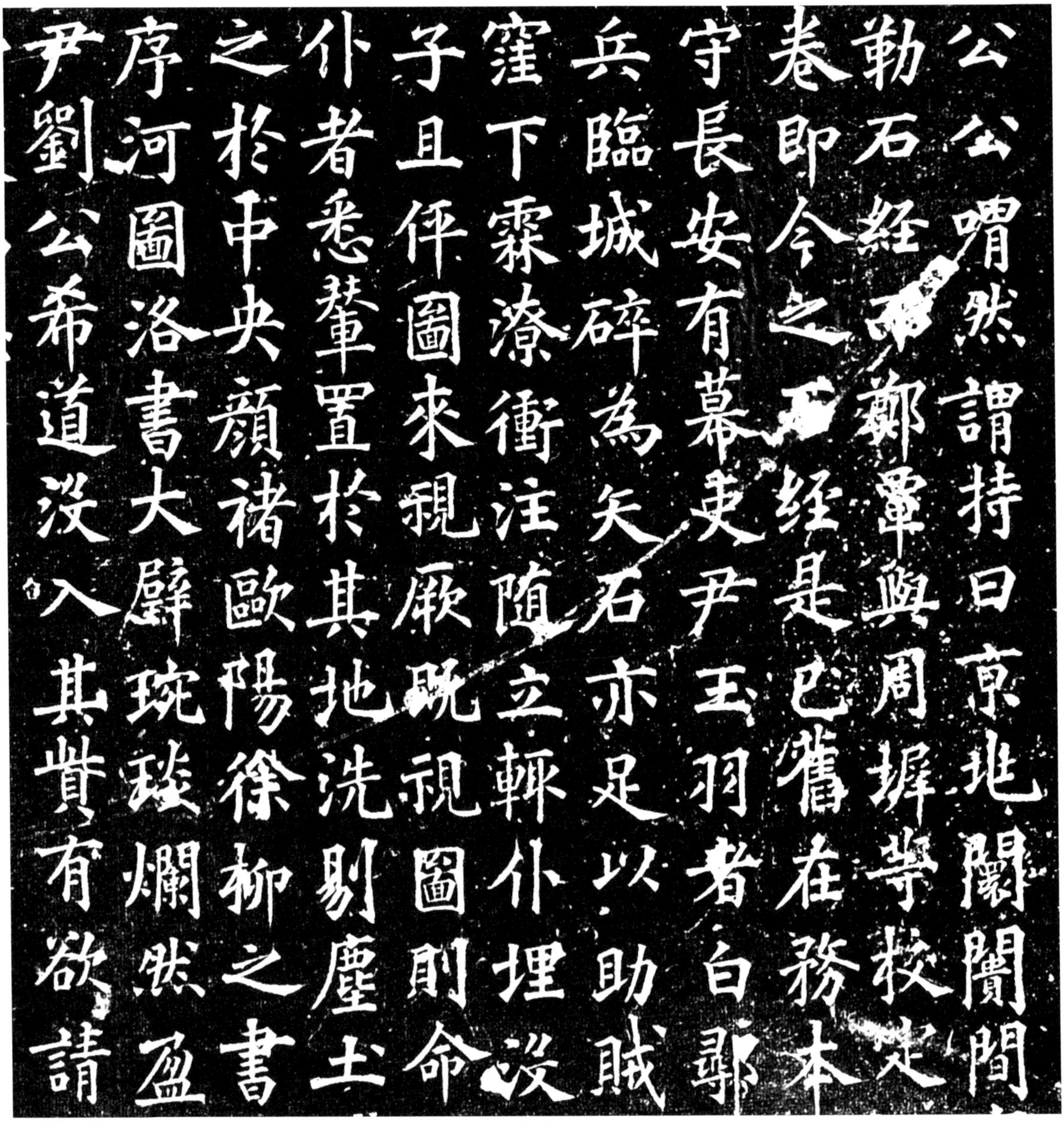

公公喟然謂持曰京兆闤闠閒
勒石經[illegible]鄭覃與周墀等校定
卷即今之[illegible]經是已舊在務本
守長安有幕吏尹玉羽者白鄩
兵臨城碎為矢石亦足以助賊
窪下霖潦衝注隨立輒仆埋沒
子且倂圖來視厥既視圖則命
仆者悉輦置於其地洗剔塵土
之於中央顏褚歐陽徐柳之書
序河圖洛書大闢琬琰爛然盈
尹劉公希道沒入其貫有欲請

京兆府府学新移石经记（碑阳）拓片（局部）

双亭中峙，廊庑回环，不崇不庳，诚故都之壮观，翰墨之渊薮也。”至此，开启了西安碑林的历史序幕。

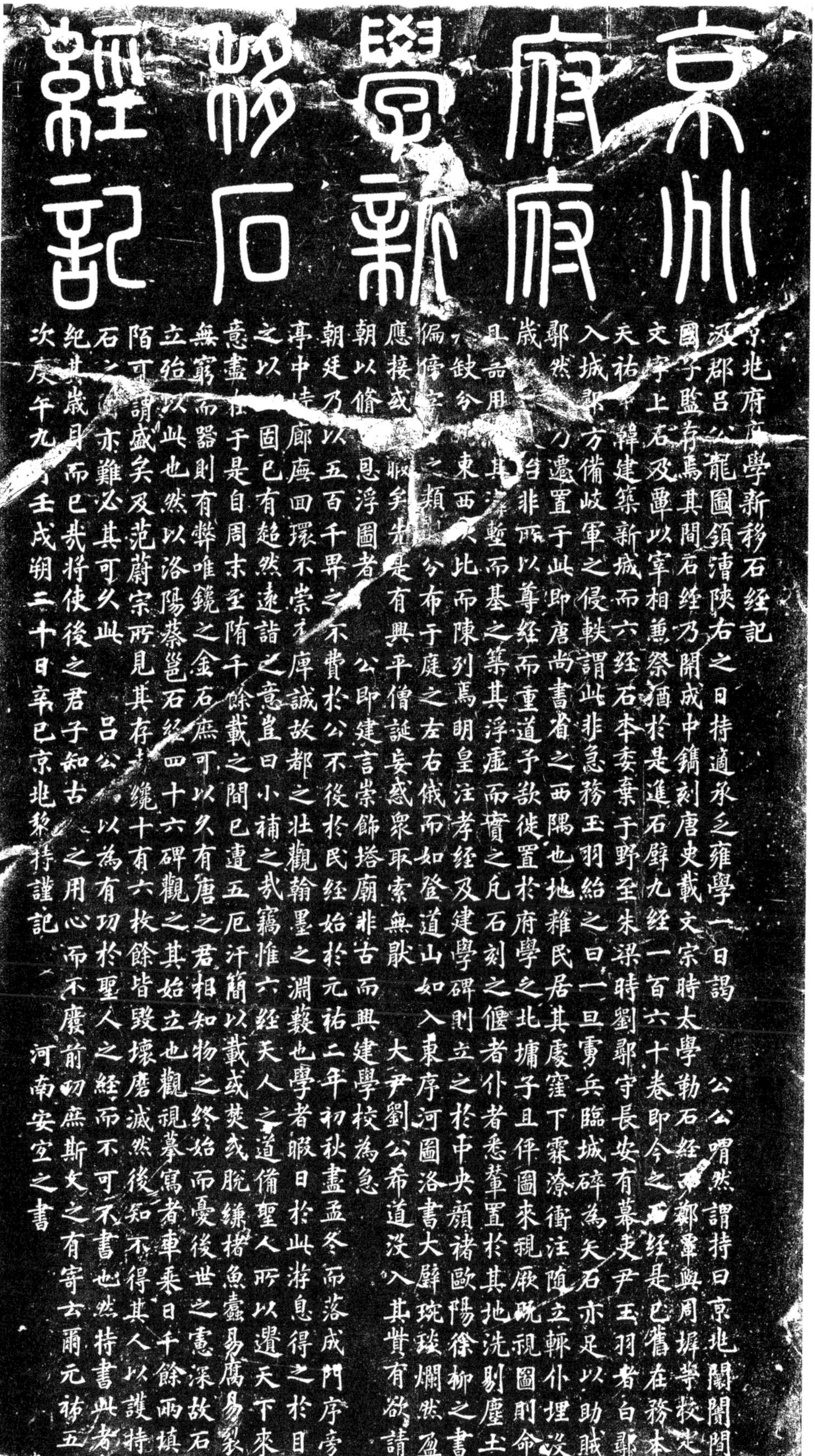

京兆府府學新移石經記

京兆府府學新移石經記
汲郡呂公龍圖領漕陝右之日持適承乏雍學一日謁　公公喟然謂持曰京兆闤闠有
國子監存焉其間石經乃開成中鐫刻唐史載文宗時太學勒石經□鄭覃與周墀等校定九
文字上石及覃以宰相兼祭酒於是進石壁九經一百六十卷即今之□經是也舊在務本坊
天祐中韓建築新城而六經石本委棄于野至朱梁時劉鄩守長安有幕吏尹玉羽者白鄩請
入城鄩方備岐軍之侵軼謂此非急務玉羽紿之曰一旦虜兵臨城碎為矢石亦足以助賊為
鄩然□乃遷置于此即唐尚書省之西隅也地雜民居其處窪下霖潦衝注隨立輒仆埋沒
歲□□□殆非所以尊經而重道予欲徙置於府學之北墉子且俾圖來視厥既視圖則命徙
且品用□其□整而基之築其浮虛而實之凡石刻之偃者仆者悉輦置於其地洗剔塵土補
□欽分□東西□比而陳列焉明皇注孝經及建學碑則立之於中央顏褚歐陽徐柳之書下
偏傍字□之類□分布于庭之左右俄而如登道山如入東序河圖洛書大辟琬琰爛然盈
應接或□暇矣先是有興平僧誕妄惑衆取索無猒　大尹劉公希道沒入其貲有欲請
朝以脩□息浮圖者　公即建言崇飾塔廟非古而興建學校為急
朝廷乃以五百千畀之不費於公不後於民經始於元祐二年初秋盡孟冬而落成門序旁
亭中□□廊廡回環不崇不庳誠故都之壯觀翰墨之淵藪也學者暇日於此游息得之於目而
之以□□固已有超然遠詣之意豈曰小補之哉竊惟六經天人之道備聖人所以遺天下來世
意盡在于是自周末至隋千餘載之間已遭五厄汗簡以載或焚或脫縑楮魚蠹易腐易裂
無窮而器則有弊唯鐫之金石庶可以久有唐之君相知物之終始而憂後世之慮深故石
立殆以此也然以洛陽蔡邕石經四十六碑觀之其始立也觀視摹寫者車乘日千餘兩填
陌可謂盛矣及范蔚宗所見其存者纔十有六枚餘皆毀壞磨滅然後知不得其人以護持
石之□亦難必其可久此　呂公以為有功於聖人之經而不可不書也然持書此者
紀其歲月而已哉將使後之君子知古□之用心而不廢前功庶斯文之有寄云爾元祐五
次庚午九月壬戌朔二十日辛巳京兆黎持謹記　河南安宜之書

京兆府府学新移石经记（碑阳）拓片

吕大忠墓志

附：吕大忠生平

吕大忠（1024—1100），字伯进，是北宋时“蓝田四吕”之一。“蓝田四吕”即吕大忠、吕大防、吕大钧、吕大临兄弟四人。先祖为河南汲郡人，后迁家于京兆蓝田。《宋史·吕大防传》载：吕大忠“元祐初，历工部郎中，陕西转运副使、知陕州，以直龙图阁知秦州”。吕大忠家学渊源，尊儒重道。《宋史》载：“谢良佐教授州学，大忠每过之，听讲《论语》，必正襟敛容曰：‘圣人言行在焉，吾不敢不肃。’”说明吕大忠对儒家经典的敬重及搬迁石经的重视。其弟吕大防为著名政治家，元丰时任知永兴军府事。绘有《长安图》刻石，并立京兆府衙，今有残石入藏西安碑林。其四弟吕大临为著名学者、考古学家，著有《考古图》十卷，为中国最早的古器物考古图录专书。

吕大忠的生卒年月原来不详，所幸近年蓝田吕氏家族墓地被考古发掘，出土了大量文物，其中有《吕大忠墓志》，为我们了解吕大忠的生平提供了新的资料。吕大忠为西安碑林建立的创始者，功垂史册。

王维画竹

王维，字摩诘，唐代著名诗人，官至尚书右丞，晚年时居蓝田辋川别墅，诗画作品多且成就都很高。苏东坡云："味摩诘之诗，诗中有画；观摩诘之画，画中有诗。"墨竹在唐代即有，而《王维画竹》则久负盛名。其作《竹里馆》诗云："独坐幽篁里，弹琴复长啸。深林人不知，明月来相照。"诗人独坐在深林中弹琴、长啸，恬淡闲适，悠然自得。充分表现出王维的画与诗是相得益彰的，可谓"诗中有画，画中有诗"。

西安碑林藏《王维画竹》刻立于北宋元祐六年（1091）。此碑由游师雄题跋，俞夷直摹，王箴书，郭皓模，孟永刻石。一石高 159 厘米，宽 86 厘米。上画清竹三棵，以细线双勾，清新雅致。竹叶疏密相间，似闻风微动，颇具意趣。关于此画之来源，左下角题跋记述："凤翔府开元寺东塔院有唐王维竹画二小壁，始熙宁间见之，墨迹尚完，无识，浸污者日加多，岁久将遂漫灭。不复见古人用意处，因得郭生嘉祐中模本，比今壁为真，勒石以传好事者。"

题跋者游师雄，字景叔，京兆武功人。曾求学于张载，北宋治平元年（1064）进士，授仪州司户参军，曾任陕西转运判官、提点秦凤路刑狱、陕西转运使、陕州知府，历仁宗、英宗、神宗、哲宗四朝，深得皇帝赏识。他在宋夏边境经营多年，善谋略，屡建奇功，绍圣四年（1097）卒。《宋史·游师雄传》称其"慷慨豪迈，有志事功，议者以用不尽其才为恨"，"游师雄之禽鬼章，复洮州，以致诸国入贡，校之诸将，其功独为隽伟"。除了军事功勋，他也有经史之才，可谓文

鳳翔府開元寺東塔院有唐王維竹畫一小壁始熙寧
間見之墨跡尚完無識沒汁者日加剝落久將遂漫滅
不復見古人用意趣因得郭生嘉祐中模本比今壁為
真遂石以傳好事者元祐六年冬至日武功游師雄景
叔題熙兒俞夷直管勾模刻陽平王蔵書
邠晤模孟永刊

王维画竹拓片

武兼备。在陕西多年，他踏寻古迹名胜，所谓“表章古迹，自周秦以及唐，无不有题识”。许多题识至今尚流传于世，为后世研究提供了重要的参考和借鉴。

观题记可知，游师雄于熙宁年间曾游风翔府开元寺，在东塔院见到两小壁上所画几尾修竹，正与寺院之古雅相映成趣，甚是喜爱，恐其岁久漶灭，遂于元祐六年依郭嘉韦所藏模本勒石。此画将王摩诘“诗中有画，画中有诗”的绘画风格表现得淋漓尽致。苏轼诗有：“门前两丛竹，雪节贯霜根。交柯乱叶动无数，一一皆可寻其源。”所述亦指此画。时至今日，当年的古刹名寺早已不复存在，而那留在青石上翠意盎然的青竹，仍透露出作画者奉佛修心的禅宗意境。

大观圣作碑

在西安碑林第三展室的角落里，陈列着一方螭首龟趺，高 378 厘米、宽 140 厘米、厚 30 厘米的碑石——《大观圣作碑》。它是此展室众多名家碑刻中最为高大的一方，虽然文字多已漫漶，内容难辨，却依然吸引了众多游客，因为它的作者正是中国历史上著名的皇帝艺术家——宋徽宗赵佶。

《大观圣作碑》刻立于北宋大观二年（1108）。此碑额题“大观圣作之碑”，3 行，行 2 字，楷书。碑文 28 行，满行 71 字，楷书。宋徽宗赵佶撰并书，李时雍摹写，蔡京题额。原藏于陕西乾县，1962 年入藏西安碑林。碑文内容为大观元年（1107）所颁布的诏书，记载当时设立八行取士科及三舍之制的重德行、轻辞艺的科举新法，极具文献史料价值。所谓八行，即孝、悌、睦、姻、任、恤、忠、和。此八行又按照上、中、下分为三舍，作为升降和授官的依据。八行皆备，即可入太学学习。同时又规定“八刑”，对太学生的行为进行约束，不遵守者则要被惩处，从暂停入学到取消资格不等。此碑的撰、写、题额、摹写，积聚了身为皇帝、宰相、名臣的三位书界名人。当然，更具价值的是，该碑文字体为宋徽宗赵佶自创的“瘦金体”。《大观圣作碑》是宋徽宗瘦金书代表作之一，是后人研究学习瘦金体的典范，因此该碑具有历史和艺术的双重价值。

诏书既成，遂勒石刊行天下，“立于宫学，次及太学、辟雍、天下郡邑”。至今在河北、山东、陕西尚存《大观圣作碑》数方，只是碑石规格有所不同。赵佶初学薛稷、薛曜，后学黄庭坚。其书法引入工笔画的勾线技法，笔执劲逸，峻瘦

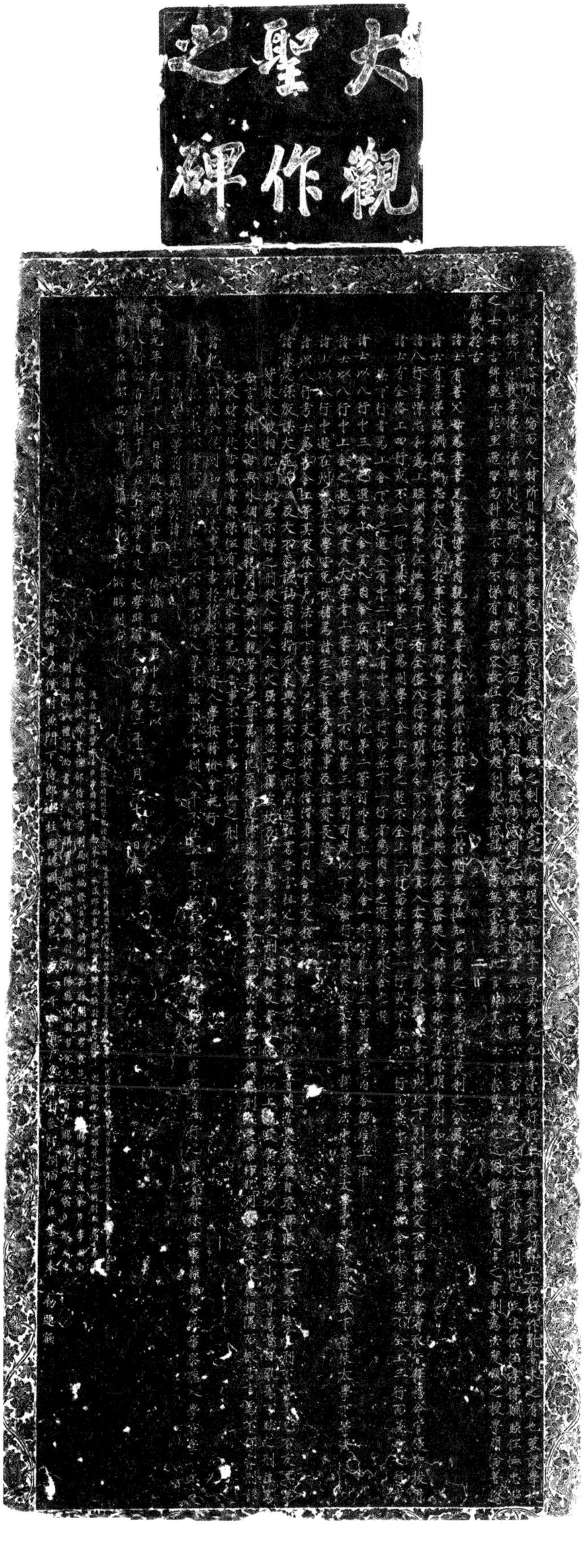

大观圣作碑拓片

挺拔，铁划银钩。笔画虽无宽窄之分，却富于舒放变化。通篇气韵如流水，风流儒雅，挺拔脱俗。古人评之曰：“乍看不得佳，结法亦时时露疏稚，而天骨遒美，逸趣蔼然，于细玩得之，信不在李重光下也。”应该承认，瘦金体上石是有局限性的。纤细的笔画使它缺乏那种威严、堂皇之感。而且，线丝如缕的笔画在纸帛上细看，其提按动作清晰可见，而刻在石碑上远观，效果就不强烈了。看碑是看其气格而非可以求其细部，瘦金书在这方面显然是很困难的。但作为宋代碑书中一种特殊的例子，它还是很有价值的。

摹写者李时雍，字致尧，成都人，其祖父与父亲皆以书法闻名于世。他以门荫入仕，官至承议郎、殿中丞，喜作诗，书画皆有大成，尤善画墨竹，曾作《渭川晚晴图》等，书法与蔡襄、苏轼、黄庭坚、米芾等大家齐名，甚至黄庭坚曾求书于他。北宋崇宁年间，他曾为尚书郎冯澥写过上殿札子，宋徽宗见其书法，甚为欣赏，遂御批他为书学博士。当时士大夫碑记多出于李氏父子之手。其书法被评为“结字妩媚，虽乏遒劲，然亦自成一家”。当世以及后世模仿瘦金体者众多，但大多难得其精髓，而李时雍所摹写的御笔书法，却神形兼备，惟妙惟肖。

题额者蔡京，字元长，兴化仙游人，先后四次拜相，官至太师，著名的奸相，北宋亡国的有力推手。他虽然身后骂名滚滚，但书法成就却相当高。“苏黄米蔡”书法四大家，一说“蔡”即蔡京，而非蔡襄。《铁围山丛谈》载，蔡京曾问米芾：“今能书者有几？”米芾认为：“自晚唐柳，近时公家兄弟是也。”可见其书法地位之高。《大观圣作碑》之题额，书法体态健丽，笔意精细，笔画错落呼应，气韵贯通，实为上乘之作。

此碑诏行天下，原本是为了向天下士子树立榜样，为国家选取贤才，然而此后北宋的国祚，在艺术家皇帝赵佶和蔡京等奸臣的肆意挥霍之下，不足二十年就耗尽了。由此可见，掌握着国家命运的权力阶层，才是最需要德行与才干的群体。

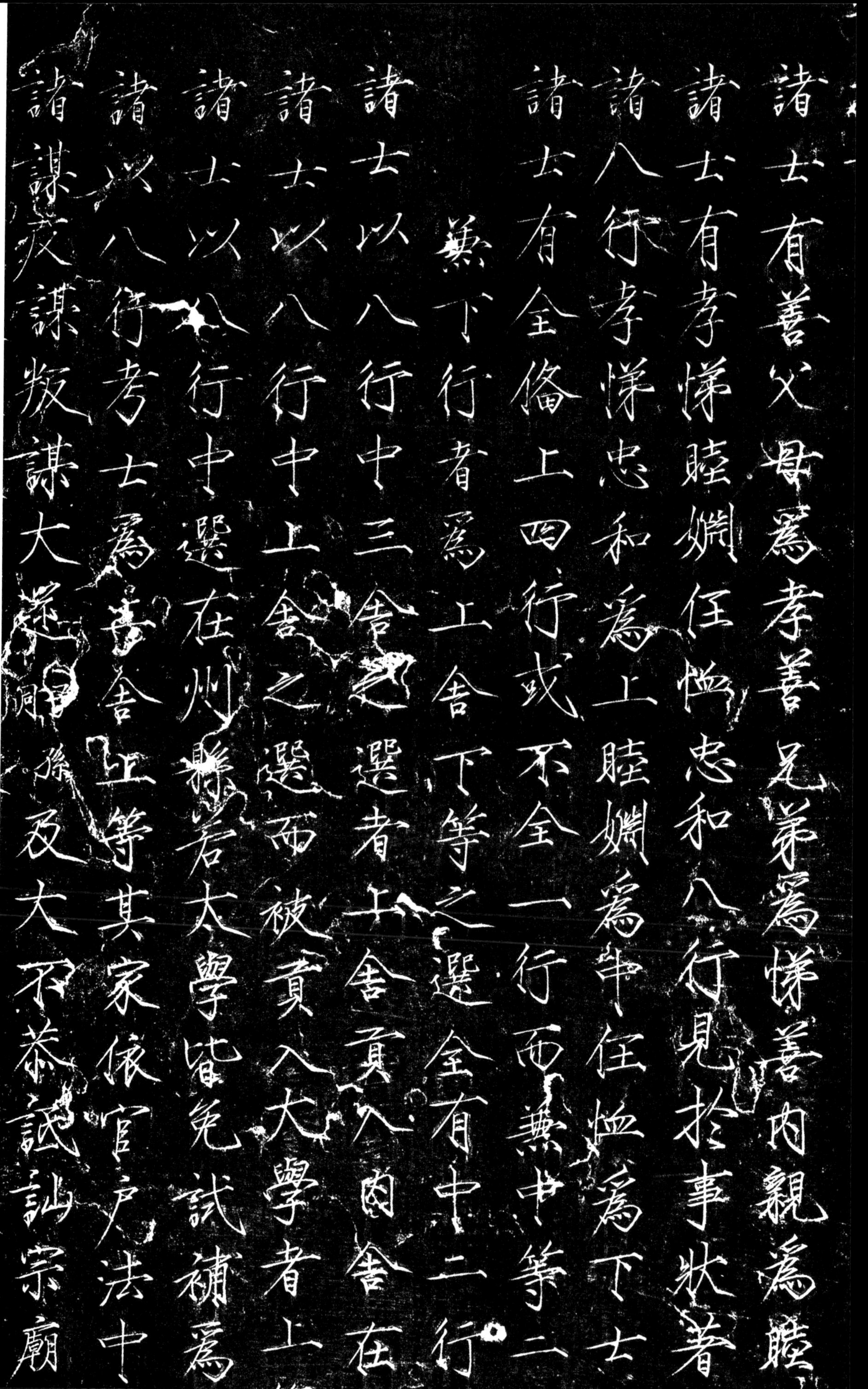
諸士有善父母為孝善兄弟為悌善內親為睦
諸士有孝悌睦婣任恤忠和八行見於事狀著
諸八行孝悌忠和為上睦婣為中任恤為下士
諸士有全備上四行或不全一行而無中等二
兼下行者為上舍下等之選全有中二行
諸士以八行中三舍之選者上舍貢入內舍在
諸士以八行中上舍之選而被貢入大學者上
諸士以八行中選在州縣若太學皆免試補為
諸以八行考士為上舍上等其家依官戶法中
諸謀反謀叛謀大逆詈同孫及大不恭詆訕宗廟

大观圣作碑拓片（局部）

王遇墓志

《王遇墓志》刻于北宋宣和七年（1125）。此墓志形制比较特殊，志石上方篆书“宋王达夫墓铭”六字，并无志盖。墓志撰者为前原州靖安寨主簿时诩。

志主王遇，字达夫，卒于宋徽宗宣和六年（1124），享年八十岁。志文中有“虽号货殖，与商旅交易，不为龙断之罔，力生十年，坐致富盛”，“一门几百口，上下肃睦，人无闲言”，“里中或有习为不义，谆谆勉谕。期于从善而后已，于是信义著于乡间”，等等。由此可知，王遇是一位在当地颇有地位和声望的豪商，其家族财力雄厚、人丁兴旺。他经营有方，晚年生活富裕安逸，还以入粟授爵的方式获得陕州助教之职，其子辈亦有三人补州助教之职。

《王遇墓志》是目前所见为数不多的宋代商人墓志之一，其行文带有鲜明的时代特点。北宋是文人政治的高峰时期，科举制度发达，儒家传统思想占据统治地位。在长期的义利之争中，世人普遍认为义利不是对立的，但义仍高于利。因此，撰者刻意淡化了志主追求“利”的财富积累过程，弱化他的商人身份，而强调他“义”的一面，即尊重士人、仁义好施、重义轻利、端正乡风等不同于普通商人的高尚品行。

同时，宋代也是封建经济发展的高峰时期，商人同样可以入仕为官，而士子或迫于生计，或为重利所诱，也可以参与商业行为。因此，“商为四民之末”的观念已经被打破，士大夫阶层也开始乐于结交商人。墓志撰者时诩与王遇的孙婿进士左氏相熟，与王家亦有往来，故为其书志。他在志文中对王遇信仰佛教、尊崇

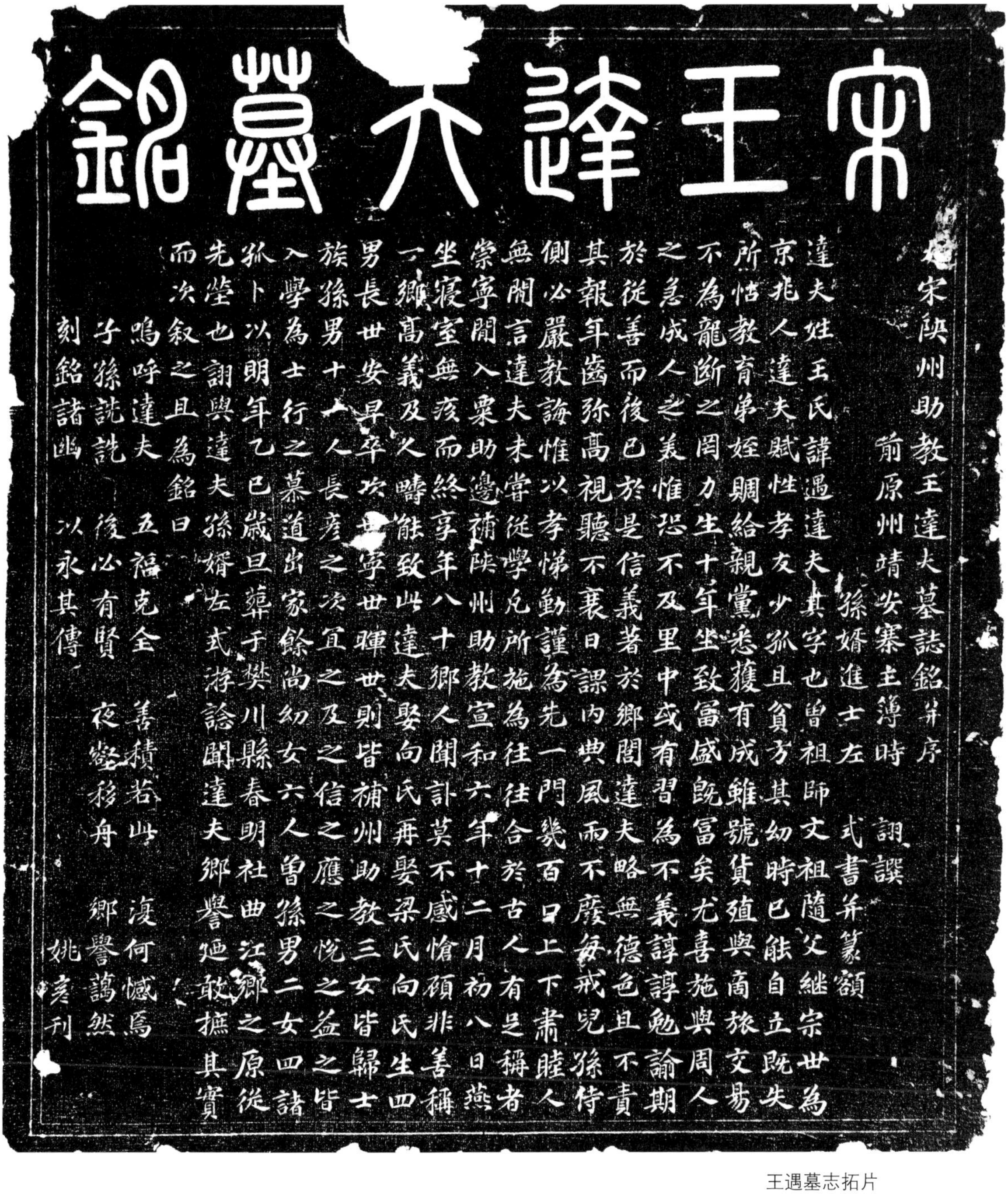

宋王達夫墓銘

宋陝州助教王達夫墓誌銘并序

前原州靖安寨主簿時詡譔

孫婿進士左式書并篆額

達夫姓王氏諱遇達夫其字也曾祖師文祖隨父繼宗世為京兆人達夫賦性孝友少孤且貧方其幼時已能自立既失所怙教育弟姪賙給親黨悉獲有成雖號貨殖與商旅交易不為龍斷之罔力生十年坐致富盛既富矣尤喜施與周人之急成人之美惟恐不及里中或有習為不義諄諄勉諭期於從善而後已於是信義著於鄉閭達夫略無德色且不責其報年齒彌高視聽不衰日課內典風雨不廢每戒兒孫侍側必嚴教誨惟以孝悌勤謹為先一門幾百口上下肅睦人無閒言達夫未嘗從學允所施為往往合於古人有足稱者崇寧間入粟助邊補陝州助教宣和六年十二月初八日燕坐寢室無疾而終享年八十鄉人聞訃莫不感愴頑非善稱一鄉高義及父疇能致此達夫娶向氏再娶梁氏向氏生四男長世安早卒次世寧世暉世則皆補州助教三女皆歸士族孫男十人長彥之次宜之及之信之應之悅之益之皆之入學為士行之慕道出家餘尚幼女六人曾孫男二女四諸孫卜以明年乙巳歲旦葬于樊川縣春明社曲江鄉之原從先塋也詡與達夫孫婿左式游諗聞達夫鄉譽廼敢摭其實而次敘之且為銘曰

嗚呼達夫 五福克全 善積若此 復何憾焉

子孫詵詵 後必有賢 夜壑移舟 鄉譽藹然

刻銘諸幽 以永其傳

姚彥刊

王遇墓志拓片

儒学、以儒家孝悌思想治家的行为深为赞许。王遇家族也通过子孙入仕和联姻等形式提升了社会地位，除了王遇及其三子以入粟补助教之职外，孙辈更放弃了商人身份，转而习儒，他的女儿及孙女也与士子通婚。王氏家族利用经商获得了经济资本，正逐步由商人家庭向士人家庭转化。

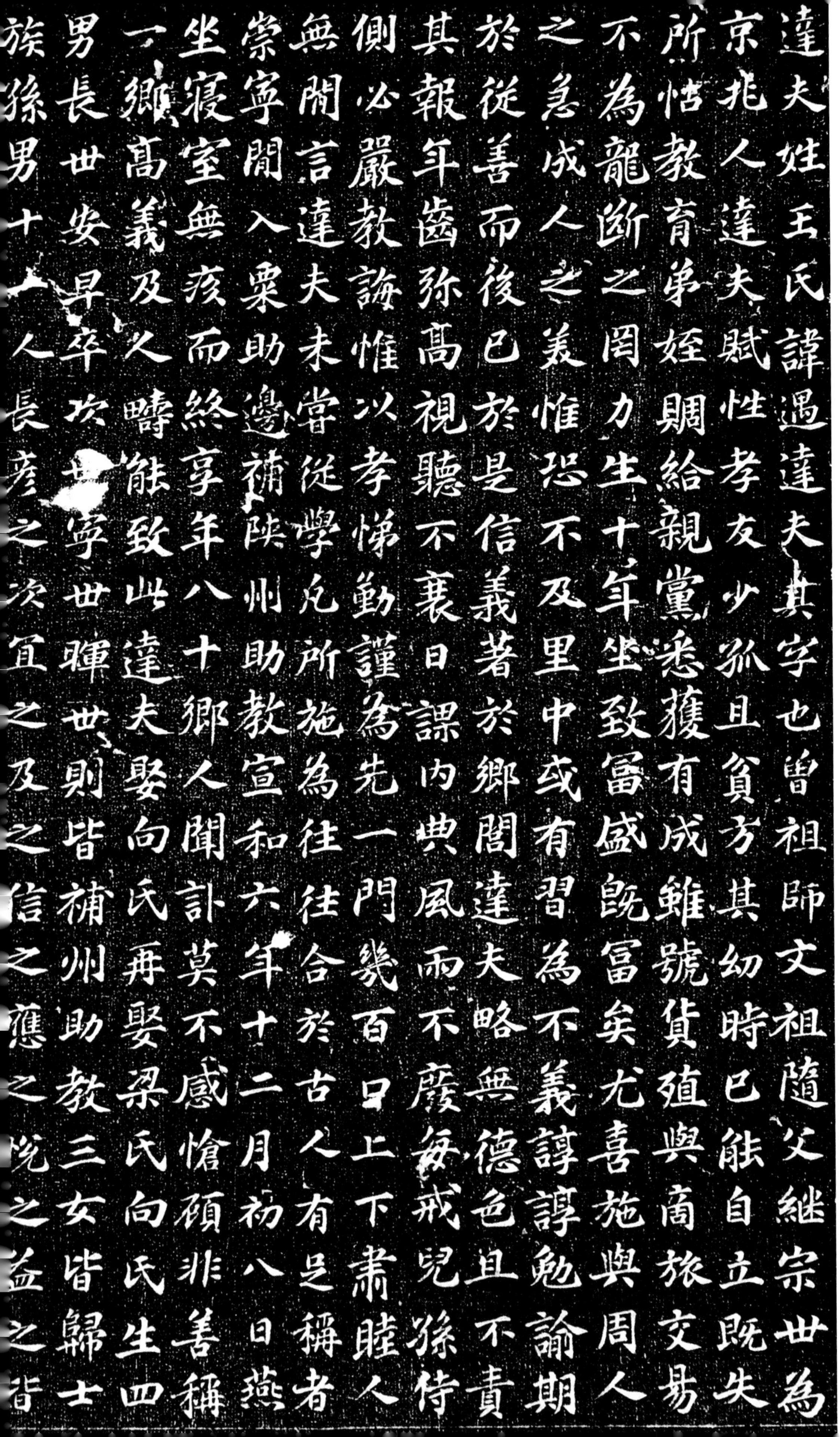
達夫姓王氏諱遇達夫其字也曾祖師文祖隨父繼宗世為
京兆人達夫賦性孝友少孤且貧方其幼時已能自立既失
所怙教育弟姪賙給親黨悉獲有成雖號貨殖與商旅交易
不為龍斷之罔力生十年坐致富盛既富矣尤喜施與周人
之急成人之美惟恐不及里中或有習為不義諄諄勉諭期
於從善而後已於是信義著於鄉閭達夫略無德色且不責
其報年齒弥高視聽不衰日課內典風雨不廢每戒兒孫侍
側必嚴教誨惟以孝悌勤謹為先一門幾百口上下肅睦人
無閒言達夫未嘗從學允所施為往往合於古人有是稱者
崇寧間入粟助邊補陝州助教宣和六年十二月初八日燕
坐寢室無疾而終享年八十鄉人聞訃莫不感愴顧非善稱
一鄉高義及人疇能致此達夫娶向氏再娶梁氏向氏生四
男長世安早卒次世寧世暉世則皆補州助教三女皆歸士
族孫男十一人長彥之次宜之及之信之應之悅之益之皆

王遇墓志拓片（局部）

集归去来辞诗

西安碑林以拥有数量可观的唐代名碑驰名天下，相比之下，所藏的宋碑就要略逊一筹，因为唐末以后全国的政治、文化中心已经东移。比如，能够代表宋代书法成就的所谓苏、黄、米、蔡四大家，其书迹刻石在碑林中就寥寥无几。苏轼的书迹刻石仅有一件，即清刻《集归去来辞诗》刻石，而黄庭坚和米芾的书法刻石，虽然也各有一件，但对其真实性仍有争议。本文要介绍的，就是苏轼的这件对碑林来说“物以稀为贵”的刻石，毕竟苏轼及其书法成就在中国书法史上的地位太重要了。

《集归去来辞诗》刻石虽为碑形，可是按内容来讲，实为苏轼书法单帖。书者苏轼，字子瞻，号东坡居士，眉州眉山（今四川眉山）人，为北宋著名文学家、书法家、画家，与其父苏洵、其弟苏辙合称“三苏”，并入唐宋八大家。此碑圆首方座，高265厘米，宽102厘米。额题“东坡真迹”，篆书。诗句分三栏刻，凡42行，行7～8字，行书。碑文的内容是苏轼为追和东晋大诗人陶渊明的辞赋名篇《归去来兮辞》所作的组诗。苏轼为这一组诗所加的诗题为“予喜渊明归去来辞，因集字为诗六首”。末署“元丰四年九月廿二日眉山轼书”。接下来是两则跋文。其一云：“广陵周镐、张卉、周瑄同观于岳起阁，时重九日也。”很可能是原题于墨本之上者。其二是刻石者邓霖对此“东坡真迹”的来历、流传及刻石缘由所做的说明。这两则跋文之后，还应有若干跋文，不知何时何故统统被凿去。从被凿去的痕迹看似有五则，所幸最重要的一则完好无损。

据邓霖跋文，这件“苏文忠公真迹”是邓父临终时交付给邓霖的，即让他刻石以广流传。当时邓霖应该在西安为官，于是他便“亟镌之文庙中”，即刻之于碑林，时间是清康熙二十二年（1683）。

在这件刻石的另一面，刻有沈荃所书《太上感应经》，其后有康熙初年任陕西巡抚的贾汉复的跋文。跋文未署年月，然贾汉复离陕是在清康熙七年（1668），则此经之刻应在此碑之前，那么邓霖在康熙二十二年所刻《集归去来辞诗》无疑是在此《太上感应经》的碑阴。

北宋神宗元丰二年（1079），苏轼因作诗讽刺新法，以“文字毁谤君相”的罪名被捕入狱，史称乌台诗案。此后，由于仁宗妻曹太后、退职宰相张方平和范镇等元老重臣的营救，以及王安石的“一言而决”而得到从轻发落，于十二月二十八日被释放，贬谪黄州，历时五年。谪居黄州的五年，苏轼的精神世界开始了由崇儒向崇道、崇佛的转变，文学创作的题材也由关心百姓疾苦转为记游写景。《赤壁赋》等千古名作就是在这个时期写成的。另外，闲暇之余，他带领家人开垦城东的一块坡地，“东坡居士”的别号便是这时起的。《集归去来辞诗》是苏轼在特殊境遇下，有感于陶渊明在《归去来兮辞》中摆脱官场、归返田园生活的热情洋溢之辞而作，是借陶之酒杯，浇自我之块垒。

书法上，苏轼擅长行、楷书，为宋四家之一。他曾遍学晋、唐、五代名家，得力于王僧虔、李邕、徐浩、颜真卿、杨凝式，而自成一家，自创新意。苏轼常自云：“我书意造本无法，点画信手烦推求。”可见他已经摆脱了晋唐法度的束缚，而是重视书写者主观情感的表达。比如，被誉为“天下第三行书”的《黄州寒食帖》便写于元丰五年（1082），是他所说“书初无意于佳乃佳尔”的最好诠释。他举起了“尚意”的旗帜，开创了真正属于宋人自己的书法潮流。

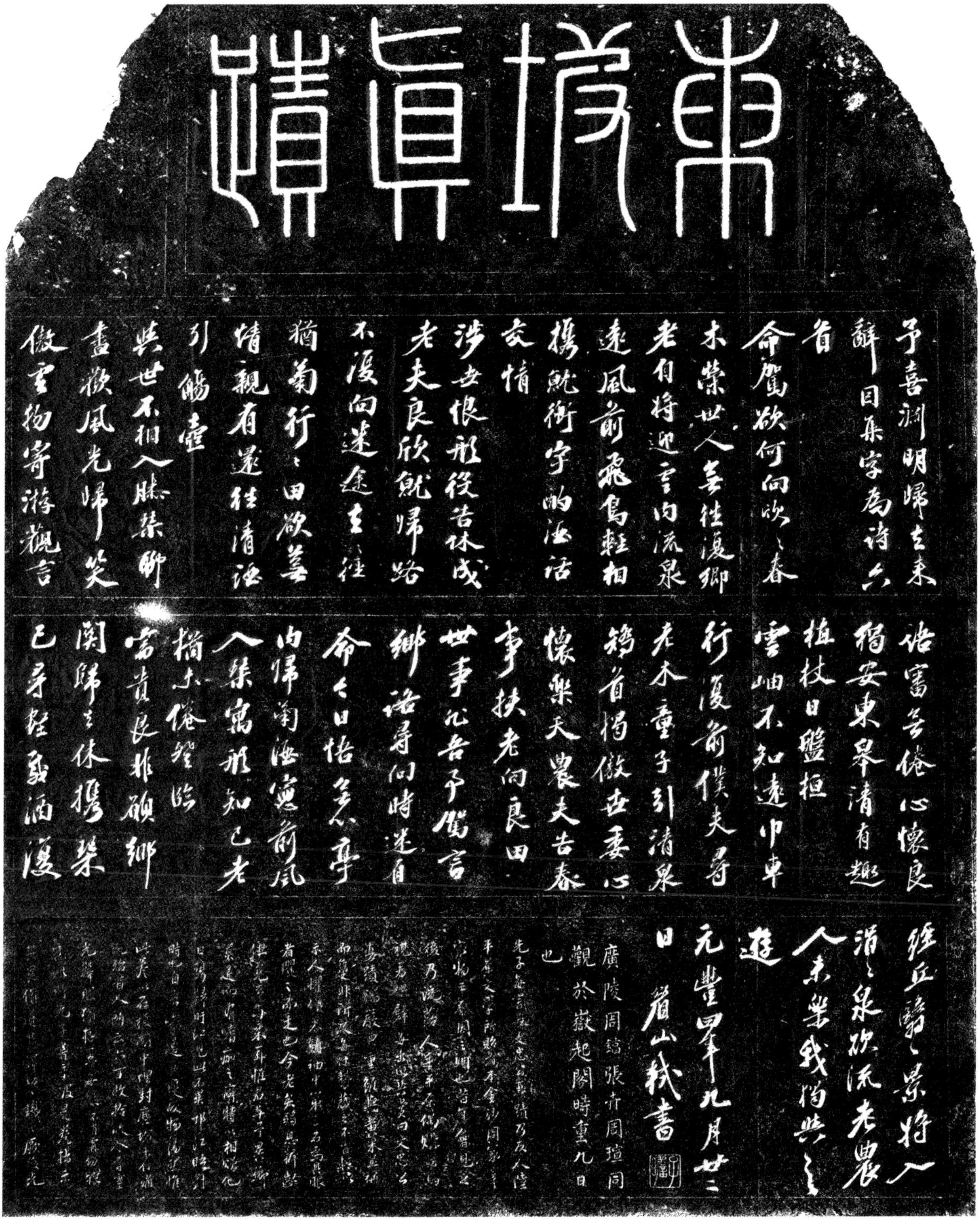

集归去来辞诗拓片

金

重修府学教养碑

《重修府学教养碑》刻立于金正大二年（1225），是碑林为数不多的金代碑刻，它的内容更是与碑林有着密切的关系。

此碑文所记，是正大二年行省参政金源郡公完颜合达兴办教育、重修府学的事迹。碑文开篇即云："盖闻扰攘之后必有惟新之图，忧患之余必有增益之智。"所谓扰攘与忧患，是指大蒙古军对金的不断进攻。1211年，大蒙古国铁骑挥师南下，以摧枯拉朽之势，将这个早已外强中干的王朝从纸醉金迷的美梦中惊醒。然而这个梦醒得太迟了，短短几年，黄河以北的大片地区就转手他人，东都、中都都落入大蒙古国手中。1219—1225年，由于成吉思汗首次西征中亚大帝国花剌子模，大蒙古军疲于战事，散发着败亡气象的金朝得以喘息。重修府学等工程便是在这样的情况下进行的。

重修之前，在大有朝不保夕之感的关中地区，府学早已荒废，而此次重修的不仅仅是府学。据碑文记载："于是檄有司督工役，支倾补缺，联断洗昏，植踣碑于芃草，基废址于鞠蔬。殿宇翚飞，石经堵立，斋厨廊庑，焕然一新。济济乎，洋洋乎，聚秀异而诲焉。易以经之，礼以纬之，诗、书以成之，春秋以断之。标准语、孟，鼓吹韩、柳，博采于历代史氏，日渐月滋，作为文章，华国藩身，厥迹芃矣。"可知同时修葺的还有孔庙和碑林。当时的官府除了修缮殿宇、碑石等，更整肃学风，重视教育，鼓励士子致力学业，使得凋蔽已久的长安府学在一定程

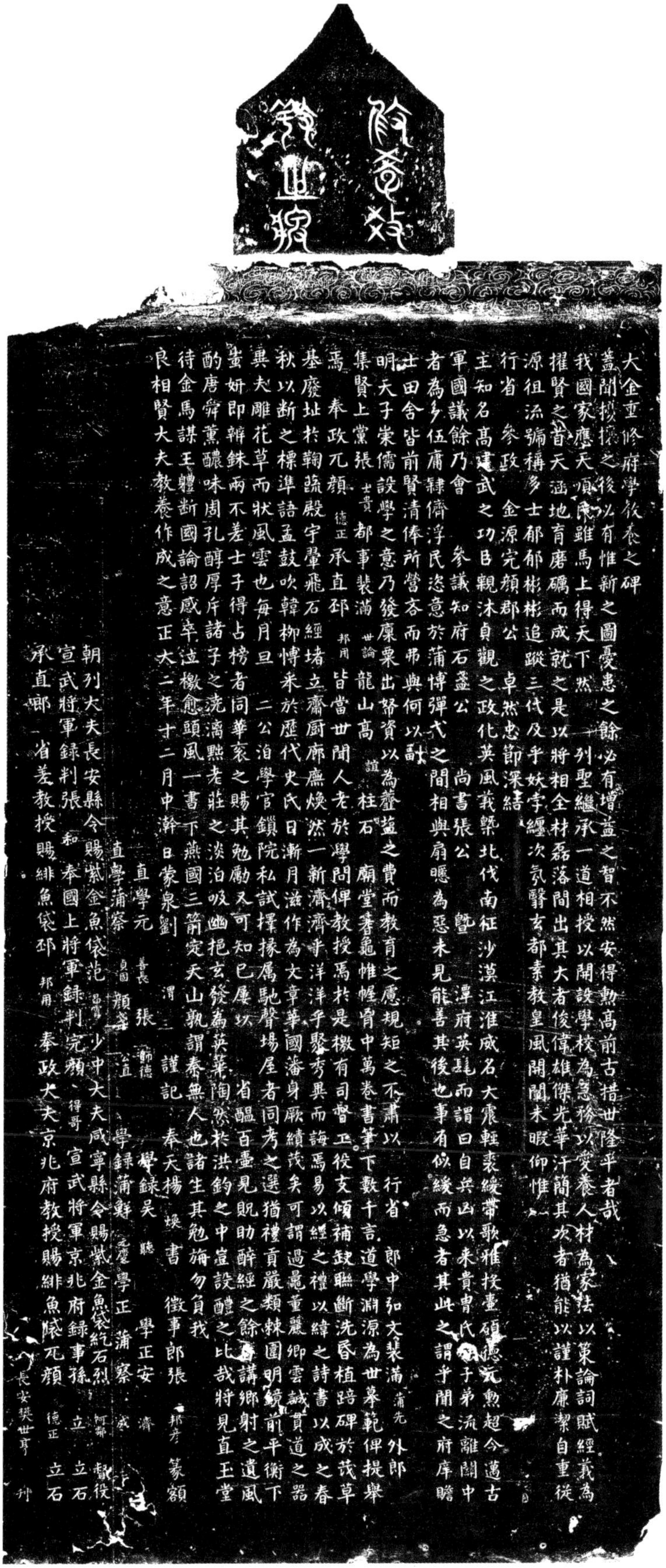
大金重修府學教養之碑
蓋聞揆擾之後以有惟新之圖憂患之餘必有增益之智不然安得勲高前古措世隆平者哉
我國家應天順民雖馬上得天下然一列聖繼承一道相授以開設學校為急務以愛養人材為家法以策論詞賦經義為
擢賢之首天涵地育磨礪而成就之是以將相全材磊落間出其大者俊偉雄傑光華汗簡其次者猶能以謹朴廉潔自重從
源徂流觸稱多士郁郁彬彬追蹤三代及乎妖孛纏次氛翳玄都素教皇風闢闔未暇仰惟
行省 參政 金源完顏郡公 卓然忠節深結
主知名高建武之功邑親沐貞觀之政化英風義槩北伐南征沙漠江淮威名大震輕裘緩帶歌雅投壺碩德元勲超今邁古
軍國議餘乃會 參議知府石盞公 尚書張公 暨 潭府英髯而謂曰自兵凶以來貴冑氏子弟流離關中
者為多伍庸隸儕浮民恣意於蒲博彈弋之間相與扇𢜺為惡未見能善其後也事有似緩而急者其此之謂乎聞之府庠瞻
士田舍皆前賢清俸所營吝而弗與何以勸
明天子崇儒設學之意乃發廩粟出帑資以為營葺之費而教育之廩規矩之不肅以 行省 郎中弘文裴滿 蒲先 外郎
集賢上黨張 士貴 都事裴滿 世論 龍山高 誼 柱石廟堂耆龜帷幄胷中萬卷書筆下數千言道學淵源為世摹範俾提舉
焉 奉政兀顏 德正 承直邳 邦用 皆當世聞人老於學問俾教授焉於是檄有司督工役支傾補缺聯斷洗昏植踣碑於荒草
基廢址於鞠蔬殿宇翬飛石經堵立齋廚廊廡煥然一新濟濟乎洋洋乎聚秀異而誨焉易以經之禮以緯之詩書以成之春
秋以斷之標準語孟鼓吹韓柳博采於歷代史氏日漸月滋作為文章華國藩身厥績茂矣可謂過鼂董嚴鄉雲誠貫道之器
異夫雕花草而狀風雲也每月旦 二公泊學官鎖院私試擇掾屬馳聲場屋者同考之選猶禮貢嚴類棘圍明鏡前平衡下
蚩妍即辨銖兩不差士子得占榜者同華袞之賜其勉勵又可知已屢以 省醖百壺見貺助醉經之餘 講鄉射之遺風
酌唐舜薰醲味周孔醇厚斥諸子之澆漓黜老莊之淡泊吸幽挹玄發為英華陶然於洪鈞之中豈設醴之比哉將見直玉堂
待金馬謀王體斷國論詔感卒泣檄愈頭風一書下燕國三箭定天山孰謂秦無人也諸生其勉旃勿負我
良相賢大夫教養作成之意正大二年十二月中澣日蒙泉劉 渭 謹記 奉天楊 煥 書 徵事郎張 邦彥 篆額
直學元 善長 張 師德 學錄吳 聽 學正安 濟
直學蒲察 貞固 顏盞 公直 學錄蒲鮮 元慶 學正蒲察 咸
朝列大夫長安縣令賜紫金魚袋范 昌言 少中大夫咸寧縣令賜紫金魚袋紇石烈 阿鄰 督役
宣武將軍錄判張 和 奉國上將軍錄判完顏 得哥 宣武將軍京兆府錄事孫 立 立石
承直郎一省差教授賜緋魚袋邳 邦用 奉政大夫京兆府教授賜緋魚袋兀顏 德正 立石
長安樊世亨 刊
重修府学教养碑拓片

度上得到了恢复。

此碑书者杨焕，又名杨英，字焕然，号紫阳阁，乾州奉天（今陕西乾县）人，是金末元初著名的文学家、史学家。他与当时的名流如元好问、赵秉文、耶律楚材等都相交甚好，其墓志即出自元好问之手。大蒙古国时期，杨焕曾受耶律楚材推荐，任河南路征收岁课所长官兼廉访使，十年后致仕，卒谥文宪。虽然历史记载他的著作颇丰，但传世的却比较少，仅有明人纂集的《还山遗稿》及部分诗文流传，碑林还有一方《刘章墓碣》为他所书。《重修府学教养碑》则为我们保留了这位被纪晓岚赞誉为“诗文皆光明俊伟，有中原文献之遗”的著名学者的书法风采。

篆额者张邦彦，字彦才，金明昌五年（1194）擢经义进士，曾任富川令并有著作传世。此碑保留了他的篆书作品，实属难得。

完颜合达主持重修府学之后不过短短七年，金朝就灭亡了，但这次修葺却对孔庙和碑林的保存乃至历代文化的保存具有深远的意义。孔庙和碑林自宋代建立起至今历经了无数次的战火和动荡，也历经了无数次的修缮与扩充，先贤们对文化的维护和尊重为我们留下了宝贵的精神财富，也成就了碑林在碑刻史上的地位。

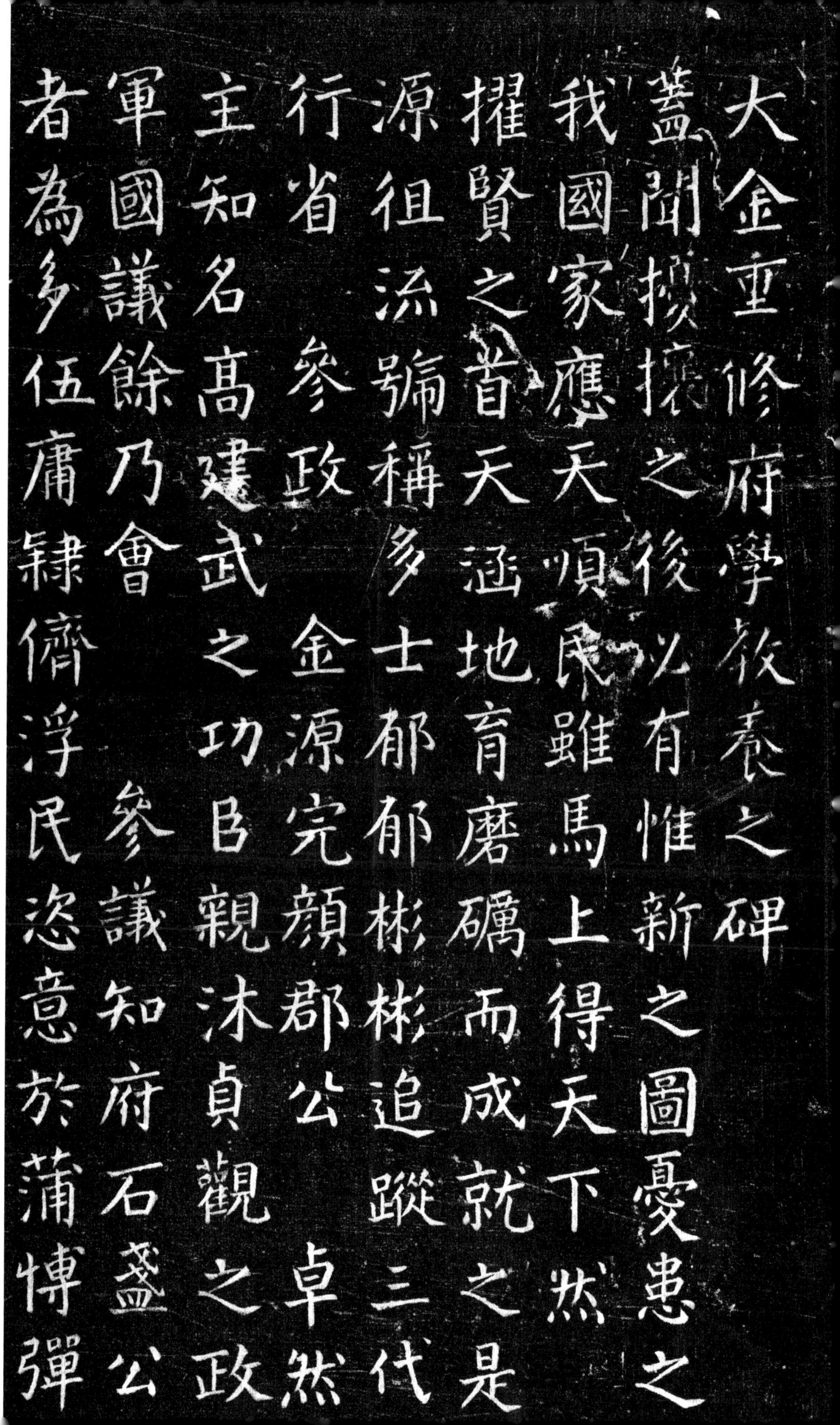

大金重修府學教養之碑
蓋聞擾攘之後以有惟新之圖憂患之
我國家膺天順民雖馬上得天下然
擢賢之首天涵地育磨礪而成就之是
源祖流號稱多士郁郁彬彬追蹤三代
行省　參政　金源完顏郡公卓然
主知名高建武之功邑親沐貞觀之政
軍國議餘乃會　參議知府石盞公
者為多伍庸隸儕浮民恣意於蒲博彈

重修府学教养碑拓片（局部）

刘章墓碣

《刘章墓碣》刻立于蒙古海迷失后元年（1249）。此碑呈竖碑形，碑额呈圭形，通高 194 厘米，碑身宽 64 厘米，厚 24 厘米。底座为长方形，长 81 厘米、宽 49 厘米、高 36 厘米。碑额题“故京兆刘处士墓碣铭”，隶书。碑文亦为隶书，此碑由杨英撰、张徽书、高贵立石。碑阴刻元代记事两段，上段为元至元十三年（1276）刻“府学公据”，下段为至元十四年（1277）刻“重立文庙诸碑记”。此碑为碑林旧藏，但一直以来关注者甚少。细读碣文，金元时期一位恃才傲物的古玩鉴赏奇才便跃然而出。

刘章祖先为中山靖王刘胜之后，因后世有贬官于成纪（今甘肃天水）的，遂为秦人。他生于金世宗大定十九年（1179），卒于蒙古孛儿只斤窝阔台（后追封为元太宗）十一年（1239），享年六十岁。按其生年，他前五十三年生活在金朝，金被蒙古所灭后，他“投所蓄古印章鼎彝于河”，遂归隐，后病卒。他在蒙古治下仅生活了七年，故可算作是金人。

刘章天资聪颖，年少时也曾一心功名，师从河间赵翰林，刻苦攻读，常指摘古之名人的过失。后来他到长安参加科考，因难以容忍金朝官场的龌龊风气，遂放弃入仕，转而研究古文。其文“含奇茹异”，颇不同于流俗，因而这一时期陕西地区的金石碑版多出自他的手笔。他不仅研究书画，也是当时著名的古玩鉴赏家。在长安这个遍地古物，人人以玩赏古董为雅事的地方，他能够一望而

故京兆劉處士墓碣銘

京兆劉處士墓碣銘　奉天楊英撰　武功張徽書　洛陽李徵題額

處士初諱章字希文又名九儺名淵名於苑字尉系易也姓劉系出中山後去有謫官於成紀者始為秦人希文額頷方厚眉目峭擻顧盼常如也在童子讀書不碌碌自謂風雲勢合卿相可立致視古之人卓犖不凡者能指撟其行事可否也長從河間趙翰林遊下帷有常肋既就舉長安齟齬難合說其風土不復翦去嘗學刻意古文大率含奇茹異不以剽襲為主函州碑版多出其手平居一榻之外皆法書名畫長安周秦舊都可以資玩好者户有之希文望而判其真贋合則雖所甚惜遽手擲之平化畫錢直不合錙銖之物千百金不可得嘗齎書於市畫逢官軺持去麾閭者徑造廳事詰之則曰劉某也取所負書見其辭色款付之扶書掉臂而出其茶可觸如此鄉遺孤發為所陵轢無問識與不識周旋援之猶己之急無事半語不吐有可辯鋪今張古雜出王伯春二不自休使聽之者皆昧賓遊子弟入關粮求得與之文尋常燕賞斧具必摳豐潔惟恐其不恩張娟者詠效之不能也性不喜浮圖瀍亦懷寺處灌來開元百塔三十年所須竝以力鼓著為寵光相呂涵於人或忤之叱咄不少貸審其癖佗腸亦不以為惡蒙泉在皇甫里城南勝選也式得更不挂想閑門擁書動至彌月出則高寿拉褐佩刀曳杖步武徐緩若有節塗人悍而避之識咲之不屑也或勸之娶曰非不欲也癖以當吾心者寧孑然以終其身其夷尤似漢隸其詩律似咸因其為侶張乖崖亦侶范家老子處鼴校時宰相李公適之漕使龐公李卿內翰王公清卿宋公孚孺御史曹公平甫咸敬重之正大八年詔民東徙至陝既而事且變挈所蓄古印章鼎彝於河入平陽入大原戊戌之秋還故隱是冬京兆倅高侯慕其氣節學問為諸子禮致之癖何明年五月十九日以疾卒年六十高倅從顧吾經營院居士瑩又貳丰吉口邳邦用疊書走洛告其友楊英曰希文死矣無家無妻子並求爵諱不可究生平所負落乇不為世用而復癖聞於后將有任其責者為銘之曰

士必遇也如龍如虎其不遇也如魚如鼠既負其能又畀其帝孰為遇孰為不遇然生必違其所好死必從其所惡可嬌也已自我抑直行而不顧苟有會心千載而猶旦莫著所以信於人者以銘先生之墓吁

己酉歲孟夏壬寅朔同知京兆總管府事高　貴　立石

刘章墓碣拓片

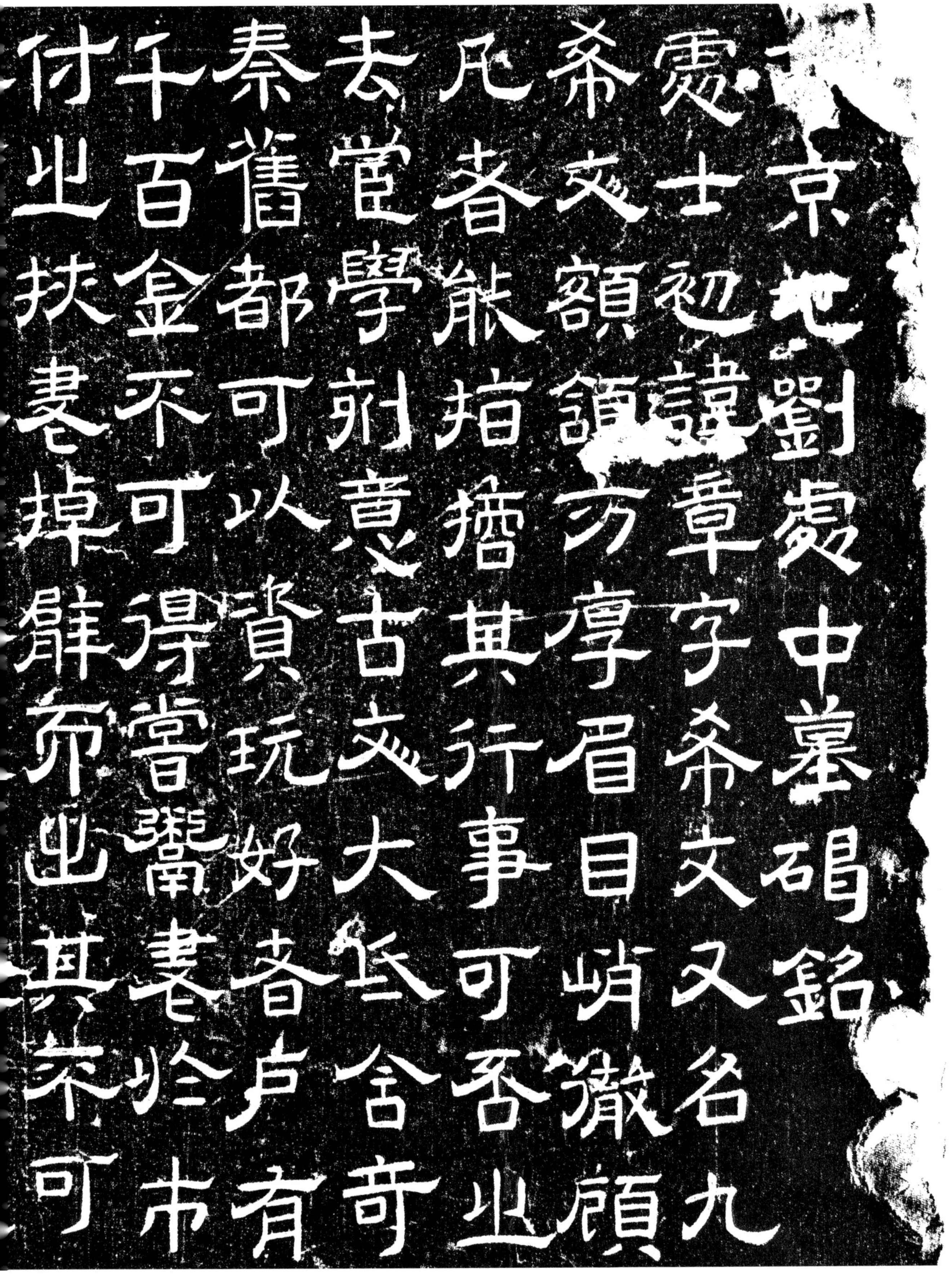
京兆劉處中墓碣銘
處士迦諱章字希文又名九
希文額領方亭眉目峭徹頎
凡者能指擿其行事可否也
去嘗學刻意古文大氐合奇
秦舊都可以資玩好者肩有
千百金不可得嘗鬻書於市
付也扶書掉臂亦出其恭可

刘章墓碣拓片（局部）

知其真伪实属难得。撰者杨英评其“书札似汉隶，其诗律似眉山，其为人似张乖崖，亦似范家老子”。将他与苏轼、张乖崖、范仲淹等人作比，可见对他的评价之高。

刘章个性桀骜，遇到脾性相合的朋友，他心仪的古玩亦毫不吝惜地随手送出；不合之人，即使一文不值的东西，对方出千百金他也不给。碣文记述了这样一则故事：刘章售书于集市，一官员仗势拿走他的书而未付钱，刘章径直闯入官厅道：我刘某是来取书钱的！那官员被逼无奈，只得付了书钱，而刘章却把书夹在臂下，连招呼都不打，转身就走了。这样一个看似难以交往的人，遇到孤儿寡妇受欺凌，却倾囊相助。虽不好佛，却往来开元寺、百塔寺三十年，经常捐助寺院。与他相结交的人中不乏当世名流，如宰相李适之、漕使庞才卿、内翰王清卿等。

撰者杨英，又名杨焕，即《重修府学教养碑》的书者。他的性情、为人与刘章颇为相似。他的才学、文笔皆为当世少有，著作有《还山集》《近鉴》《砚纂》等，但传世之作仅见明人整理的《还山遗稿》及部分诗文。碣文用词凝练、生动，可谓刘章生平之传记，足见杨英作为其友人对其用心之深。

书者张徽，蒙元时期官至陕西行中书省左右司郎中，书法家，以篆、隶见长。此碑书法不同于严谨规整、装饰浓厚的唐隶，而是显得率性自然、流畅简洁，更注重书写性。个别字糅合了篆书的写法，起笔、收笔干净利落，显得轻快平实。结体较为方正，平和中正却不刻板，因势就形，灵活多变。通篇气韵灵动，不染流俗，与刘章桀骜狂放的性情相得益彰。

大开元寺兴致碑

《大开元寺兴致碑》刻于元延祐六年（1319），僧澄润，僧圆觉、义湛、义深上石，金成勒字。此碑圆首方趺，通高 163 厘米，宽 55 厘米。额题“大开元寺兴致”。碑额顶端刻有瑞兽仙草及仙人图案，两侧刻缠枝牡丹。碑题“大开元寺兴致”，上部为线刻窦恭绘《玄宗问法图》，下部为碑文。碑文 20 行，满行 27 字，楷书。碑阴为《华藏庄严世界海图》。原立于长安开元寺，后入藏西安碑林。

碑文所记载的是唐开元二十八年（740）唐玄宗与胜光法师，在延庆殿金刚道场的一段关于佛法的对话。胜光法师以佛“盖则四生普覆，载则六道俱搬，明则照耀乾坤，朗则光辉三有，神则众圣中尊，慈则捞笼苦海，悲则拔济幽冥，存亡普盖，贵贱同遵”，来回答玄宗关于佛法恩德的诸问题。玄宗起立，虔诚、恭敬地对法师说：“佛恩实大，非师宣说，朕岂知耶！自今已（以）后，誓为佛之弟子，可于天下州府各置开元寺一所，表朕归佛之本意。”又赐法师御茶一角、金银净瓶一对。碑文中的这段记述说明了唐玄宗时期于全国各地广建开元寺的原因。当然，唐玄宗对佛教的尊崇不可能只因这一段对话，而是与佛教的理论体系对封建专制统治的支持密不可分。

碑文第二段记述了此碑的由来。金宣宗贞祐四年（1216）九月初二，弘教大师赐紫僧澄润书于开元皇帝祠壁，以记录这段历史，僧圆觉等人“虑岁月浸久，渐至泯灭”，故而勒石，以使后来者知开元寺之由来。文后附上出资刊刻此碑信徒的名字。

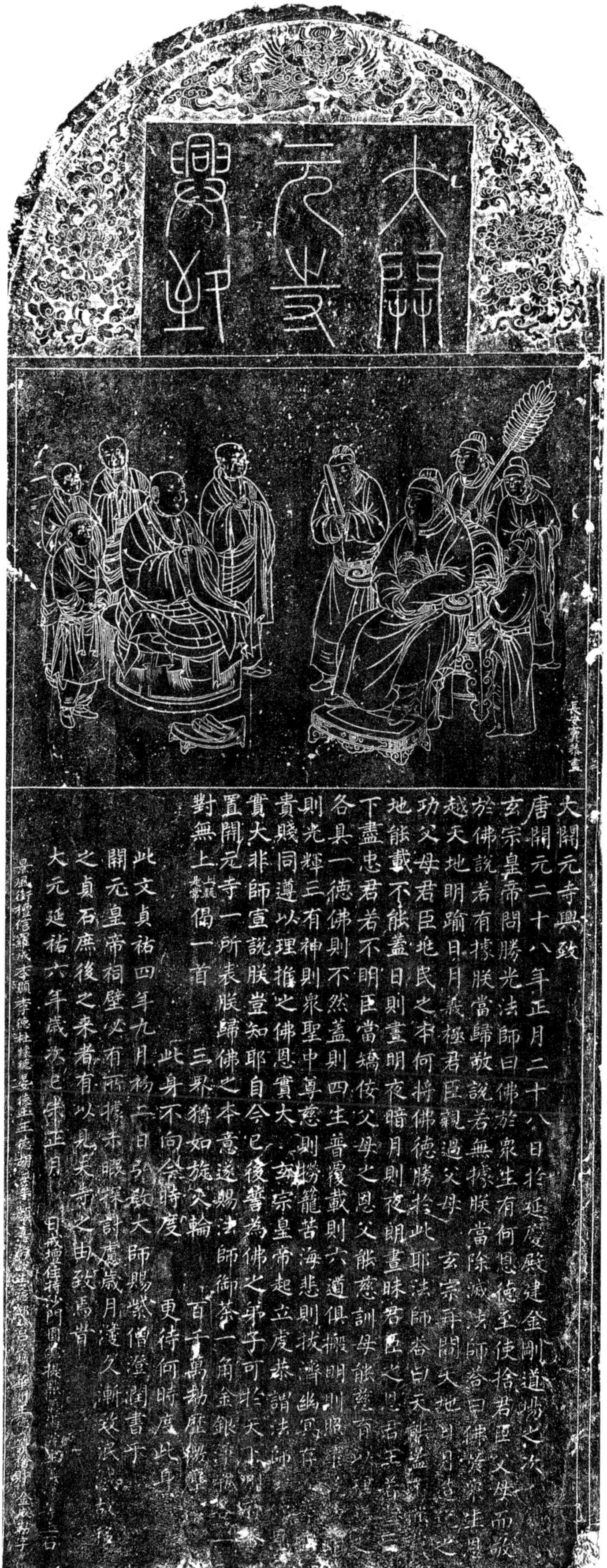

大开元寺兴致碑拓片

大开元寺兴致碑拓片（局部）

《玄宗问法图》所画正是玄宗与胜光法师对坐谈佛的场景。他们身后各立四名侍从，分别代表了政、教两个方面。此画线条流畅灵动，注重细节刻画，人物神态举止各异，生动传神。

关于开元寺的建立时间，《唐会要》《佛祖统纪》等记载为唐开元二十六年（738），《陕西通志》《咸宁县志》则记为开元二十八年（740）。长安开元寺创建于唐代佛教极为隆盛的玄宗时期，是由大云寺更名而来，原在长安城怀远坊东南隅。唐末昭宗迁都洛阳，佑国军节度使、京兆尹韩建以皇城为新城，并将开元寺迁入城中。据考证，其位置当在今西安钟楼开元商城附近。关于开元寺的碑石，碑林所藏还有《重修开元寺行廊功德碑》《开元寺八景图记》，皆是研究开元寺历史的重要资料。

游天冠山诗碑

在西安碑林博物馆第六展室中，有一方高 158 厘米、宽 69 厘米的圆首方趺的碑石，在周围高大肃穆的青石碑阵里反而更显突出。此碑碑阳为画有道教符箓的《五岳真形图》，碑阴刻《游天冠山诗》，其撰书者为元代书法名家、被誉为中国“楷书四大家”之一的赵孟頫。此碑为清康熙二十一年（1682）重刻。

初见此碑者，往往第一眼就被其行云流水般的书法所吸引。细观其字，用笔精到，笔画圆转、熟美，却骨力俊逸，点画呼应错落，布局跌宕起伏。纵观全篇，气势贯通，正与其内容相合。这方碑石实为赵孟頫书法法帖，帖的内容为赞咏天冠山美景的二十四首诗，但比赵孟頫《松雪斋集》中所录的《天冠山题咏二十八首》少四首。从其后文徵明跋文可知，此帖最早为赵孟頫送给天冠山寺“主院者”用来净心的，后藏于“玉阳史吏部”即史际处，又由“华从龙户部”即华云处重金购得，两人都曾请文徵明为帖子补图，但他未敢下笔。

根据摹勒上石者邓霖的跋文，赵氏的书帖后来辗转流传入自己家中，因为西安府孔庙中所收藏的汉唐宋元时期碑刻累累，而独缺赵孟頫的书法，他故将家中旧藏书帖摹刻上石，以“使天下赏识者共得观兹希有也”。这方刻石便成为碑林目前所藏唯一一方赵孟頫的书法作品。

《游天冠山诗》中有很多类似“我有泉石癖，甚爱山中居”这样的诗句。这种自然流露的隐逸情怀，与诗人的个人际遇密不可分。作为宋太祖赵匡胤的十一世孙，赵孟頫在宋亡后却出仕元朝，历元世祖、成宗、武宗、仁宗、英宗五朝，

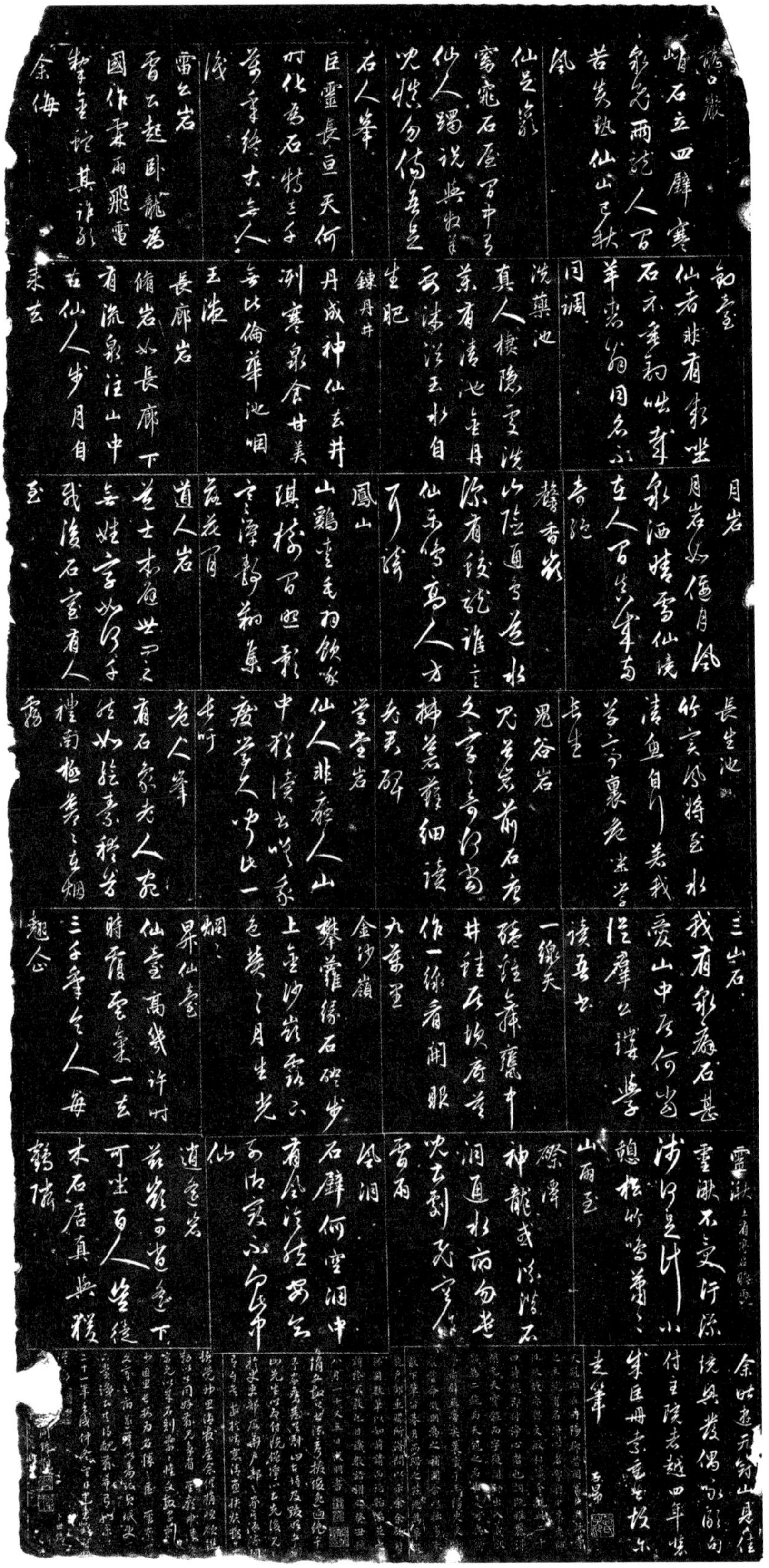

游天冠山诗碑拓片

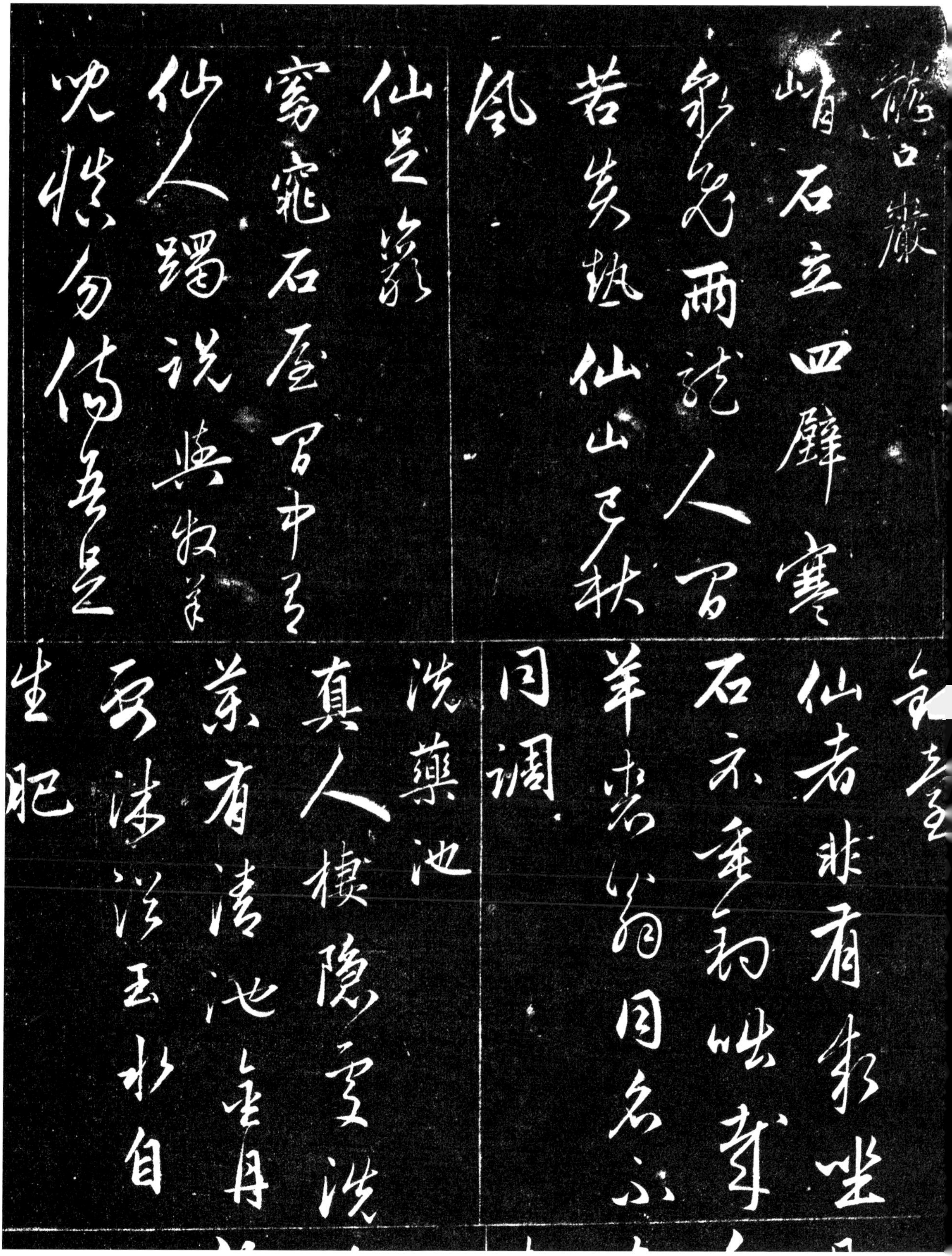

游天冠山诗碑拓片（局部）

一直恩宠有加。但宋宗室子弟的身份一直令他受到非议。他自知身份敏感，也曾称病归隐，试图远离权力争夺，然而无法改变的身份，使得他无论归隐或出仕都难以得到真正的平静。在强调“君君臣臣”的中国封建社会，这成为他永远无法拭去的阴影。历来人们对他书法的评价褒贬不一，很大程度上就是因为这个原因。

处于历史旋涡中进退两难的赵孟頫，实际上是艺术造诣极高的大家。他是元代著名的书画家、文学家。其书画兼收南北，师古与创新并重，扭转了宋元之际书画界颓败的气象，开元代书法之新风。其书法“篆、籀、分、隶、真、行、草书，无不冠绝古今，遂以书名天下”。文徵明盛赞其“诗既雅丽，得开元天宝体，而字复圆劲，出入羲献，诚为二绝，而天冠之名，由是可与兰亭、赤壁并著矣”。邓霖在跋文中称“赵文敏公书法秀拔俊逸，迥绝千古”，自己每临《游天冠山诗》帖，“顿觉神思清发，尘念俱捐”。

关于此碑真伪，学界一直存有争议。仅就碑林中这件《游天冠山诗》刻石而论，其所据之墨本，既有诗作者兼书写者赵孟頫的款识署名，又有明代书法大家文徵明加写跋文，证明此本曾由史际、华云先后收藏，正如邓霖所言“源流固有自”。毕沅《关中金石记》、李光暎《观妙斋金石文考略》等金石著作对其均有著录，民国《陕西金石志》则录其全文及文徵明、邓霖二跋。

赵文敏八札帖

赵文敏公，即元代大书法家赵孟頫，“文敏”是他的谥号。其一生在书画艺术领域成就最高，不仅开创了元代新画风，被称为“元人冠冕”，而且精通篆、隶、真、行、草等多种书体。其书法体势紧密，姿态朗逸，集晋、唐书法之大成，在中国书法艺术史上有着不可忽视的重要作用和深远影响。在帖学极盛的乾隆时代，由于乾隆帝本人对赵孟頫行楷书法的喜爱，所以其在位六十年间，推动了朝廷官员学习、临写赵孟頫书法的风气。

碑林所藏的《赵文敏八札帖》内容是赵孟頫与亲朋好友日常往来的信函。从刻帖的尾跋可知，时值清光绪二年（1876），凤县知县郭建本因其父亲鲁泉公临写的赵孟頫八封书信的书法风格，与近世所流传的赵书风格不同，遂将其摹刊上石，庋藏于西安碑林，希冀能够公之于世，于是留下了今日所见的这八方刻帖。出资刻帖立石的郭建本出生于山西芮城，监生，在咸丰五年（1855）至十年（1860）间赴陕西任镇坪县丞，咸丰十年升任凤县知县，后曾调署南郑，同治十一年（1872）回任凤县知县，至光绪三年（1877）卸任。在凤县任职知县期间，他曾主持编修了凤县第一部县志，并修缮祠庙、衙署、桥梁、城垣，捐赠义学，增强武备，恪尽职守，率凤县的乡勇、民团保卫县城，使阖县百姓免遭同治末年捻军起义及战乱的戕害，因此深受凤县百姓的爱戴。

《赵文敏八札帖》由 9 方横长形的石碑组成，每方石高 32 厘米，宽 63 厘米。在起首石碑上题有“赵文敏公八札真迹”。全文共 140 行。帖尾端刻楷书小字 3

行，曰："此先父鲁泉公所临写帖，手泽犹存，与近今所传迥异。予小子罔敢失坠，敬临摹刊庋碑林，以公诸世。光绪二年闰五月，另建本谨设于凤邑官廨。"后篆文钤印两枚：白文"郭建本印"，朱文"豫轩"。

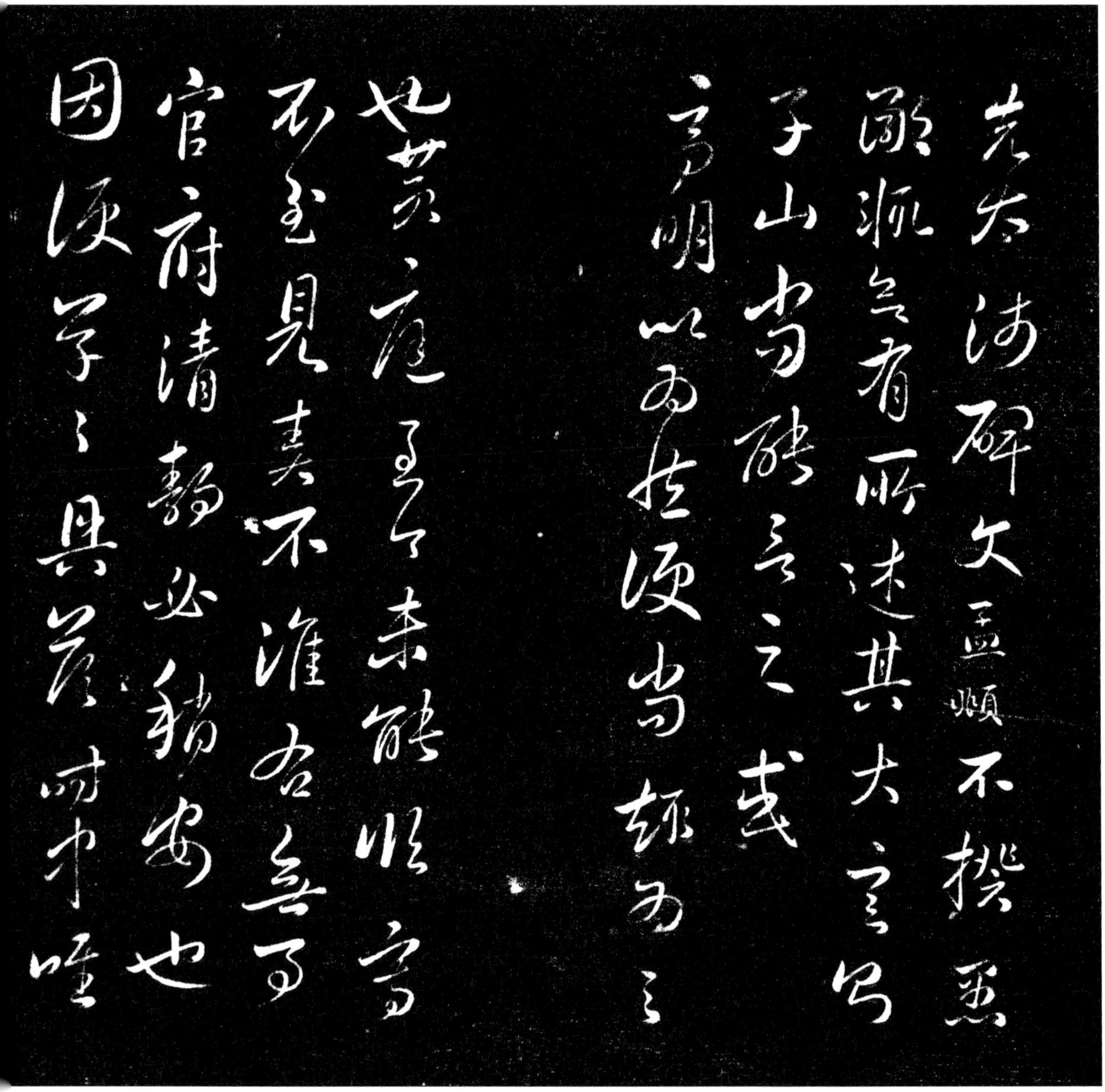

赵文敏八札帖拓片（局部一）

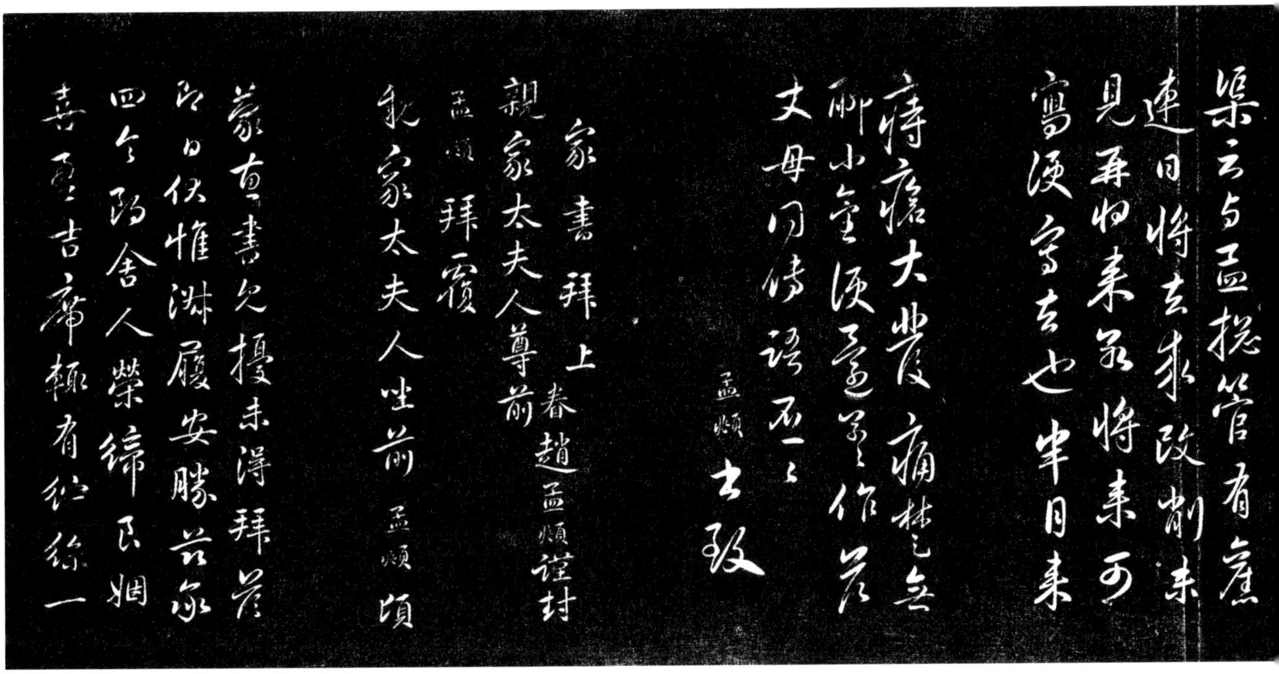

赵文敏八札帖拓片（局部二）

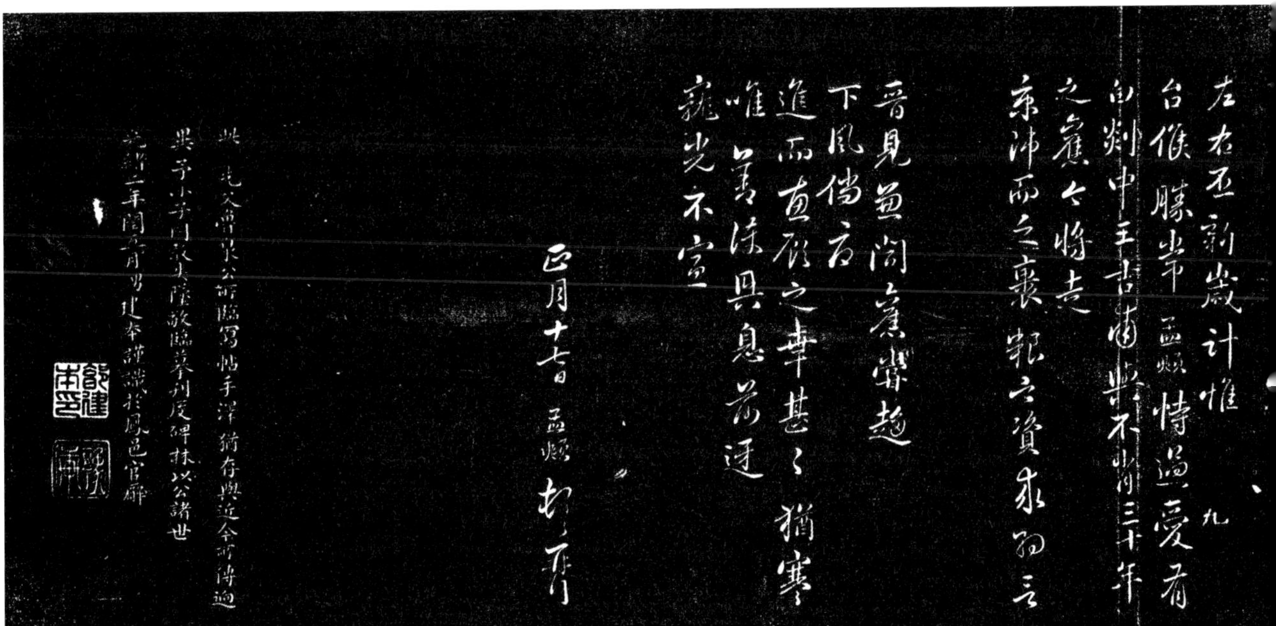

赵文敏八札帖拓片（局部三）

明

黄河图说

《黄河图说》碑刻于明嘉靖十四年（1535），由刘天和所立。碑高173厘米，宽98厘米，厚20厘米。碑首为半圆形，内刻长方形碑额，额题“黄河图说”四个篆文大字。碑身刻明嘉靖十四年黄河流经河南、山东、安徽等地的地形图。

立碑者刘天和，字养和，湖北麻城人。正德三年（1508）进士。嘉靖年间任陕西巡抚，嘉靖十三年（1534）因奉旨总理河道有功，加工部右侍郎。嘉靖十五年（1536）改兵部左侍郎、总制三边军务。嘉靖二十四年（1545）卒。他为人清正廉明，著有《问水集》，是对他多年来治河经验的总结。

《黄河图说》左上角为《古今治河要略》，整理记录了《禹贡》中关于黄河的部分内容，以及贾让、欧阳修、任伯雨、欧阳玄、余阙、宋濂、丘濬等人的治河策略和言论。右上角为《国朝黄河凡五入运》，记录明初至嘉靖十四年时黄河五次改道入运河及治理的情况。此处所说的运河，即元至正二十六年（1366）开通的会通河，是京杭大运河中连通南北的重要部分。黄河五次流入运河分别为明永乐九年（1411）、正统十三年（1448）、弘治二年（1489）、弘治五年（1492）、嘉靖十三年（1534）。这五次入运河，有的是人为治理黄河而引入运河，有的则是因为黄河故道淤塞决口，分流冲入运河，导致运河淤积，水患严重。

源自青海的黄河，一直以来被誉为中国的母亲河，是中国北方最大的一条河流，流经青海、四川、甘肃、宁夏、内蒙古、山西、陕西、河南、山东九省。然

黄河图说拓片

而黄河流过陕西的黄土高原后，原本清澈的河水便携带了大量泥沙，以致下游地区在历史上一直饱受水患的折磨。翻开中国历史，黄河水灾的记载比比皆是，仅明朝 270 余年间就有 456 次。频繁的水患导致良田被毁，百姓流离。每一次治理，都需要调动大量民力且所费不赀，然而总有人力所不及之事。在当时，黄河水患便是如此。

立此碑时，刘天和身为河总，而就在前一年，黄河刚刚决口冲入运河，导致“自济宁南至徐、沛，数百里间运河淤”。图中所绘地形图，即是他主持浚河 34900 丈、筑堤 12400 丈、修闸 15 座、顺水坝 8 座后，黄河流域的情况。图中所标注的地点、山峦、州府、河堤等与史料记载相合。图左下角刻《治河臆见》，即刘天和本人对治理黄河的一些看法。他总结出黄河频繁泛滥、改道的六个原因，颇有见地。

《黄河图说》是现存最早的大型黄河水利图碑，是明代中期黄河图的典型代表。它全面反映了明代中期黄河分流时期的运河和黄河情形，系统总结了明代治理黄河和运河的方略，对研究明代中前期的黄河史具有重要的参考价值。此外，虽然之后黄河有过数次改道，而图中所绘黄河水域流向如今早已不复存在，但此图仍为我们研究历代黄河治理情况留下了宝贵的资料。

碑林还藏有一方《小黄河图》，已残缺，仅剩右下角部分，但从图上来看，与刘天和所立的《黄河图说》内容基本一致。

赐杨嗣昌诗碑

此碑又称《崇祯皇帝赐杨嗣昌诗碑》，于明崇祯十三年（1640）刻立。此碑圆首方趺，通高291厘米，宽91厘米。碑文4行，行7～9字不等，草书。碑额线刻有相对二龙双钩“延表万邦”的篆书印章，印左侧为“御笔之章”篆书印。此碑由崇祯帝朱由检作诗并书。

“盐梅今暂作干城，上将威严细柳营。一扫寇氛从此靖，还期教养遂民生。”这是崇祯皇帝亲笔御制给出征在即的“督师辅臣”杨嗣昌的送行诗。明朝末年可谓是内忧外患，一方面，张献忠、李自成等农民起义军，以星火燎原之势进行着推翻明王朝的起义；另一方面，又受到来自满清的威胁。对此局面，杨嗣昌提出“攘外必先安内”。他严肃纪律，大用赏罚，加上陕西总督洪承畴、陕西巡抚孙传庭，以及曹变蛟、贺人龙、左光斗、黄得功等勇将的奋勇抗战，在甘肃、四川等地打得李自成等部连连败退。崇祯十一年（1638）秋八月，清军又大肆进犯，而李自成部正往河南发展。房县罗英山一战，明军几乎全军覆没。崇祯帝大惊，下旨命杨嗣昌督师，并赐其尚方宝剑还亲自于平台集百官为之饯行。这首诗就是在这次宴饮上作的。 盐梅乃人生不可或缺之物，用来比拟宰相，意即杨嗣昌以宰相之尊出为大将，可立汉朝周亚夫（其营曰“细柳”）那样的不世功勋，希望他一举成功，回朝后仍旧辅帝，教养民生。

杨嗣昌，字文弱，武陵人。他出身名门，祖父杨时芳为武陵名士，父亲杨鹤以督军著世。他本人也是进士出身，文笔和口才俱佳。《明史・杨嗣昌传》中称

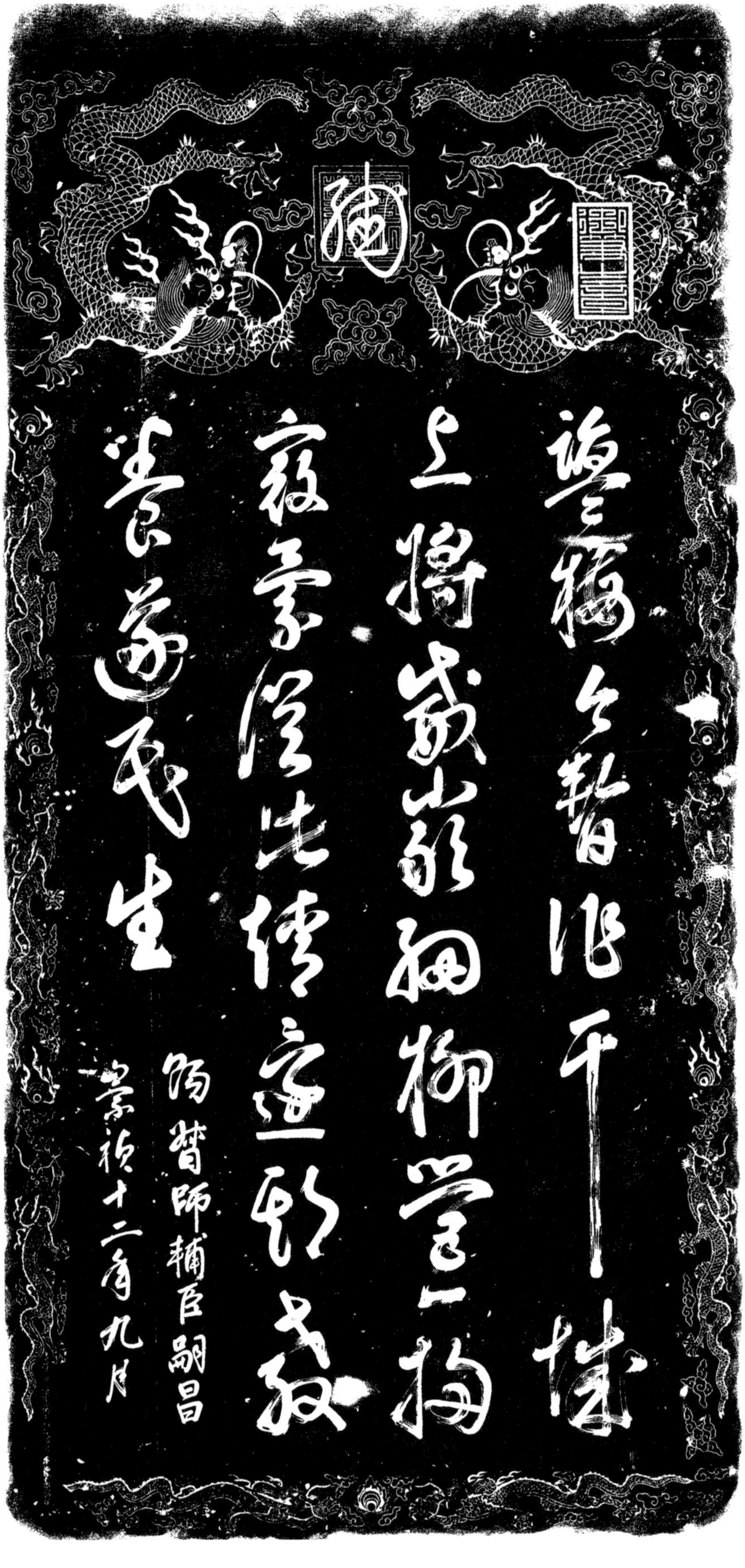

赐杨嗣昌诗碑拓片

其“工笔札，有口辩”。史载其父三边总督杨鹤因招抚陕北农民起义军失败而入狱，杨嗣昌四处奔走，三次上疏要求代父受死，京城一时传为孝子。崇祯帝“异其才”，渐渐注意到杨嗣昌，不久便赦免了杨鹤的死罪。后来在朝廷的多次召见中，杨嗣昌每每在崇祯帝面前都朗朗开言，天文、地理、五行、兵书无所不通，确实唬住了皇帝。每次入宫，君臣二人都会密谈良久，崇祯皇帝对杨嗣昌“益以为能”“大为信爱”，常常慨叹：“恨用卿晚！”很快将其破格擢为兵部尚书。他手握兵权，参与政事，成为明末权倾一时的人物，民间有“杨相”或“杨阁老”之称。

《明史》称杨嗣昌“积岁林居，博涉文籍”。他在常德的居住时间较长，与文学家袁宏道、袁中道兄弟及钟惺等人有诗文酬答。他谙悉先朝故事，工笔札，诗文奇辟，刊有《杨文弱集》《杨文弱先生集》《武陵竞渡略》《野客青鞋集》《地官集》等。杨嗣昌对常德的发展也有一定影响。他于崇祯十一年（1638）奏请修缮常德府城，“三年而完工，撤旧易新，极其壮固”，至今常德仍有杨阁老“城加三尺，桥修七里，街修半边”的故事。他还根据郦道元的《水经注》，实地考察了桃源县境内沅江的各个风景点，为深度开发常德桃花源做出了贡献。

崇祯皇帝朱由检可谓是中国历史上最具悲剧色彩的帝王之一。在位的十多年中，他几乎一直都在研究如何抗敌御辱，然而有心杀敌却无力回天，历史的必然使得这位年轻有为的末代皇帝最终以身殉国。这位充满悲剧色彩的皇帝，在书法艺术上有很高的造诣。《明史》记载“思宗朱由检工书法”，但他传世的书法作品极少。他一生不喜作诗，赐杨嗣昌的这首诗可能是其流传至今的唯一一首。这幅书法作品笔力遒劲，对于当时年仅三十一岁的崇祯帝而言，较之他的年纪，他的书法则更显得成熟、飘逸。

徐翼所公家训

在中国传统社会的宗法制度下，约束人们行为的通常不是法律，而是约定俗成的道德规范，通常所说的乡约、族规等莫不如是。无论家族大小，往往都将凝结着数代长辈做人、处世智慧的家训，作为训导子孙、规范门风的重要手段。碑林藏《徐翼所公家训》，便是聚居于“槜李”（今浙江嘉兴一带）的徐氏家族的家训。

家训的作者徐学周，浙江嘉兴府秀水人，明嘉靖四十三年（1564）举人，官至广东雷州府同知。万历四十五年（1617），其子徐必达请董其昌书写父亲所作家训，并刻石立于家庙中。清康熙五十九年（1720），其五世孙徐朱燝修葺西安府学“十三经”后，将家训拓本加跋文摹勒上石，置于西安碑林。此碑圆首方趺，通高 224 厘米，宽 88 厘米。碑文分七栏，前六栏为明万历四十五年董其昌书徐氏家训，后一栏为清康熙五十九年所加跋文，均为行书。

这方碑石因书者为董其昌而闻名。董其昌，字玄宰，号思白、香光居士，明代著名的书画家、书画鉴赏及理论家，官至南京礼部尚书，卒赠“文敏”。他初学颜体，后法诸家而自成一体。他的作品被誉为“书家神品”。清康熙皇帝非常喜爱他的书法，曾亲自临写。董其昌书法用笔悬腕正锋，浓淡枯润相间，空灵秀逸，圆劲古朴，布局疏朗匀称， 独具特色。

家训分为训为父章、训为子章、训兄弟章、训夫妇章、训农章、训读章、训女章，共七章。训为父章指出，为人父者要重视子嗣教育，教育要“以德行是先”，更要“孩提实卷”，尽早开始启蒙。训为子章强调“人道经纬，孝先万事。

败子倾家，不如绝嗣”，并以数种“咸非良裔”的行为训诫子嗣“毋陷斯弊”。训兄弟章告诫为兄弟者要“有无相通，患难相防”。训夫妇章提出“妇婉而顺，夫和而正”“夫毋偏宠，妻毋妒横”的夫妻相处之道。训农章指出“凡事到头，终不如农”，故而要以农事为本，同时“赈邻恤族，终胜自供”，强调要勤俭持家，“寸积铢累，遂成素封”。训读章开篇即指出“人不读书，禽兽何异”，强调读书的重要性，告诫徐氏子孙“一脉书香，慎勿使坠”。训女章从“女德”“女言”“女容”“女功”及出嫁后的行为等方面为家族女子立下规范。

在中国传统社会宗法制度下，家训对于维系家族稳定和繁盛意义重大。中国历史上流传下来的诸多家训，是历代社会精英阶层智慧的结晶，也反映了儒家文化对家庭生活层面的浸润与影响，而其中的很多内容，时至今日仍足以为我们所借鉴。

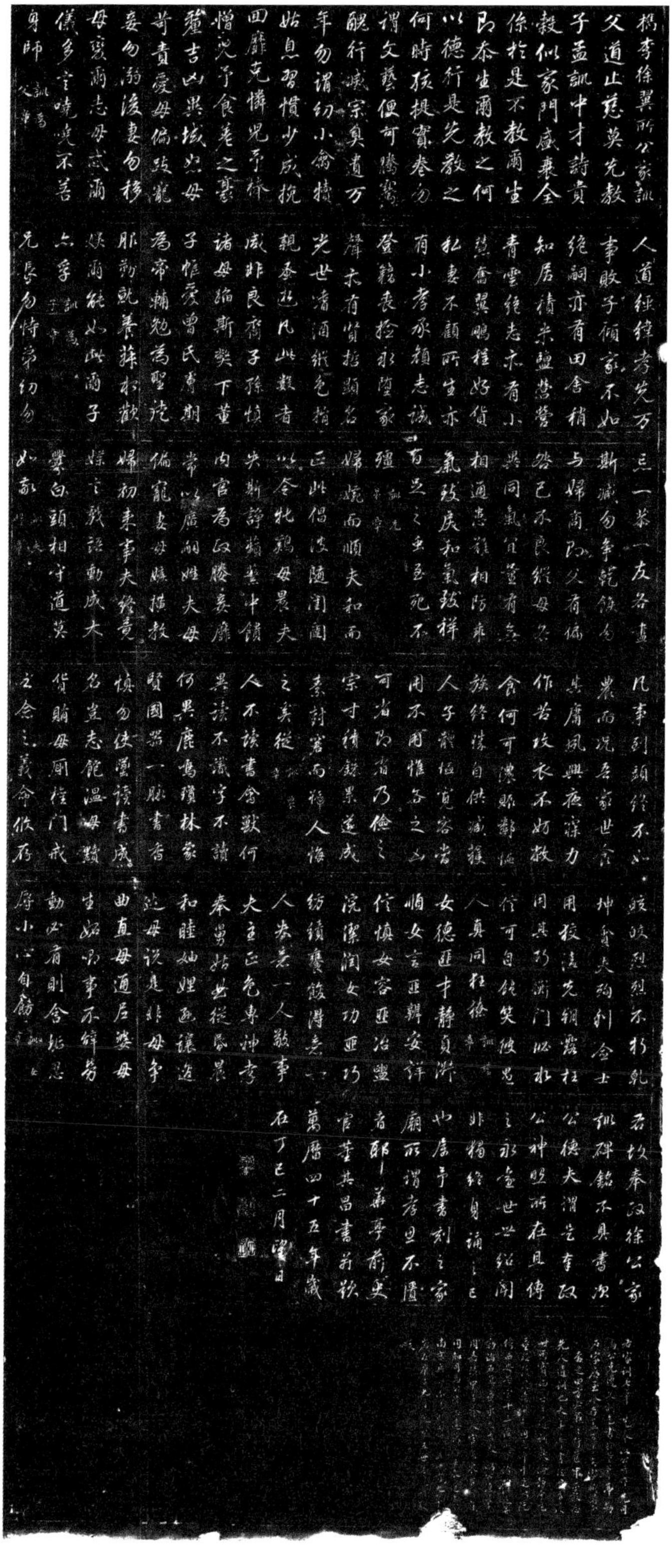

徐翼所公家训拓片

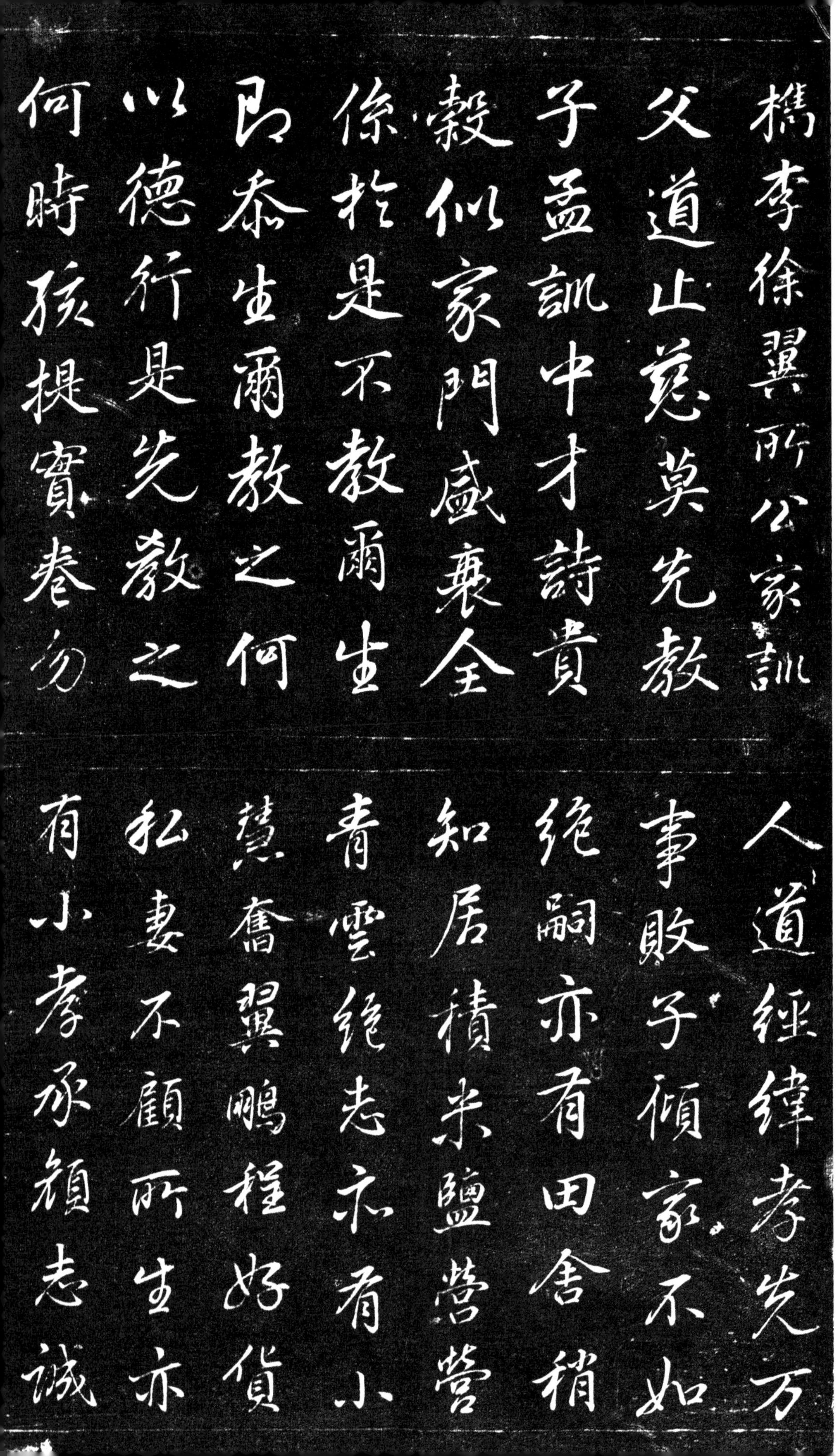
檇李徐翼所公家訓
父道止慈莫先教
子孟訓中才詩貴
穀似家門盛衰全
係於是不教爾生
已忝生爾教之何
以德行是先教之
何時孩提實眷務
人道經緯孝先方
事敗子傾家不如
絶嗣亦有田舍稍
知居積米鹽營營
青雲絶志亦有小
慧奮翼鵰程好貨
私妻不顧所生亦
有小孝承顏志誠

徐翼所公家训拓片（局部）

清

官箴

在有两千多年封建文化的中国，深受儒家文化浸润的士大夫们，皆以读书入仕、光耀门楣为人生志向，进入官场的官员们也以君子品格自居，留下了大量以“正其身、端其行”为目的的劝诫格言，人们将其统称为“官箴言”。西安碑林第五展室便收藏着这样一方箴言。此箴言刻于高83厘米、宽209厘米的青石上，为道光四年（1824）所刻。

箴言共6行，行6字，楷书。内容为：“吏不畏吾严，而畏吾廉；民不服吾能，而服吾公。公则民不敢慢，廉则吏不敢欺，公生明，廉生威。”字字珠玑，句

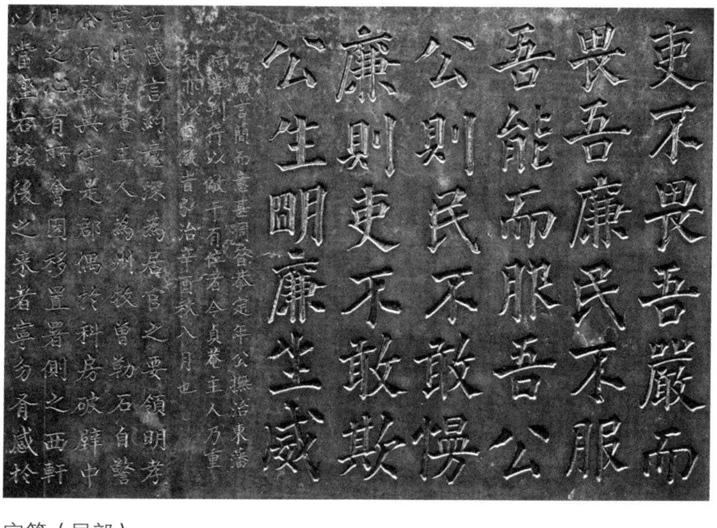

官箴（局部）

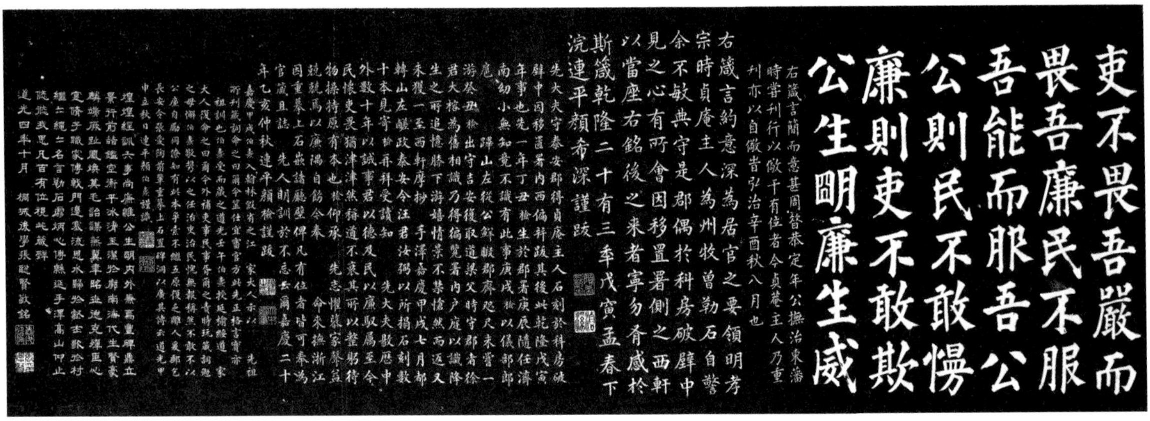

官箴拓片

句药石，而且言简意赅，抓住了从政为官的要领。自明朝以来，这方箴言碑石一直深得人们喜爱，为古今各个社会阶层人士所崇仰。箴言后附跋文四段、四言铭文一段。跋文道明了此箴言的由来及传承历史。

第一段铭文为明弘治十四年（1501）泰安知州顾景祥（贞庵主人）所作，记述此箴言原为明代山东巡抚年富所刊。

第二段铭文为清乾隆二十三年（1758）时任泰安知府的颜希深所作，记述他在废弃的官厅墙壁中发现明代刻石，“心有所会”，移置官署西轩，作为座右铭。

第三段跋文为颜希深之子、时任山东盐政的颜检所作。跋文记载，嘉庆十九年（1814）颜检任山东盐政使时，得到泰安令汪汝弼所寄其父旧官署箴言刻石拓本，遂刻立于官署，以秉承父志。

第四段跋文作者为颜检之子颜伯焘。跋文记述，颜伯焘入仕之时，父亲颜检曾以此官箴示之。道光年间，因同僚争索，他特请长安令张聪贤重摹上石，置于当时称为“碑洞”的西安碑林，以广其传。其后铭文为长安令张聪贤所作，对颜氏家风大加赞誉。

颜氏三代以此箴言作为家训，颜检在跋文中称其父“以诚事君，以德及民，以廉驭属，至今民怀吏畏，犹津津然称道不衰”，而他自己“仰承先志，惧隳家声，益兢兢焉以廉隅自饬”，“治吏治民愧无报称，然不敢不以公廉自励”。

现在，常有观者踟蹰于箴言之下，感慨再三。然而历史的长河大浪淘沙，以此为座右铭者众，能坚守公廉之心者寡。以公廉自励、被誉为抗英重臣的颜伯焘，革职回乡之时，仆从数以千计，运送家资行李连日不绝，令所过之处的地方官员苦不堪言。居官之人若真正能以官箴为戒，方可做到民不敢慢、吏不敢欺。

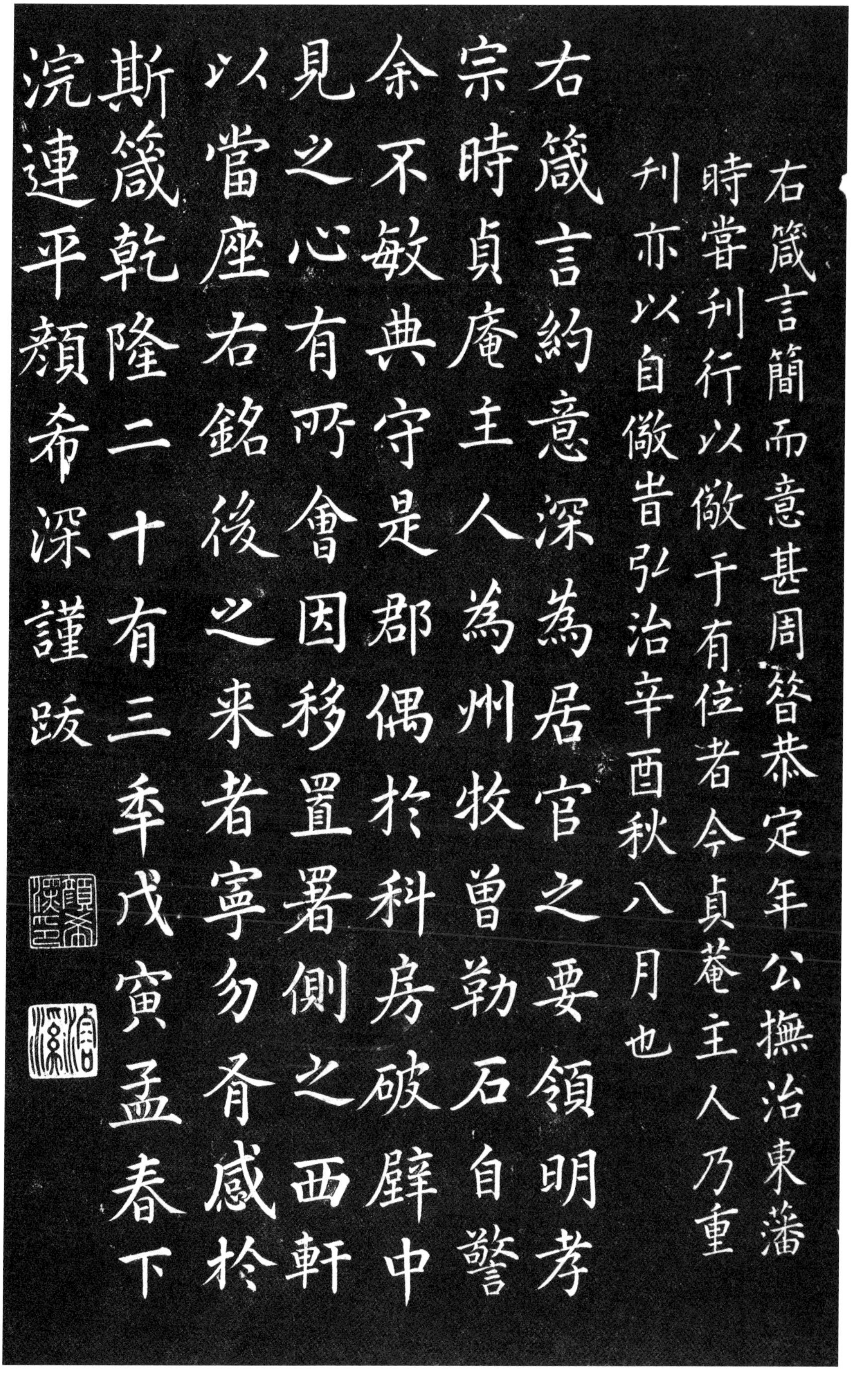
右箴言簡而意甚周昔恭定年公撫治東藩
時嘗刊行以儆于有位者今貞菴主人乃重
刊亦以自儆旹弘治辛酉秋八月也

右箴言約意深為居官之要領明孝
宗時貞庵主人為州牧曾勒石自警
余不敏典守是郡偶於科房破壁中
見之心有所會因移置署側之西軒
以當座右銘後之来者寧勿有感於
斯箴乾隆二十有三秊戊寅孟春下
浣連平顔希深謹跋

官箴拓片（局部）

格言四则

《格言四则》于清康熙五年（1666）刻。碑石高 96 厘米，宽 145 厘米。碑题“箴言四则”。碑文 12 行，楷书。沈荃书，张梦椒立石。

箴言内容为：“勿谓一念可欺也，须知有天地鬼神之鉴察；勿谓一言可轻也，须知有前后左右之窃听；勿谓一事可忽也，须知有身家性命之关系；勿谓一时可逞也，须知有祸福子孙之报应。”后附贾汉复款识，记述格言由来。

贾汉复于康熙五十六年（1717）冬，在平定州之公廨（官署）初见此格言，“懔然如听晨钟”，遂置之官署，朝夕省观。巡抚陕西时，他令沈荃书写并镌石，

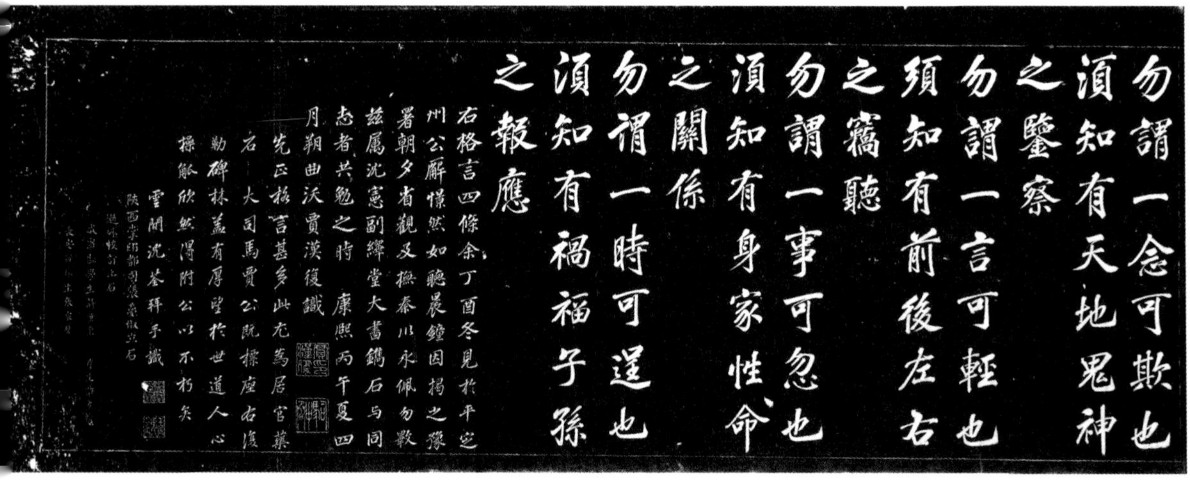

格言四则拓片

“与同志者共勉之”。从后附沈荃款识可知，此格言刻成后即立于西安碑林，以“有厚望于世道人心”。

贾汉复，字胶侯，号静庵，山西曲沃安吉人，清初名臣。明末为淮安副将，清顺治二年（1645）降清，归入奉天府正蓝旗，任兵部左侍郎兼都察院右副都御史，顺治十四年（1657）巡抚河南，康熙元年（1662）巡抚陕西。在任期间，吏治清明，为民兴利，疏浚了龙首渠、通济渠等。他重视教育，组织纂修《河南通志》，重修《陕西通志》，整修了位于西安书院门内的关中书院；继唐《开成石经》之后，又补刻了《孟子》十九方，构成今天西安碑林“十三经”的阵容。虽然贾汉复一生为官清正廉明，但作为南明降将，他仍然被列入乾隆皇帝亲自提出编写的《贰臣传》中，背负了“大节有污”的名声。而战时竭力招募明朝降臣的满清统治者，利用完降臣，掌握政权之后却出尔反尔，其对“忠君”要求之极端、心胸之狭隘可见一斑。

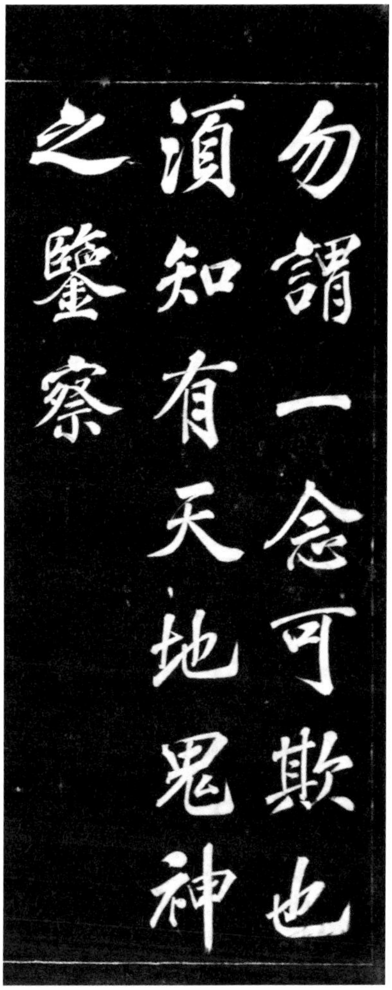

格言四则拓片（局部）

书者沈荃，字贞蕤，号绎堂，别号充斋。清顺治九年（1652）探花，曾任翰林院侍读学士，入南书房，累官至礼部侍郎。其学行纯洁，为官有政绩，卒谥“文恪”。他书宗米芾、董其昌，深得康熙皇帝赏识。

箴言劝诫人们一念、一言、一事、一时都要审慎处之，并将之提到关乎身家性命、子孙报应的高度，在当时能得到诸多人士的共鸣，与满清时期的政治、文化氛围的肃杀不无关系。但“身有所正，言有所规，行有所止”的儒家修身之道，于今日之观者，亦大有可取。

关中八景图

《关中八景图》刻于清康熙十九年（1680）。碑石为圆首方座，通高 283 厘米，宽 85 厘米。《关中八景图》分为 18 栏，碑首上方横栏内由右向左横题篆书“关中八景”，书者冯绣；其下 16 栏，皆为一文一图相配，分别为华岳仙掌、骊山晚照、灞柳风雪、曲江流饮、雁塔晨钟、咸阳古渡、草堂烟雾、太白积雪，落款为朱集义绘图并题诗，最下栏有周王褒楷书题跋及其钤印。此碑由高君诏刻字，杨玉璞刻画，晋文煜、赵斌立石。该碑书法秀劲，结体遒美，雕刻也很流畅，基本上刻出了书法的笔韵感，轻重适度，刀法又婉转合宜、工整细致，可谓上乘佳作。此碑的刻画技巧也十分优秀，特别是对轻重虚实的处理，使画面极有层次感。整体文字与图画布设疏密适当，诗画相融，很有情趣。

明清之际，很多地区都形成了以概括性景观作为地域特色标签的风俗，注重自然胜景与人文古迹的结合。“关中八景”中所描绘的，即是关中人在自然风景、神话传说与历史回忆中，所塑造出来的地域标签。

“关中八景”，即位于陕西关中腹地的八处风景名胜。在这方碑石中，朱集义以长安为中心，将“八景”按照自东向西的地理方位顺序排开。关于“八景”的说法，在关中地区自清代以来就已约定俗成，只是顺序略有不同。有诗云：“华岳仙掌望崤函，雁塔晨钟响城南。骊山晚照披秦地，曲江流饮绕长安。灞柳风雪三春暖，太白积雪六月寒。草堂烟雾紧相连，咸阳古渡几千年。”

传说天地混沌之时山海相连，巨灵神秦洪海因悲悯人间久遭水害之苦，用手

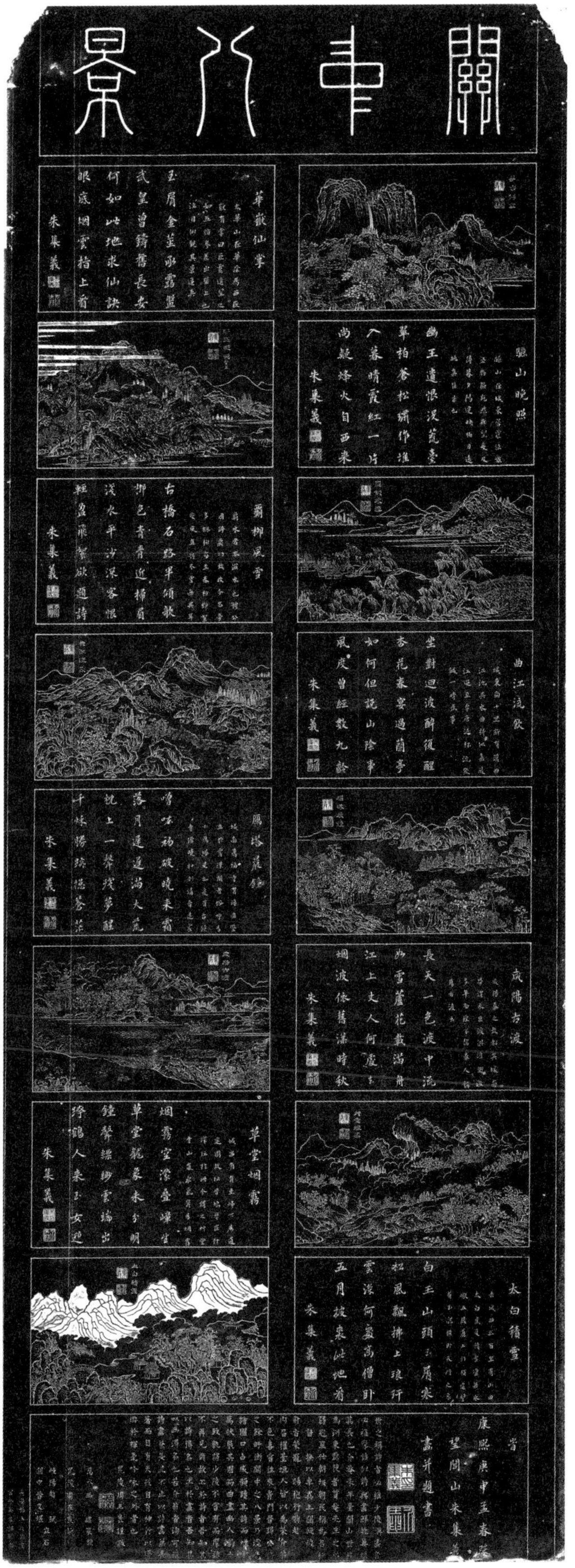
關中八景
華嶽仙掌
玉屑金莖承露盤
武皇曾鑄賽長安
何如此地求仙訣
眼底烟雲指上看
朱集義
驪山晚照
幽王遺恨沒荒臺
翠柏蒼松繡作堆
入暮晴霞紅一片
尚疑烽火自西來
朱集義
灞柳風雪
古橋石路半傾欹
柳色青青近掃眉
淺水平沙深客恨
輕盈飛絮欲題詩
朱集義
曲江流飲
坐對迴波醉復醒
杏花春宴過蘭亭
如何但說山陰事
風度曾經數九齡
朱集義
雁塔晨鐘
噌吰初破曉來霜
落月遲遲滿大荒
枕上一聲殘夢醒
千秋勝蹟總蒼茫
朱集義
咸陽古渡
長天一色渡中流
如雪蘆花載滿舟
江上丈人何處去
烟波依舊漾時秋
朱集義
草堂烟霧
烟霧空濛疊嶂生
草堂龍象未分明
鐘聲縹緲雲端出
跨鶴人來玉女迎
朱集義
太白積雪
白玉山頭玉屑寒
松風飄拂上琅玕
雲深何處高僧臥
五月披裘此地看
朱集義

关中八景图拓片

推华山、足蹬中条山，使其裂绝，让河水东流无碍，却在西岳华山的东峰上留下了自己的手掌印，形成了“华岳仙掌”这一胜景。

骊山则是上古传说中“三皇”旧居之地，历史上这里还发生过周幽王为博得美人褒姒一笑，而烽火戏诸侯的故事，其山下有唐玄宗与杨贵妃共浴的华清宫温泉。骊山山势逶迤、风光旖旎，尤其在深秋时节，遍山的丹枫红叶在夕照中更加绮丽。元代诗人刁白曾赞誉：“渭水秋天白，骊山晚照红。”（《渭水》）

灞水流经长安城东的白鹿原下。在李白的诗中，早已为灞水定下了离别的基调：“送君灞陵亭，灞水流浩浩。上有无花之古树，下有伤心之春草。我向秦人问路歧，云是王粲南登之古道。”（《灞陵行送别》）古人送别时，以折柳相赠表达离别之情。从《三辅黄图》的记载可知：“灞桥在长安东，跨水作桥。汉人送客至此桥，折柳赠别。”《陕西通志》中亦有记载：灞桥两岸“筑堤五里，栽柳万株，游人肩摩毂击，为长安之壮观”。灞水两岸，绿柳低垂。尤其暮春时节，柳絮在风中飞舞，宛如漫天飘雪。情胜于景，正如河东监使朱集义所题：“古桥石路半倾欹，柳色青青近扫眉。浅水平沙深客恨，轻盈飞絮欲题诗。”

曲江池位于唐长安城的东南位置。池边亭台楼阁错落有致，绿荫环绕中池水明媚，是唐代长安园林的典范。“曲江流饮”是指每逢新科进士及第，朝廷都会在曲江赐宴。据传，宴席上，进士们将杯盏放于曲水之上，流至面前者则持杯畅饮，成为一时之盛事。

“雁塔晨钟”是指修建于唐代景龙年间的小雁塔与荐福寺钟楼内的古钟声。小雁塔位于始建于唐文明元年（684）的荐福寺内，初建时为十五层，受明朝嘉靖时大地震的影响，塔顶坍毁，今仅存十三层。荐福寺初名为“献福寺”，原是睿宗李旦为其父高宗李治逝后献福而建的佛寺。其钟楼内，现藏有一口铸造于金明昌三年（1192）的大铁钟。这口钟原属于陕西京兆府路乾州武亭界崇教禅院，后因渭河改道冲毁寺院而失落于河底，清康熙年间重见天日后被置放于荐福寺钟楼内。清晨时分，巍峨的雁塔下钟声洪亮，向远方的亲人们传递着祈福的美意与思念之情。

咸阳故城与西安隔渭水相望，其古渡口是汉唐西渭桥（即便门桥）旧址，桥梁毁圮后以舟为桥，道通陇蜀，遂成为关中第一大渡口。这里经过许多驼队车马、

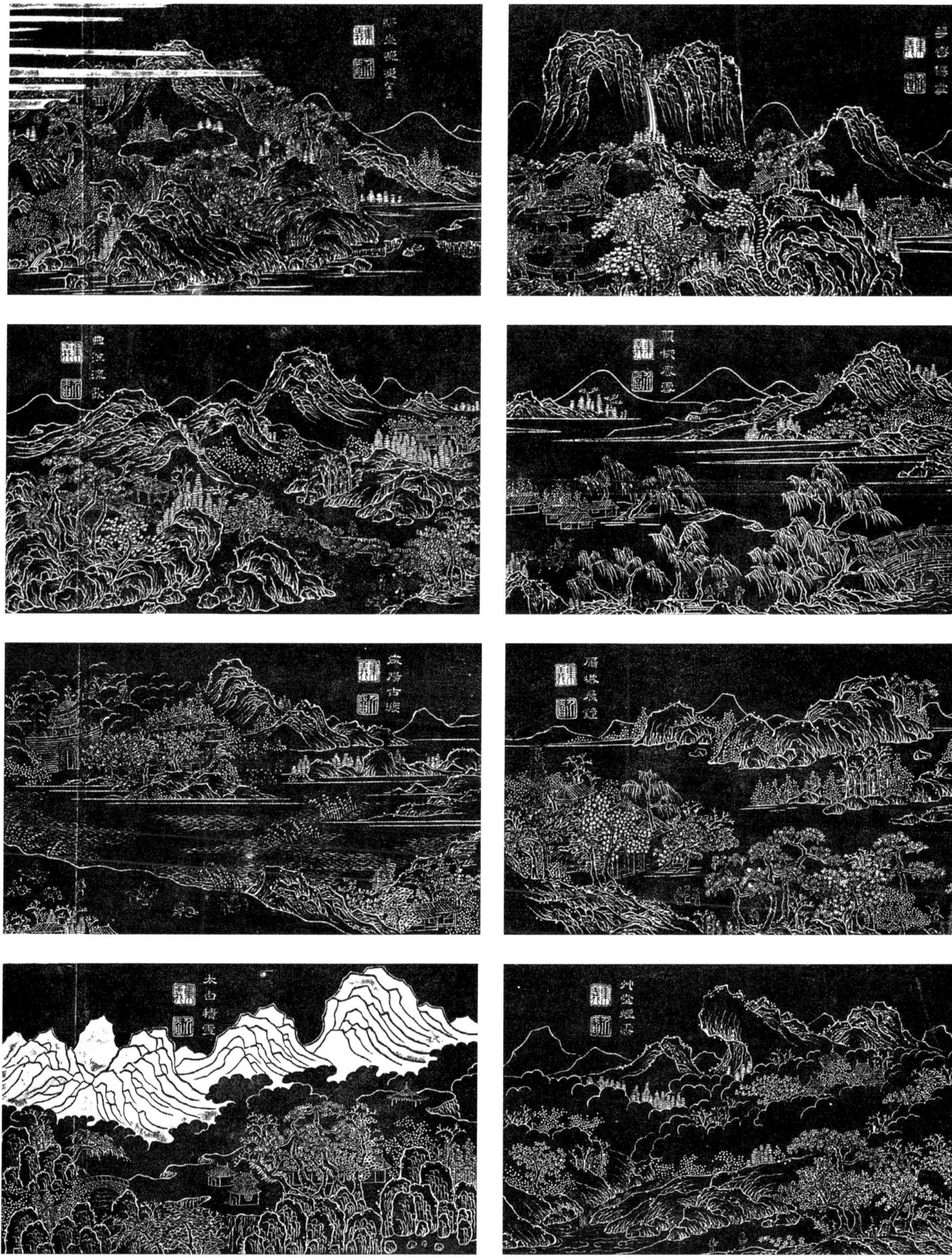

关中八景图拓片（局部）

商人旅客，也见证了无数的离别情伤。唐人李商隐去四川赴任时，与同年好友韩瞻曾道别于此："京华庸蜀三千里，送到咸阳见夕阳。"（《赴职梓潼留别畏之员外同年》）王维也曾在此，为好友元二出使安西而饯行："渭城朝雨浥轻尘，客舍青青柳色新。劝君更进一杯酒，西出阳关无故人。"（《送元二使安西》）

户县草堂寺位于长安之南的终南山下，其南有圭峰、观音山等诸多名峰。草堂寺曾为佛教传入中国后的第一座国立译经场所，其内供养着十六国时期著名高僧鸠摩罗什的舍利塔，还矗立着著名的圭峰定慧禅师碑。寺内北院的古井里，常有烟雾溢出，形成云笼雾罩的奇景，缭绕在松柏参天、翠竹成林的千年古刹之上，营造出一派幽静、深远的意境。

太白山位于陕西眉县、太白县、周至县三县交会处，是秦岭山脉的主峰。其最高处拔仙台，海拔为 3267 米。北魏郦道元称其"冬夏积雪，望之皓然"。《明一统志》中亦记载其"山极高，上恒积雪，望之皓然"。对于这样的冰雪圣境，朱集义题诗赞称："白玉山头玉屑寒，松风飘拂上琅开。云深何处高僧卧，五月披裘此地寒。"

五岳真形图

在西安碑林博物馆第六展室，展陈有一通与道教符箓有关的《五岳真形图》碑。这通石刻于清康熙二十一年（1682），圆首方座，高159厘米、宽69厘米。碑首篆书“五岳真形图”，碑身阴刻五岳山势的象形图案，其间刻有对五岳地理方位及五岳神职掌等的文字记录。碑文由上而下第一段文字如下：“东岳太灵苍光司命真君，南岳庆华紫光注生真君，中岳黄元大光合真真君，西岳素元耀魄大明真君，北岳郁微洞渊无极真君。”

在中国古代文献中最早记载有《五岳真形图》的，是成书于魏晋时期的《汉武帝内传》及东晋葛洪所撰的《抱朴子》。

《汉武帝内传》是一部神话志怪小说。据书中所载，汉武帝元封元年（前110）七月七日设筵席觐见西王母，在西王母处看见了本来带给青城诸仙的《五岳真形图》，再三请求赐予。此图是太上道君按五岳山形绘制成的符字。女仙上元夫人告诉刘彻，凡夫俗子即使得到其形，但没有“五帝六甲左右灵飞之符，太阴六丁通真遁虚玉女之箓，太阳六戊招神天光策精之书”等十二件法物，也无法具有“召山灵，朝地神，总摄万精，驱策百鬼，来虎豹，役蛟龙”的神通。汉武帝刘彻最终从西王母处得到了《五岳真形图》和《灵光经》，与从上元夫人处得到的《六甲灵飞招真十二事》一起藏在柏梁台上。直至太初元年（前104）十一月柏梁台焚毁于天火之中，这些神仙秘籍最终全都佚失了。

《抱朴子》中总结了战国以来神仙家的理论，并确立了道教神仙理论体系，是研究晋代之前道教史及思想史的重要材料，在中国道教经典中具有非常重要的地位。《抱朴子·内篇》认为《五岳真形图》与《三皇内文》是最重要的道书，凡是得道之人入山的时候拿着这两种道书，就可以召唤山神等神灵，使木石之怪、山川之精不敢出现。书中还提到凡是在山谷中的隐居修道的人，必须要携带《五岳真形图》，这样的话就不会被山中的鬼魅精灵、虫虎妖怪，以及一切毒物近身伤害了。据《抱朴子》记载，太初年间有个名叫李充的人，自称有三百岁，背着这张图四处遨游，汉武帝召见了他并封他为“负图先生”。据此，在葛洪看来，世人皆可以携带《五岳真形图》渡江海、入山谷，甚至在野外走夜路、借宿在凶宅中，因为有此图庇佑，所有的邪魔、魑魅魍魉、水怪山精，都会躲起来不敢加害人，而居家之人供奉它，也会庇佑家宅平安、大吉大利，所以形式不拘地将其做成卷轴随身携带，或是装裱成画图安放于家中，都是可以的。

“五岳”之称始见载于成书于战国后期的《周礼》，古人以五岳对应五行，五岳神被奉为道教重要的大神，五岳思想则是糅合了夏商以来四方神和战国初期的五行观念而形成的山岳崇拜思想。自西汉武帝时，便正式创立了五岳制度。在司马迁所著《史记·封禅书》中，记载了舜帝之时的“五岳”分别为东岳泰山、南岳衡山、中岳嵩山、西岳华山、北岳恒山，但其名称所对应的位置随着中国地理疆域的不断变化而不尽相同。直至清顺治十八年（1661）才确定为今日所知的“五岳”，东岳位于山东泰安、南岳位于湖南衡山、中岳位于河南登封、西岳位于

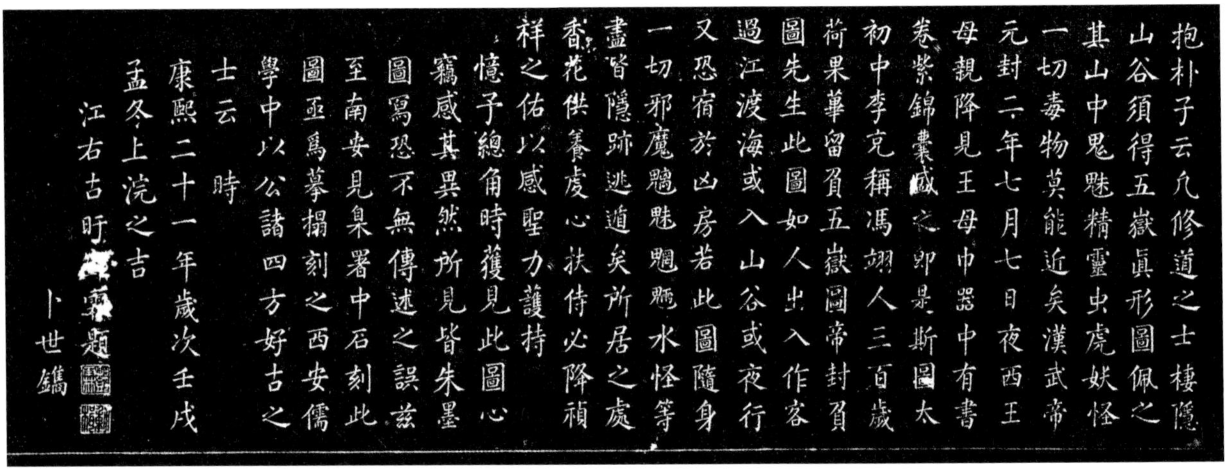
抱朴子云凡修道之士棲隱山谷須得五嶽眞形圖佩之其山中鬼魅精靈虫虎妖怪一切毒物莫能近矣漢武帝元封二年七月七日夜西王母親降見王母巾器中有書卷紫錦囊盛之即是斯圖太初中李充稱馮翊人三百歲荷果華留負五嶽圖帝封負圖先生此圖如人出入作客過江渡海或入山谷或夜行又恐宿於凶房若此圖隨身一切邪魔魑魅魍魎水怪等輩皆隱跡逃遁矣所居之處香花供養虔心扶侍必降禎祥之佑以感聖力護持
憶予總角時獲見此圖心竊感其異然所見皆朱墨圖寫恐不無傳述之誤茲至南安見臬署中石刻此圖亟爲摹搨刻之西安儒學中以公諸四方好古之士云 時
康熙二十一年歲次壬戌孟冬上浣之吉
江右古盱□□題
卜世鐫

五岳真形图拓片（局部）

陕西华阴、北岳位于山西浑源。在中国古代的信仰中，东岳泰山神属木，主宰人的生死贵贱；南岳衡山神属火，主宰世界星象分野及水族鱼龙等事；中岳嵩山神属土，主宰土地、山川、陵谷及牛羊食稻之事；西岳华山神属金，主宰世界金银铜铁及羽翼飞禽等事；北岳恒山神属水，主宰世界江河湖水及走兽虺蛇之类。

英国学者李约瑟博士在他的《中国科学技术史》一书中认为，《五岳真形图》是古人根据五岳的山形地理绘制而成的符号，其原图本身与现代科学勘测出的五岳山形基本吻合。例如东岳泰山，这幅图用墨迹勾绘出了泰山山脉的形状和走向，将这幅图与现在用等高线表示的泰山地图对比时，发现居然大致相同。

西安碑林馆藏的这通《五岳真形图》碑石，是清代康熙年间人邓霖请长安刻工卜世刻立于西安府学之内，其底本是邓霖从南安臬署中摹拓而来的，其用意如同碑文中所写：“若此图随身……所居之处香花供养，虔心扶侍，必降祯祥之佑，以感圣力护持。”

五岳真形图拓片

达摩东渡图 · 达摩趺坐图

这是两通与佛教禅宗之祖达摩有关的碑石，皆为清康熙二十八年（1689）后所立，刻着清代康熙年间一位名叫风颠的和尚所绘的达摩祖师图像。二碑皆为圆首方座。其中，《达摩东渡图》通高 176 厘米，宽 63 厘米，《达摩趺坐图》通高 187 厘米，宽 65 厘米。

达摩祖师在风颠和尚的笔下被描绘成一位圆眼浓髯的胡僧形象，画面中除对达摩面部须发进行细致描写外，其余笔法皆写意简率。据成书于东魏武定五年（547）的《洛阳伽蓝记》记载达摩原为“波斯国胡人”，但在唐代僧人道宣所著的《续高僧传》中又称其为“南天竺人”。在北宋真宗景德元年（1004）僧人道原撰写的禅宗灯史《景德传灯录》中，将菩提达摩记载为南天竺国香至王第三子，这部书被敕准编入大藏流通，在宋元明时代颇具影响。据传达摩出家后，师从印度禅宗第二十七代祖师般若多罗尊者修习大乘佛法，并传承衣钵成为印度禅宗的第二十八代祖师。南朝梁武帝普通年间，菩提达摩自印度泛海抵达南海（今广东），受到广州刺史萧昂的迎接，之后到达金陵（今南京）与梁武帝萧衍晤谈，但因二人相谈不洽，遂于同年渡江北上，居于河南洛阳的嵩山少林寺。达摩所传的佛法深受北魏孝明帝推崇，经弟子慧可等以下数代禅师的阐发。至唐代初年，在六祖惠能大师时建立了南宗，弘扬“直指人心、见性成佛、不立文字、教外别传”的顿教法门，菩提达摩遂被尊为东土禅宗初祖，而少林寺亦成为中国佛教禅宗祖庭。

达摩东渡图拓片

在达摩入华传法至今一千五百余年的历史中，民间演绎出多种家喻户晓的传奇故事。据传达摩与梁武帝晤谈不洽后只身离开南京，但梁武帝在其离去时深感懊悔，于是派人追赶，追至江岸南边时，看见达摩折一支芦苇投入江中，化为一叶小舟载着他飘然渡江到达江北，遂传出“一苇渡江”的故事。之后达摩在河南洛阳嵩山西麓五乳峰中峰上部的天然石洞中，“面壁而坐，终日默然”长达九年时间，被世人称为“壁观婆罗门”。达摩在传法于徒弟慧可后，决意圆寂，弟子们将他葬于河南宜阳县的熊耳山。然而就在他圆寂后下葬的同一天，出使西域归来的北魏使臣宋云，却在葱岭遇见了独自行走的达摩，达摩脱下一只僧履交给宋云，并告诉他自己要返回天竺了。宋云回到洛阳，听说了达摩圆寂之事，开棺查验，发现里面只有一只僧履。这个故事被称为“只履西归”。

《达摩东渡图》中达摩身披袈裟，袒露胸襟，赤脚踩在波涛滚滚的江心中的一支芦苇上，右肩挑着一根禅杖，其上悬挂着一只草履，左手持念珠，转首望着世人。画面左上刻楷书“折苇江上客，西来东渡人。大意人人有，空走徒劳心”四句偈语，以及“直指人心”“己巳仲冬风颠写”年款，并附篆书钤印“风颠”一枚。此图将菩提达摩“一苇渡江”与“只履西归”的故事融于一图，即其入华传教，因与梁武帝萧衍话不投机，而渡江北上至嵩山少林寺，开辟中国佛教禅宗祖庭一事。

《达摩趺坐图》中达摩侧身面向石壁，手托钵盂盘坐于蒲团之上。画面左上刻行书“达摩出祖元像，信手拈来纸上。非纸非墨非我，逢人对面傥傥”，以及“己巳仲冬风颠写”年款，并附篆书钤印“风颠”一枚。此图或许就出自于菩提达摩面壁九年的故事。

据传，绘画达摩祖师像的风颠和尚为凉州府（今甘肃永登）人氏，俗姓李，生于清顺治八年（1651），落发为僧后曾云游四方济世救贫，但其行为放荡不羁，不受佛教清规戒律的约束。风颠和尚晚年居于西安，康熙四十九年（1710）圆寂于西安达摩庵。在同治六年（1867）的抄本《风颠当禅师实行实录》中记载，风颠和尚曾在酒醉后图画达摩像，有位葛姓的官员向其索画并将其刻碑立于碑林，遂有今天所见的这两通石碑。

达摩趺坐图拓片

宁静致远碑

这方石碑呈螭首方趺的长方形，趺座侧饰龙纹。碑石通高 310 厘米，宽 83 厘米。碑阳镌刻康熙皇帝玄烨御笔楷书大字“宁静致远”，“宁”字上方有钤印“康熙御笔之宝”一方，右侧楷书年款“康熙三十六年闰三月初十日”，左侧楷书题“赐总督川陕兵部右侍郎臣吴赫”。此碑书法用笔凝重饱满，俊厚沉稳，加上字体较大，流露出一定的气势。

“宁静致远”语出西汉《淮南子·主术训》，即“是故非澹漠无以明德，非宁静无以致远”。蜀汉丞相诸葛亮在其《诫子书》中也曾引用过这句话。康熙帝玄烨将其凝练为四字，亲笔题写了这样一幅书法，赐给封疆大臣吴赫，其有何用意？

史载爱新觉罗·玄烨自八岁登极，十四岁亲政，在位时长六十一年，其间平三藩、收台湾、平定准噶尔之乱等，功绩见著史册。康熙二十七年（1688），噶尔丹率领的准噶尔部进攻漠北蒙古部，威逼北京。康熙三十六年（1697）二月，康熙帝第三次对其进行亲征，坐镇宁夏指挥。据清康熙三十六年实录记载，时任川陕总督的满族大臣吴赫于二月己丑（初八日）上疏，对购买征伐大军所需驼马的问题进行陈述：“今甘肃巡抚郭洪与侍郎席密图等于肃州购买，臣则往宁夏与副都统阿兰台公同督买。但思驼马系大兵急需，一时购买，未必足数。请暂借西安八旗及各标营马八千五百匹，派出官兵送至宁夏，以应大军之用。其各标营缺马，令陕西巡抚动支正项钱粮，照实价给与兵丁买补。”吴赫在短期内解决了征伐大军的军需，可谓是促成这次战役胜利的有功之臣。

宁静致远碑

宁静致远碑拓片

康熙三十六年闰三月己丑（初九日），康熙帝在宁夏行营中召见了川陕总督吴赫，西安副都统阿兰台，宁夏总兵官王化行，原任总兵官王潮海、冯德昌，以及副将道员等人，以自己亲临边塞的所见所闻之苦，晓谕这些地方军队的管理者们要爱护兵丁，并对兵营中普遍存在的克扣、虚冒军饷一事进行了指责，强调了武官要注重操守的保持："凡有功而居官好者，朕皆擢用矣。其一时声名甚佳，日久改节者，皆年齿渐增、贪货贿，计身家，而坐此失也尔。"次日（闰三月十日），康熙亲笔御书"宁静致远"四字赐于吴赫，其晓谕之深意除从《淮南子·主术训》中阐明身为君主的自己对臣下吴赫的倚重之心外，也从《诫子书》中引出作为臣子的人也要秉持君子之行，所谓"静以修身，俭以养德。非淡泊无以明志，非宁静无以致远。"

训饬士子文碑

此碑圆首方趺，通高 365 厘米，碑身宽 114 厘米。碑首篆书“御制宸翰”。碑身周边及碑首、碑趺均阴刻二龙戏珠纹饰。碑文共 30 行，满行 50 字。其书法风格清丽端正，规矩合中。碑石左上侧篆书钤印有“康熙御笔之宝”。

康熙帝为清军入关建都北京后的第二位皇帝，他八岁御极，十四岁亲政，执掌帝位六十一年，文治武功，卓尔不群。其自幼学习汉文、书法，对儒家典籍熟稔于心。在治理国家、重视文教方面更是尤为突出。清康熙四十一年（1702），御制《训饬士子文》颁发礼部，刻石立于国子监太学，并以此碑拓本颁行直省各学作为学规，旨在训饬天下士子勤学励行，去浮薄而务正业，对呼朋引类、结社要盟之辈严加训斥，在育人才的同时更加注重敦教化。这篇文章除全文收录于《清圣祖实录》外，还被清康熙年间福建巡抚张伯行编写入《学规类编》的卷首。

史载康熙曾“谕礼部:《训饬士子文》若令各府、州、县学宫一体勒石，恐有不产石州县地方，或致借端扰派，应俟国子监勒石后，以拓本汇颁各省，转发所属学宫，一体遵行”。

西安碑林所藏的这通石碑，就是使用北京国子监太学所立《训饬士子文》碑的拓本刻成，此外在山西平遥文庙及山东梁山亦有相同的发现。

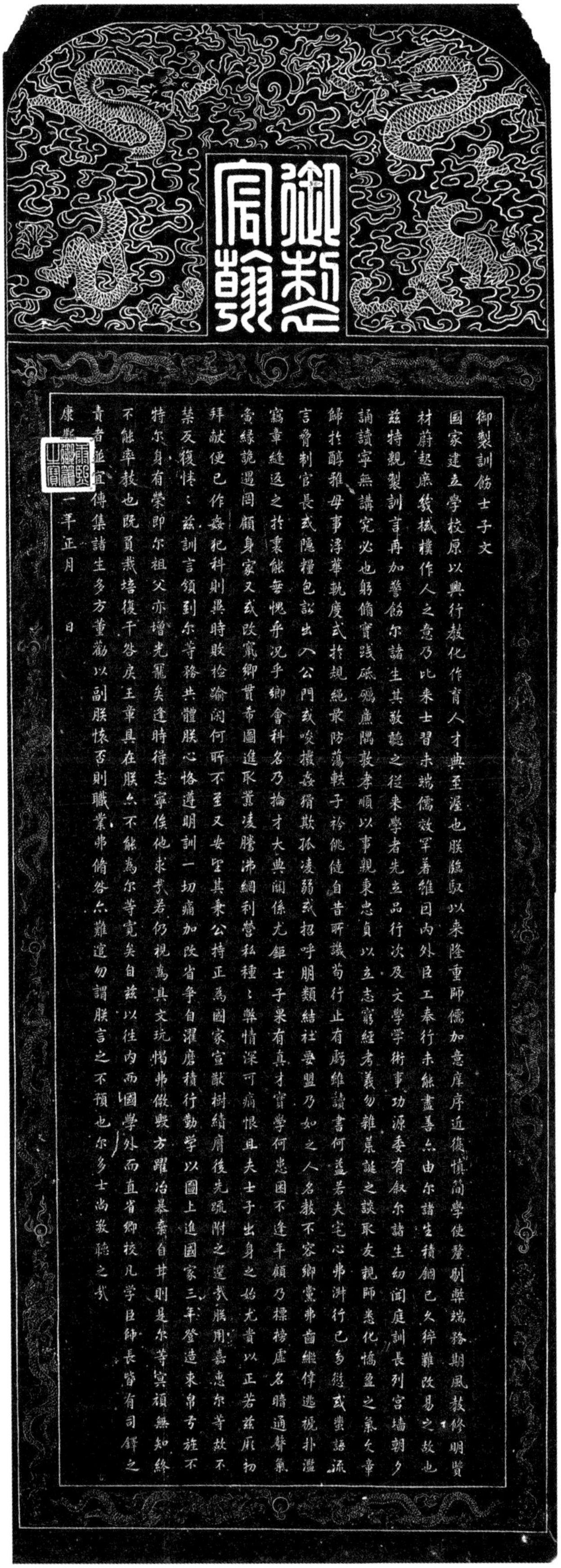

御製訓飭士子文

國家建立學校原以興行教化作育人才典至渥也朕臨馭以來隆重師儒加意庠序近復慎簡學使釐剔弊端務期風教修明賢
材蔚起庶幾棫樸作人之意乃比來士習未端儒效罕著雖因內外臣工奉行未能盡善亦由爾諸生積錮已久猝難改易之故也
茲特親製訓言再加警飭爾諸生其敬聽之從來學者先立品行次及文學學術事功源委有敘爾諸生幼聞庭訓長列宮牆朝夕
誦讀寧無講究必也躬修實踐砥礪廉隅敦孝順以事親秉忠貞以立志窮經考義勿雜荒誕之談取友親師悉化驕盈之氣文章
歸於醇雅毋事浮華軌度式於規繩最防蕩軼子衿佻達自昔所譏苟行止有虧雖讀書何益若夫宅心弗淑行己多愆或蜚語流
言脅制官長或隱糧包訟出入公門或唆撥奸猾欺孤凌弱或招呼朋類結社要盟乃如之人名教不容鄉黨弗齒縱倖逃褫扑濫
竊章縫返之於衷寧無愧乎況乎鄉會科名乃掄才大典關係尤鉅士子果有真才實學何患困不逢年顧乃標榜虛名暗通聲氣
夤緣詭遇罔顧身家又或改竄鄉貫希圖進取囂凌騰沸網利營私種種弊情深可痛恨且夫士子出身之始尤貴以正若茲厥初
拜獻便已作奸犯科則異時敗檢踰閑何所不至又安望其秉公持正為國家宣猷樹績膺後先疏附之選哉朕用嘉惠爾等故不
禁反復惓惓茲訓言頒到爾等務共體朕心恪遵明訓一切痛加改省爭自濯磨積行勤學以圖上進國家三年登造束帛弓旌不
特爾身有榮即爾祖父亦增光寵矣逢時得志寧俟他求哉若仍視為具文玩愒弗儆毀方躍冶暴棄自甘則是爾等冥頑無知終
不能率教也既負栽培復干咎戾王章具在朕亦不能為爾等寬矣自茲以往內而國學外而直省鄉校凡學臣師長皆有司鐸之
責者並宜傳集諸生多方董勸以副朕懷否則職業弗脩咎亦難逭勿謂朕言之不預也爾多士尚敬聽之哉
康熙四十一年正月 日

训饬士子文碑拓片

御製訓飭士子文

國家建立學校原以興行教化作育人才
材蔚起庶幾棫樸作人之意乃比来士習
茲特親製訓言再加警飭爾諸生其敬聽
誦讀寧無講究必也躬修實踐砥礪廉隅
歸於醇雅毋事浮華軌度式於規繩最防
言脅制官長或隱糧包訟出入公門或唆
竊章縫返之於衷能無愧乎況乎鄉會科

关帝诗竹碑

西安碑林博物馆展陈有一通画中藏字的《关帝诗竹碑》。此碑为圆首方座，通高 159 厘米，宽 64 厘米。据碑上落款可知，此碑为清康熙五十五年（1716）杜陵二曲居士韩宰临摹并立石。

碑额篆书“关帝诗竹”，其下方刻门环方印，右侧隶书“印图”二字。图画为两棵修竹亭亭伫立，仔细观摩，其错落有致的竹叶构成了一首五言绝句，诗文如下：“不谢东君意，丹青独立名。莫嫌孤叶淡，终久不凋零。”右侧中部为篆文钤印“汉寿亭侯之印”，其下为隶书跋文两段：“弘治三年十月十八日，扬州淘河获出。环钮共重二斤四两，其文曰：‘汉寿亭侯之印’。”

这首竹中藏诗相传为三国名将关羽所作，而门钮上所挂之“汉寿亭侯之印”正揭示出“挂印封金”的典故。据元末明初的小说《三国演义》所述，东汉末年之时，黄巾起义、军阀混战，刘、关、张三人在桃园结义成为兄弟，以刘备为中山靖王刘胜之后的名义起兵。当徐州之战刘备被曹操打败时，兄弟三人曾一度失散，而关羽当时肩负着护卫刘备两房妻室的责任。他被曹军围困在一座小土山上，在不得已的情况下跟随曹操，助其与袁绍作战，在立下“斩颜良，诛文丑”的大功后，被封为汉寿亭侯。然而当关羽得知刘备正在袁绍营中时，毅然决然地将曹操赐给他的金银财货封入室内，并将其印信悬挂于门环之上，护送两位嫂夫人去寻找刘备。这一段历史佳话广为流传，并被后世世代演绎。在这幅图中，竹节寓意节操，表达了关羽对兄长君主刘备的忠义之情，也是对汉

关帝诗竹碑

文化这一传统题材的表现。

此外，跋文中提及的弘治三年（1490）在扬州获得“汉寿亭侯之印”之事，也是一则趣闻。在历史上，曾五次发现所谓的“寿亭侯”印，被记载于宋人洪迈的《容斋随笔》及元人王寔的《东吴小稿》中，其分别是宋高宗绍兴年间在洞庭湖所获、宋高宗建炎二年（1128）在复州宝相院树坑中所获、宋宁宗庆元二年（1196）在邵州所获、宋人王仲言家中所藏、元顺帝至正六年（1346）役工所得。此五枚印都已被后世学者考证为好事者的作伪，并非东汉真物。

西安碑林馆藏的这通图碑上所记载的古印，是明弘治三年扬州淘河时所得，其实也并不是东汉之物。据明代学者黄希声考证此印印文为“朱文叠篆”，很明显是明代的制度而并非汉代的特点；另外，汉印印钮上无环而用绶，其规格多为“方寸之印”，不可能如跋文所题“环钮共重二斤四两”。由此可知，此碑图的临摹人韩宰，未辨其印真伪，而将其附会为关羽之印，并临摹内藏诗文的修竹刻碑，流传至今，却成为备受世人推崇的有趣之碑了。

关帝诗竹碑拓片

千字箴碑

《千字箴碑》刻立于清康熙五十七年（1718）。此碑由两方石碑组成：其一为竖长方形，高 171 厘米，宽 45 厘米；其二为横长方形，高 48 厘米，宽 66 厘米。碑题“千字箴”。碑文是明末清初的大学士王铎在其暮年时撰文并书写的，行书。横石右下栏刻有王铎尾跋“右予所作千字箴也，老而无闻，用以自勉”，并钤篆书印两方，分别为“王铎之印”“觉斯”。碑文最尾栏刻行楷小字 12 行，为李宏柱题跋，跋文记述如下：“千字箴，觉斯先生暮年得意笔也。词旨醇正，书法苍古，诚为希世之弘宝。余虽拙于临池，而心窃嗜之，日拂拭不倦，以是行笥珍秘，由滇而楚，于兹十有八载矣。乙未暮秋，余以牧乾来秦，命运多蹇，五月而一官被论，戊戌夏六月，待罪长安，将鬻之以为旅食计。适匠氏闻而乞假，摹勒以备碑洞之缺，乃授之……概云。”后附款识“古河东赵曲李宏柱题”，又附篆书朱文“李宏柱印”、篆书白文“牧庵”印两枚。

王铎，字觉斯，一字觉之，号十樵、嵩樵，又号痴庵、痴仙道人，别署烟潭渔叟，祖籍河南孟津，生于明神宗万历二十年（1592），卒于清顺治九年（1652），为明清时著名的草书大家。明天启二年（1622）科举取得进士，进入翰林院成为庶吉士，又累擢为礼部尚书，清朝入关后被授予礼部尚书、弘文馆学士，加太子少保等职位。王铎擅长诗文书画，尤其在书法领域独具特色。正书学曹魏钟繇，尤精行草，大气洒脱，宗“二王”又取法米芾，用笔张弛有度、流转自如，笔端如有千钧之力。明清之际的著名思想家、经济学家、书画家傅山在论王铎书法时

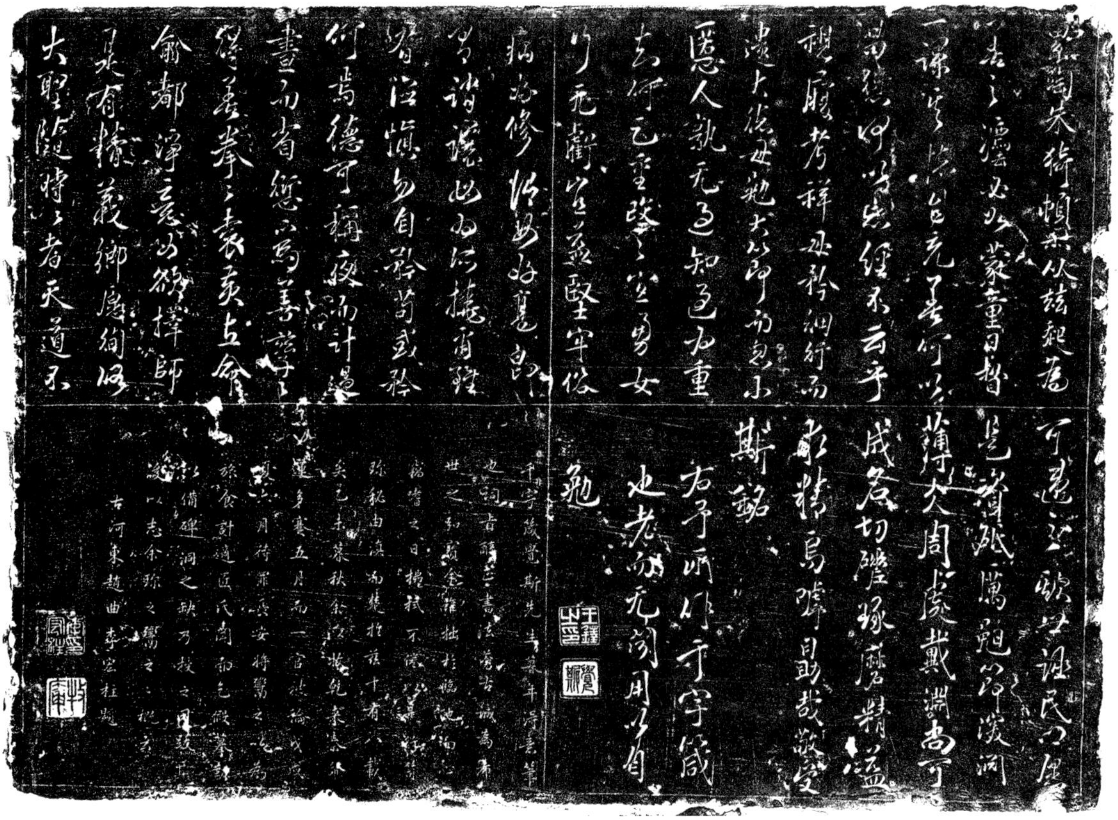

千字箴碑横碑拓片

认为："王铎四十年前字极力造作，四十年后无意合拍遂能大家。"从《千字箴碑》中便可以看出其"无意合拍"而自成一家的面貌。王铎在当时书名甚高，他与董其昌一同以"南董北王"的盛名流传于世。

《千字箴》开篇章首说："蘧瑗五十，即已知非，我年过之，学与心违；卫武已耄，厥志不衰，我犹未老，抑何颓隤。"蘧瑗，字伯玉，是春秋时期卫国的大夫，与孔子一生交好，奉祀于孔庙东庑的第一位。据文献记载说，蘧瑗在其五十岁的时候，对之前四十九年的过失从内心中进行检讨，其为人品行端正，时时自省反思，不因在人前人后而有所不同。卫武公是春秋之时卫釐侯的儿子，名叫和，为姬姓贵族，继位后施行先祖卫康叔的政令，使百姓生活和睦安定，在其九十五岁高龄时还不忘自己身在其位，一定会勉力国事，请朝堂上下的人们早晚告诫他，让他能够治国清明。卫国地处河南，正是王铎的家乡，王铎从这两位先贤写起，

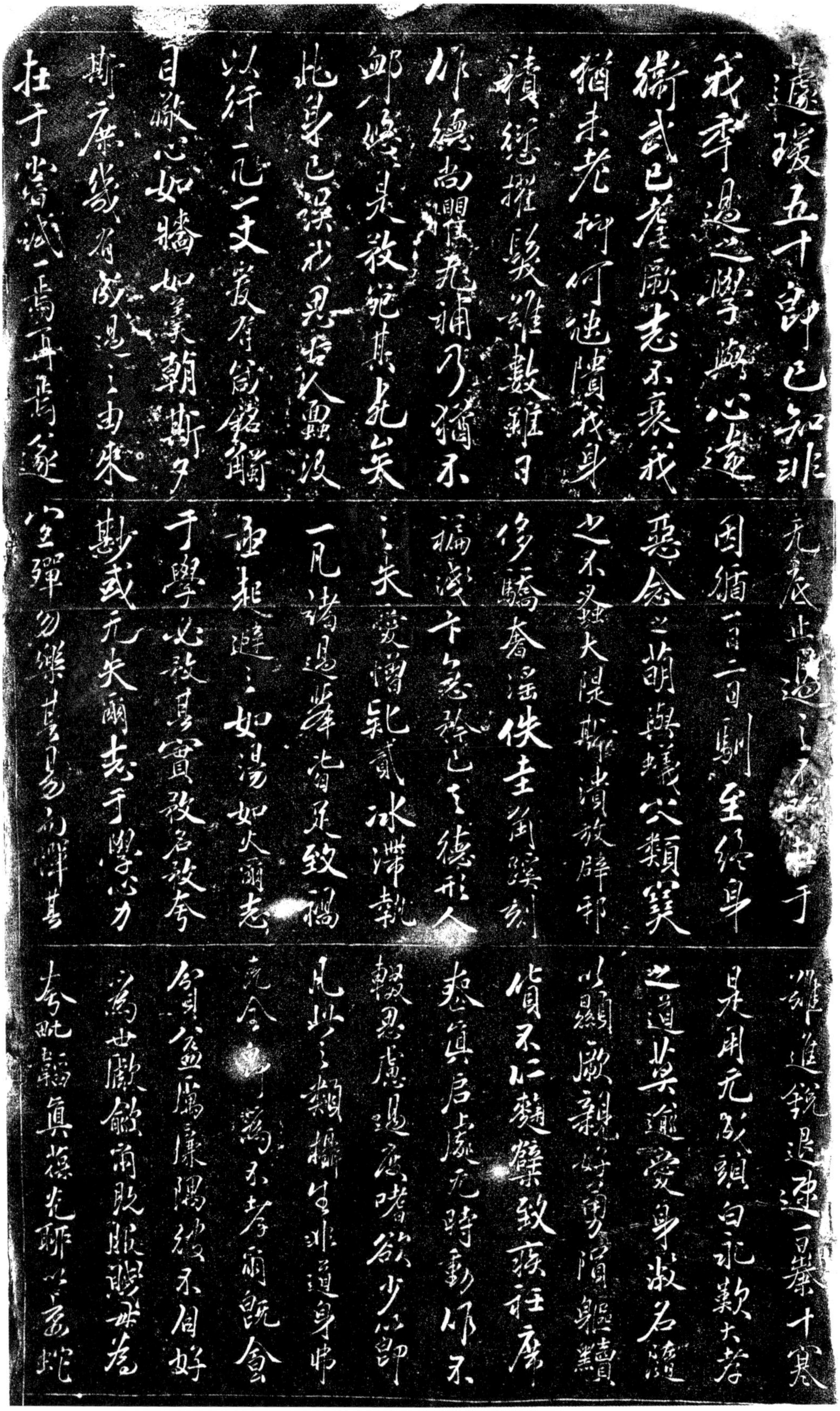

千字箴碑竖碑拓片（局部）

引出了对自己的警醒和勉励。《千字箴》的内容体现的是克己复礼和为仁的儒家思想，里面还提到了许多为人处世的方法，如“应人接物，其道在谦”“山高少木，水清无鱼”，并提倡节俭朴素，如“衣用韦布，足以御寒，何必千金，鲁缟齐纨”等等。

碑刻的尾跋中，清楚地记录了王铎此书原作为山西襄汾襄陵人李宏柱所藏。又据题跋所述，《千字箴》为王铎暮年所书，而李宏柱收藏并随其宦游已逾十八年。此间所谓“乙未暮秋”之际，应为康熙五十四年（1715），李宏柱入陕西任职乾县知县，但因被论弹劾，待罪于长安。“戊戌夏六月”即康熙五十七年（1718）时，因宦囊空虚，打算将自己宝藏多年不离身的王铎书法作品《千字箴》变卖以换取钱物，机缘凑巧下被长安的刻碑匠得知，遂将此书临摹上石，刻碑于“碑洞”（今西安碑林）。李宏柱其人史载不详，但据题跋中自述可知其一生中曾宦游云南、湖北、陕西等地。除此题跋外，在民国修撰的《襄陵县新志》中，还保留有李宏柱所作的《地震述》诗一首，描述了康熙三十四年（1695）平阳府大地震的情景。

朱子家训碑

《朱子家训碑》镌刻于清康熙五十八年（1719），其内容是清代初年理学学者朱用纯编撰的《治家格言》，曾著录于《咸宁长安两县续志》。碑石为长方形，圆首方趺。通高 173 厘米，宽 70 厘米，厚 18 厘米。碑文后有雍正六年（1728）孙能宽书写的跋文。

朱用纯，字致一，号柏庐，江苏昆山人，生活在明末清初之际，其一生未入仕途，而在乡里教授学生，并潜心研究程朱理学，著有《四书讲义》《愧讷集》等，主张知行并进，重视躬行实践。这篇仅有 520 字的“家训”，文字通俗易懂，却浅显、明白地讲出了居家生活的道理。碑文曰：“黎明即起，洒扫庭除。要内外整洁，既昏便息。开锁门户，必亲自检点。一粥一饭，当思来处不易，半丝半粒，恒念物力维艰……”体现了简居乡里的朱用纯所提倡的道德观念，也成为清代家喻户晓的用以教子治家的经典训言。

在“家训”之后，另有 76 字跋文及“雍正六年岁次戊申小阳之吉”“关中后学孙能宽痴菴氏沐手敬书”的落款。作跋者孙能宽为清初陕西关中咸宁人，拔贡出身，曾任教习，康熙六十年（1721）任职归善县（今惠州市惠城区）知县。据《惠州府志》记载，孙能宽清正廉明，官声颇佳，减徭役、正风气、修城垣、兴文教，主持修建官办义学西江书院，并始建名宦、乡贤两祠于县学学宫明伦堂西侧。跋文中提到孙能宽将《朱子家训》刻碑立石的原因，他认为朱用纯所撰的家训虽语言浅近易懂，但其阐发的义理却十分深切严肃，可以指导老百姓日用饮食，作为修身立命的根本法则，且便于身体力行，所以提倡居家人士都供奉一通，可以早晚对照以反省自身。

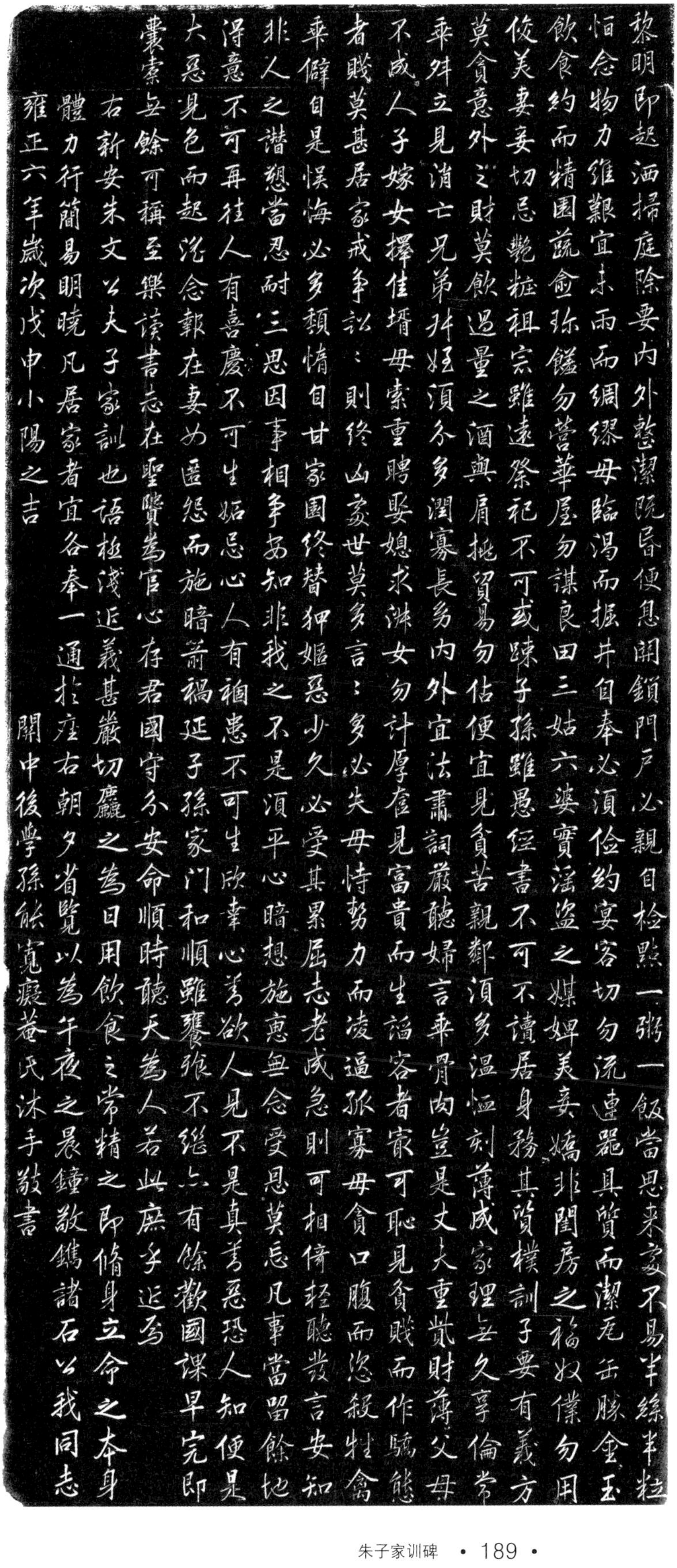

朱子家训碑拓片

黎明即起洒掃庭除要內外整潔既
恒念物力維艱宜未雨而綢繆毋臨
飲食約而精園蔬愈珍饈勿營華屋
俊美妻妾切忌艷粧祖宗雖遠祭祀
莫貪意外之財莫飲過量之酒與肩
乖舛立見消亡兄弟叔姪須分多潤
不成人子嫁女擇佳壻毋索重聘娶
者賤莫甚居家戒爭訟訟則終凶處

骊山温泉作诗碑

此碑碑身为长方形，螭首龟趺，通高380厘米，碑身宽94厘米、厚22厘米。碑文由果亲王允礼书写而成。

爱新觉罗·允礼是清康熙皇帝的第十七皇子，雍正年间被册封为和硕果亲王。允礼生于康熙三十六年（1697），号自得居士、春和主人。平素善诗词、工书法，兼通绘画。其书法远宗“二王”，笔力丰润，体势多变。雍正元年（1723），允礼被册封为多罗果郡王，负责理藩院的管理事宜。因其操守清廉，处置得当，被雍正帝褒赞为“实心为国，尽心竭力”，晋封为果亲王。雍正十二年（1734），允礼奉命与章嘉活佛三世护送七世达赖喇嘛归藏，途经直隶、山西、陕西、四川等地至川藏交界处的泰宁，沿途游历无数名胜古迹，以诗文的形式记录了途经之地的风土、地理、城防等情况，并留下了大量的碑刻、匾额等书迹。次年春，允礼返京复命途经陕西临潼骊山时，游览了唐代华清宫遗址与温泉汤，并为状其貌抒情而作五言律诗一首：

西陲来奉使，经此古温泉。沸讶阳冰涣，潜疑阴火然。溅波千点雪，澈底一泓天。可使纤埃净，能教积滞捐。神功元一气，灵迹俨双仙。荡涤洪垆翕，沧涵银汉连。虚无木素女，仿佛遇丁芊。风佩摇声细，云鬟照影妍。鸿蒙浮玉海，潋滟泛珠渊。下上华清月，东西绣岭烟。宝箴张道济，绮语杜樊川。宫怜初唐建，名垂正观年。

《骊山温泉作诗碑》展现了果亲王允礼的行楷书法。在碑石的右上角，还钤

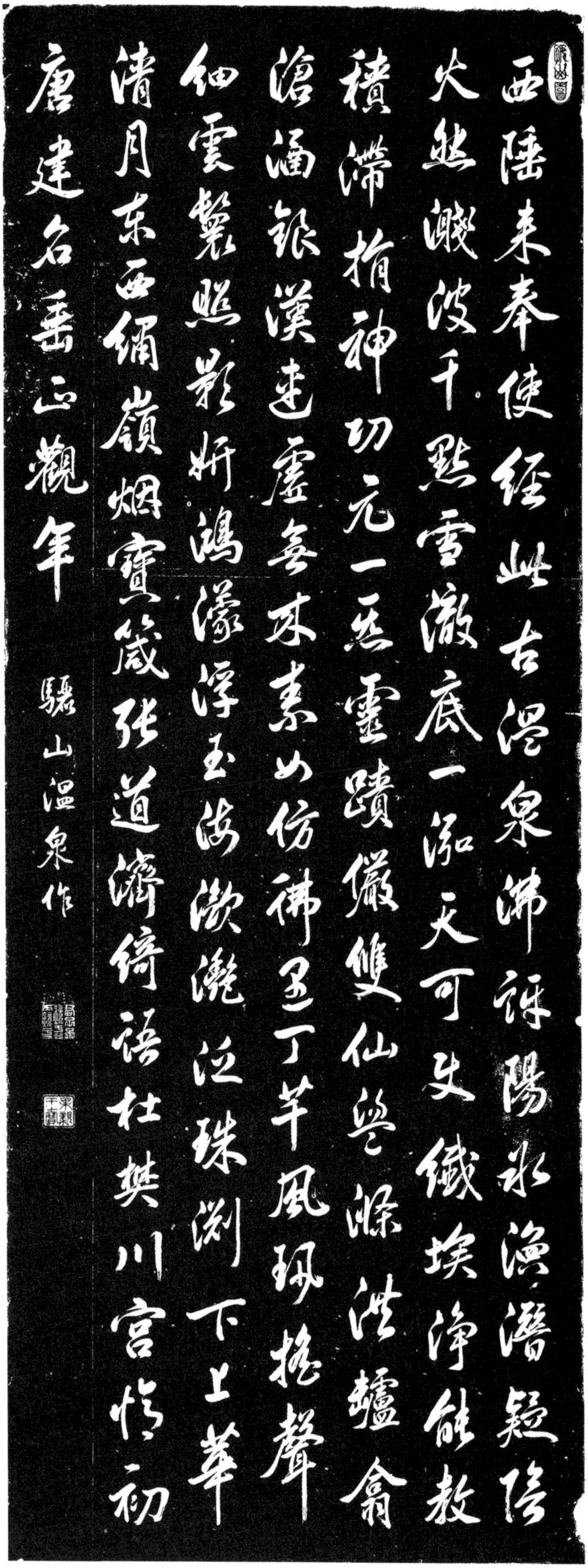

有“涵泽堂”的朱文篆书章一枚，左下角钤有白文篆书闲章“君子不镜于水而镜于人”及朱文篆书“果亲王宝”。按碑林所藏《石刻拔萃》碑文记载，在西安碑林将这篇诗作刻碑立石的时间不晚于乾隆十五年（1750）。

西安碑林中还藏有果亲王允礼的多种碑刻，如《望太白积雪诗》《即景诗》等。

骊山温泉作诗碑拓片

‖石刻拔萃

西安碑林建立以来名称多有变化。金代称“碑院”，明代称过“碑林”，清代碑林的碑刻拥挤，前期仍称“碑洞”。至清嘉庆十年（1808）《重修西安府学碑林记》，碑刻上始有碑林之名，沿袭至今。

在西安碑林的发展史上，清朝是藏石数量大幅增长的时期。与前代相比，清朝有关碑林藏石情况资料较多，尤其值得特别介绍的是清人在碑林中留下的一方名曰《石刻拔萃》的碑林藏石目录。这是碑林有史以来唯一的一件碑目刻石，虽记载不尽完备，但毕竟是时人所留下的一手资料，值得珍视。

“石刻拔萃”为其篆额，碑题为“西安府碑洞石刻目录”。此碑于清乾隆十六年（1751）五月刻立，由柳大任撰、柳云培书、邱仰文跋、侯钧篆额。碑石圆首方趺，通高 219 厘米，碑身宽 85 厘米。碑文分 5 栏刻，共 76 行，行字数不等，楷书；跋文 8 行，行字数亦不等，行书。

碑文是当时西安碑林所藏 55 种重要碑石的名录，其中唐碑 21 种、宋碑 21 种、明碑 6 种、清碑 7 种。此碑所录虽只为当时碑林藏石的一小部分，但涵盖了主要唐宋碑刻，仍是其刻立时乾隆年间的碑林精华所在，称“石刻拔萃”当是名副其实。碑目开首所列为帝王书碑，如清康熙时毛会建摹刻于碑林的传为夏禹所书的《岣嵝碑》，以及康熙、雍正等所书之碑。之后为隋唐碑刻，有《开成石经》及智永、欧阳询、虞世南、颜真卿、柳公权、张旭、怀素等名家名作，以及《唐集圣教序》（《集王羲之书圣教序碑》）、《唐大雅集碑》（《兴福寺残碑》）。之后有宋代梦英、元代赵孟頫、明代董其昌等名碑佳作。这些碑刻都是截至乾隆年间碑林的精华所在。正如西安碑林藏康熙二十六年（1687）许孙荃撰歌行体古诗《碑洞行》所言："就中波撇谁入神，古今无过王右军。贞观天子性眈嗜，金钱只字搜沉沦。岂徒兰亭获墨迹，直将圣教昭贞珉。一时钩勒多词臣，褚冯虞薛足乱真。继起北海妙风格，颜筋柳骨争嶙峋。其余更仆难悉数，要使古法存先民。"

碑文撰者柳大任，字觉先，山东招远人，乾隆朝举人，乾隆十四年（1749）调任西安府咸宁县知县。书者柳云培，柳大任之子，字龙从，号滋圃，诸生，生卒年不详，约生活在乾隆年间，曾任江西南城兵马司吏目，工书。此碑楷书宗法欧阳询，端庄娟秀，古朴典雅。碑阴也为柳云培所书"翰墨奇观"四个榜书楷体字。题跋者邱仰文，山东滋阳人，生平不详，曾撰《硕松堂读易记》。据跋文称，长安碑洞（今西安碑林）堪称天下之最，但若探究分辨所藏碑刻真赝或是较辛苦之事，且亦难遍观而尽识。由此，柳大任整理刻立碑林石刻目录，其目的是"广览法物，可提其要，辩砆碱者，亦共识好古之深心"。

石刻拔萃

西安府碑洞石刻目錄

夏禹王衡嶽碑
唐玄宗注孝經
聖祖仁皇帝御筆
世宗憲皇帝御筆
果親王書碑
秦嶧山模本碑　李斯
隋皇甫府君碑　歐陽詢
隋真草千文　智永
唐刻十三經
易　經九扇
書　經十扇
詩　經十六扇
春　秋六十七
公　羊十七扇
穀　梁十六扇

禮　記三十三
周　禮十七扇
儀　禮二十扇
孝　經一扇
爾　雅五扇
論　語七扇
孟　子十七扇
文　字五經
補　字十三樣
唐集聖教序　王羲之
唐大雅集碑　王羲之
唐孔子家廟　虞世南
唐多寶塔碑　顏真卿
唐顏氏家廟　顏真卿
唐爭坐位稿　顏真卿
唐題名石柱　顏真卿

唐玄祕塔碑　柳公權
唐玄祕碑陰　柳公權
唐馮公神道　柳公權
唐不空師碑　徐浩
唐道因師碑　歐陽通
唐楚金師碑　吳通微
唐大智師碑　史維則
唐大智碑陰　史維則
唐隆闡師碑　懷惲
唐精舍碑銘　梁昇卿
唐精舍碑陰　梁昇卿
唐李氏先塋　李陽冰
唐斷千文　張旭
唐草心經　張旭
唐肚痛帖　張旭
唐聖母帖　懷素

唐藏真律公　懷素
唐草書千文　懷素
唐邠國公碑　楊承和
唐法琬師碑　劉欽旦
宋牧愛堂碑　朱文公
宋石經記碑　安宜之
宋譯聖教序　雲勝
宋勸慎刑碑　盧經
宋勸慎刑箴　盧經
宋清淨護命　龐仁顯
宋摩利經碑　袁正己
宋陰符經碑　郭忠恕
宋篆千文序　皇甫儼
宋篆書千文　夢英
宋偏傍篆碑　夢英
宋抄高僧傳　夢英

宋十八體篆　夢英
宋刻草書碑　彥脩
宋游師雄碑　邵䚕
元天冠山詩　趙子昂
明勅壽萱碑　永壽王
明淳化閣帖　費甲鑄
明古栢行碑　關[illegible]
明徐公家訓　董其昌

山左羅峯柳氏龍從雲培書丹
鋤山靜軒侯鈞篆額
乾隆十六年五月穀旦立
長安碑洞蹟至下宗細揭真贋自分或亦若羅遍觀而

盡識也吾鄉柳君覺先核以君揭諸石座覽法帖者以共揆其要辨碔砆者亦共淺好古之深心亦柳君首尹咸寧書丹只子雲培也
東魯省齋邱仰文書

石刻拔萃拓片

游华山诗碑

《游华山诗》刻帖宽 96 厘米，高 102 厘米。刻文 36 行，行字数不等，为林则徐行书。刻石人是清道光年间的刘安笃。

游华山诗碑拓片

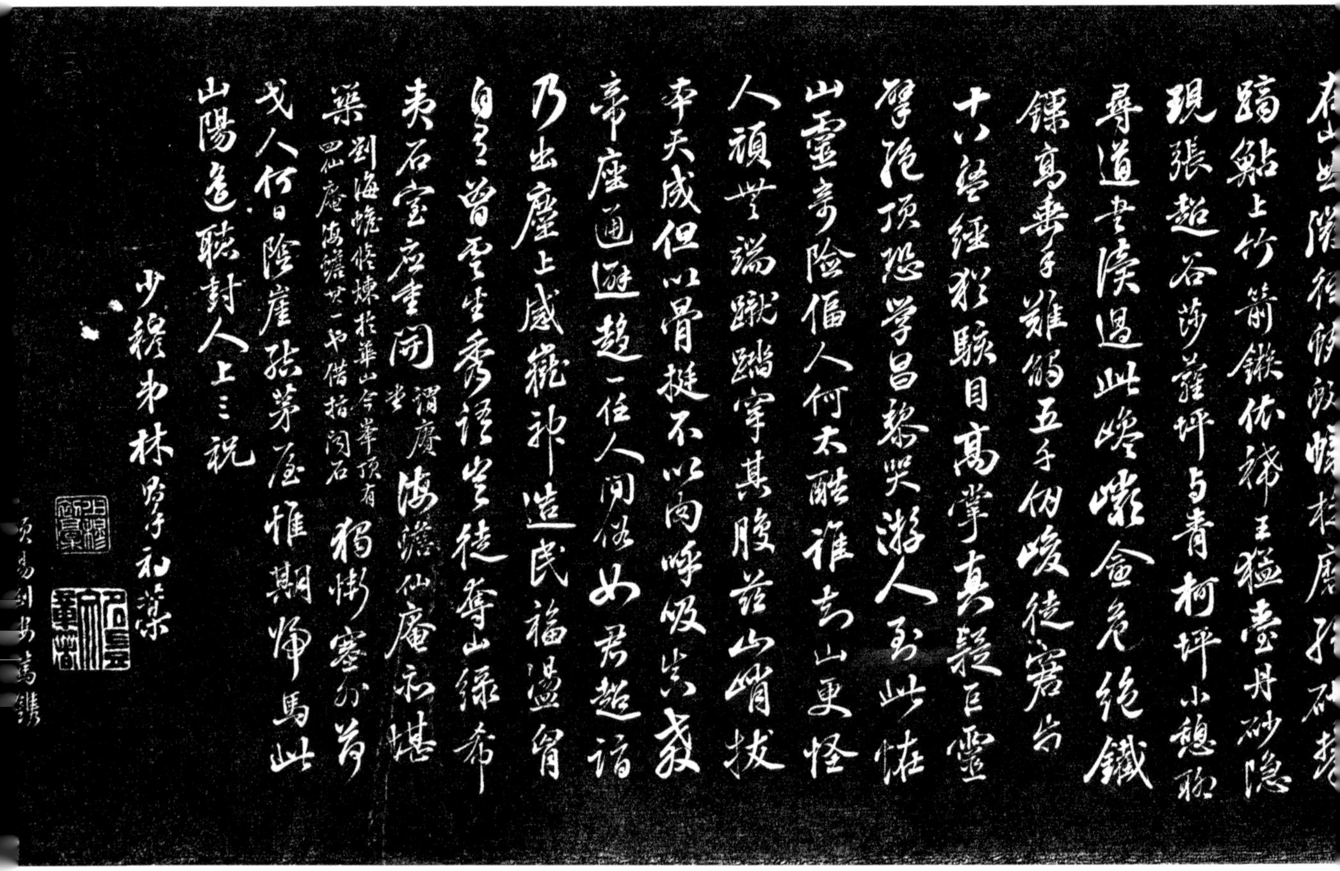

林则徐因致力于整顿大清海防，并主持“西学东渐”的文化事宜，被誉为中国近代“睁眼看世界的第一人”。道光十八年（1838），林则徐出任钦差大臣，奉命前往广东查办禁烟事宜，次年在广州亲自主持了震惊中外的“虎门销烟”。1840 年，英军舰队进攻广州未果，于是沿海岸北上抵达天津大沽口，对北京清政府施加了强大的压力，林则徐遭到清廷投降派的诬陷而被革免官衔。1841 年，清廷又下诏将他“从重发往新疆伊犁效力赎罪”。道光二十二年（1842）四月，林则徐前往新疆伊犁的途中路过陕西华阴，受到了华阴县令姜海珊的迎接，应邀一同游览西岳华山，并赋《游华山诗》一首，被存录在《云左山房诗钞》中。从诗前题跋“华阴县令姜海珊申蟠，招余与陈庚堂尧书、刘闻石建韶同游华山，归途赋诗奉柬”等语可知，当时一起登华山的有林则徐、姜申蟠、陈尧书、刘建韶等人。

发起人姜申蟠，字海珊，是道光十五年（1835）进士，在道光十六（1836）

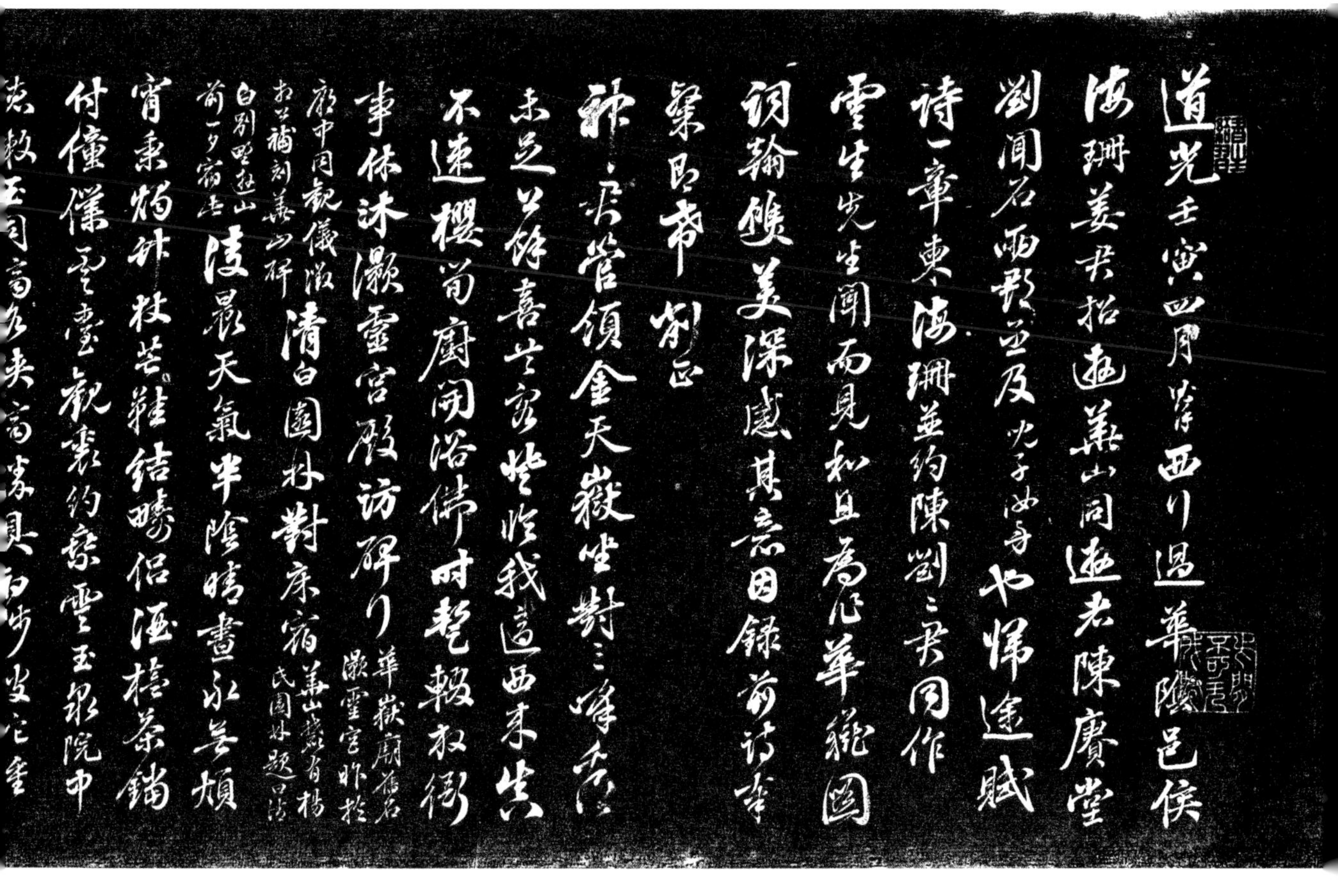

年至二十三年（1843）间出任华阴县令。陪同两位一起出游的陈尧书，字诸典，一字庚堂。陈尧书原籍山西古县，后以典史赴陕西军营效力，升任岐山知县。刘建韶，字闻石，是道光年间进士，与林则徐同为福建人，乡谊甚密。《游华山诗》作成后，林则徐书写两幅分别送于姜申蟠、刘建韶二人。刘建韶所存的纸本墨迹现藏于中国国家博物馆，而赠予姜申蟠的一幅被精裱成卷，今已佚失。西安碑林博物馆现存的刻帖，则是刘安笃用李文瀚所藏的底本镌刻而成的。

李文瀚，字云生，号莲舫，是道光八年（1828）举人，原籍安徽宣城，擅长作曲绘画，并有《味尘轩四种曲》等传奇作品及诗文集多种流传于世。道光十八年后入陕任职多年，在任大荔知县期间听说了林则徐登华山并作《游华山诗》的事情，出于景仰之情，按照《游华山诗》的原韵作了一首和诗，并绘成一幅林则徐游华山的画（此诗题为《和林少穆先生游华岳元韵即题画后并序》，也被刘安笃刻石，现存藏于西安碑林）。李文瀚在所作和诗的序中写道："道光壬寅五月朔，客从长安来，传诵荆州凌刺史和少穆先生游华岳诗，知先生有华岳之游。噫！胜地未免今昔之感。古人不作，谁秉天地之心，某凡臣下吏，岂能度先生忧乐之衷？而平生景仰，不啻范希文之魏公，况荆州一识，即幽赏识于凡尘，能不感伸知己，愿效驰驱乎？所以画先生游岳之意，和先生游岳之诗，片长薄技，非自负也，愿就正有道耳，望先生教之。"

林则徐见到李文瀚所作的和诗后不胜赞叹，于是特意书写了一幅《游华山诗》赠予李氏，并在此幅书作中题写序文言明相赠的缘由："道光壬寅四月，则徐西行过华阴，邑侯海珊姜君招游华山，同游者陈庚堂、刘闻石两郡丞及儿子汝舟也。归途赋诗一章，柬海珊并约陈刘二君，同作。云生先生闻而见和，且为作华岳图，词翰双美，深感其意，因录前诗，奉希削正。"在此幅书作的右侧还钤有两方闲章，右上一枚是朱文的"书生结习"，右下一枚是白文的"此间不可无我吟"。

林则徐的这首《游华山诗》通篇描写游览经过和华山景色，对自己的境遇和时事未置一词。他的书法出自欧体，尤工小楷。当年在伊犁，以戴罪之身，远离政治中心，大概是他一生中最有空闲寄情笔墨的时候。这块碑石书法典雅秀丽、轻逸流畅，是林则徐书法中的上乘之作。

魁星点斗碑

《魁星点斗碑》是一通“看图猜字”的趣味石碑。碑身形制为长方形，圆首方趺，通高 187 厘米，碑身宽 60 厘米。碑阳刻着一幅魁星图，其魁星形象用“克己复礼，正心修身”八个行书字组成，另配以右侧行书“斗”字、下方行书“鳌”字，表现出魁星以执笔托砚的舞蹈姿态独立于“鳌”首之上，寓意“魁星点斗，独占鳌头”，可谓形象生动、拼字巧妙。这是象征着圈点题名金榜的士子姓名，以寓应试获中，榜上有名。

中国古代将北斗七星中的天枢、天璇、天玑、天权四星总称为奎星，是二十八星宿之一。东汉时的谶纬之书《孝经援神契》记载其主宰文章兴衰，遂被后世附会为一位神灵，并在各地修建奎星阁用以祭祀，后来改称为“魁星”，以祈求参加科举考试能够荣登金榜、名列魁首。魁星信仰兴盛于宋代，被纳入道教神的体系，从此经久不衰。据南宋遗老周密所撰写的笔记《癸辛杂识》中记载，朝廷会赐给考取状元的人一副镀金魁星杯盘。明代《俨山外集》中也记载了当时读书的学生们在座位旁边张贴魁星图，在考场外出售魁星像的逸事。明末清初的大学问家顾炎武，在其《日知录》中记载说：“今人所奉魁星，不知始于何年。以奎为文章之府，故立庙祀之，乃不能像奎，而改奎为魁，又不能像魁，而取之字形，为鬼举足而起其斗。”从这篇文字可知，“魁星点斗，独占鳌头”的形象最迟在明清之际就已成熟，并广泛流传于坊间，在传世的文物中亦有很多铜、瓷或牙骨等材质雕刻而成的魁星摆件。

清代小说家蒲松龄在其神怪小说《聊斋志异》中，描写了一个关于“魁星”的故事。说山东郓城人张济宇某晚卧床睡觉，被耀眼的亮光惊醒，看见一个鬼拿着一支笔站在他面前，貌似魁星的样子，他急忙起身下拜，以为这是要考上第一名的征兆，因此而骄傲自负，结果却落拓无成、家业凋零，亲人们也相继离世，只剩下他一个人孤苦伶仃地苟活着。由此，引出了蒲松龄的质疑：为什么魁星没有赐福反而降祸于人呢?

《魁星点斗碑》的作者为“西蜀马德昭”，大概创作于清同治年间。马德昭是四川阆中人，生于道光四年（1824），卒于光绪十五年（1889）。据《阆中县志》载，马德昭曾于咸丰年间总兵陕西陕安镇，后率军捍卫西安，同治年间又驻守潼关数年，至军事平而告归，后终于乡里。潼关之民思其保境之功，为之立祠奉祀。《咸宁长安两县续志》载：“马公祠，在北关，光绪二十四年城关士绅王典章、刘照藜等以前甘肃提督马公德昭保障危城，功德在民，呈准大府建祠，岁时致祭，以顺舆情……公讳德昭，四川人。喜为擘窠大字，碑林石刻‘虎’字，其遗墨也。”西安碑林现藏有马德昭书法作品共计八种，共刻立四石，藏于第四、第五展室内。

马德昭所绘的这幅魁星图的匠心独运之处，在于其用行书跃动的线条表现魁星形象的同时，又暗藏儒家经典之语于其中。“克己复礼”出自于《论语》中的“克己复礼曰仁”；“正心修身”则出自于《大学》中的“格物、致知、诚意、正心、修身、齐家、治国、平天下”。

魁星点斗碑拓片

天地正气碑

此碑高125厘米，宽57厘米。其上“天地正气”四字为左宗棠所书，赵吉安刻字。“天地正气”四字笔力雄劲、风格豪迈，笔端见魏碑意，可谓肃然森立、劲中见厚。其后附刻有贺瑞麟正书跋文，内容如下：“右四字湘阴相国左文襄公所书。公之勋业著在天壤，书法亦高抗古人，无俟予言。窃谓天地之正气，人皆有之，惟君子为能直养无害，全刚大而配道义，使正气常塞乎两间，故阴不得侵阳，邪不得干正，小人不得加君子，外夷不得陵中国。公之生平盖皆天地之正气发洩流露，兹幅心画亦见一端，俾览者触目森然，各知正气之在我，而不可有一毫自卑自污之私，即于世道人心不无裨补。公既殇，敬莽太守取以刊摹，公之斯世以致拳拳不忘之意，且如正襟肃容在公左右间也。为之敬跋而归之。光绪乙酉小阳。”跋末落款“三原贺瑞麟”，并钤“复斋”“贺瑞麟印”篆文印两方。

左宗棠是清末著名的湘军将领，其少年时遍读群书，钻研舆地、兵法，深为长沙城南书院学者贺熙龄及其兄长贺长龄所赏识，后应湖南巡抚张亮基之聘进入仕途。其一生经历了湘军平定太平天国运动、洋务运动、收复新疆等重要历史事件，官至东阁大学士、军机大臣。光绪九年（1883）年末，法国入侵越南，继而展开对中国的侵略，中法战争爆发。光绪十一年（1885）三月，清军在广西镇南关作战获得重大胜利，导致法国茹费理内阁垮台。然而镇南关大捷，却引起了法国政府变本加厉地向越南法军拨款支持战争，而此时的清朝军队业已疲惫。为了尽快从战争中抽离，主和派的李鸿章代表大清与法国签订了《中法新约》，条约中否认了大清对越南的宗主权，改由法国全权管理越南。对于这份丧权辱国的条约的签署，左宗棠非常愤怒，批评李鸿章的主和态度实为坏事，是“误尽苍生”，将会落下千古骂名。这番言论激怒了李鸿章，引来了李鸿章一派对其下属王德榜、刘璈等人的诬告陷害。年届七十三岁的左宗棠为此愤懑不平并上书鸣冤，却在这一年的七月病逝于福州。

贺瑞麟是陕西三原人，原名贺均，榜名瑞麟，字角生，号复斋，是清代末年著名的理学家、教育家、书法家。他的楷书结构严谨、笔意不苟。根据跋文末尾落款“光绪乙酉小阳”，可知贺瑞麟题跋时间在左宗棠病逝当年的秋末冬初。跋文中以孟子“浩然之气”中所言“其为气也，至大至刚，以直养而无害，则塞于天地之间”，来诠释左宗棠生前所书之“天地正气”，是贺瑞麟向左宗棠所秉持的不容小人欺辱君子、不容外夷凌辱中国的正气致以的崇高敬意。

天地正气碑拓片

平安富贵图

此碑为刻帖，无碑首，碑身为长方形，高107厘米，宽44厘米，立于方趺之上。刻帖中部阴刻“瓶插折枝牡丹图”。画面中部的折枝牡丹寓意富贵，花瓶寓意平安，瓶下横置如意。瓶花上部楷书“平安富贵”，其上篆书钤印“慈禧皇太后御笔之宝”。碑右上侧楷书题款“慈禧皇太后御笔”，左侧落款“光绪十六年八月十六日”及钤印，右下侧为两行行书诗跋：“一番好雨净尘沙，春色归来上苑花。此是沉香亭畔种，莫教移到野人家。”落款“潘祖荫敬题”及钤印两枚。曾有人考证出《平安富贵图》中这首题诗的原作者名叫边秋厓。清乾隆二十五年（1760）会试后，在考官钱箨石所画牡丹图上，边秋厓写下与纪晓岚的和诗：“一番好雨净尘沙，春色全归上苑花。此是沉香亭畔种，莫教移到野人家。”此则逸事因此被记载在纪晓岚的《阅微草堂笔记》中。潘祖荫题诗于画上时则稍加修改，将颔联的“全归”改为了“归来”。

慈禧太后叶赫那拉氏御笔之宝印鉴，指明了这幅平安富贵图创作人的身份。叶赫那拉氏自幼接受过良好的家庭教育，通满汉双语，受汉文化浸染颇深，喜好诗歌、工于书法且擅绘花鸟画。她所绘“平安富贵”中的图像都是寓意吉庆的象征符号，它们以“清供”图的形式流行于中国古代明清时期。关于“清供”，指旧俗凡节日、祭祀等用清香、鲜花、清蔬等作为供品，一般都是应时之物。光绪十六年（1890）八月十六日是阳历的九月二十九日，节气上已在秋分前后，而牡丹花期应在春季谷雨前后开放，所以慈禧绘牡丹图并非应景写实而制，只是以牡丹寓意吉祥。此图中除了可能为慈禧御笔所题“平安富贵”四字外，“慈禧皇太

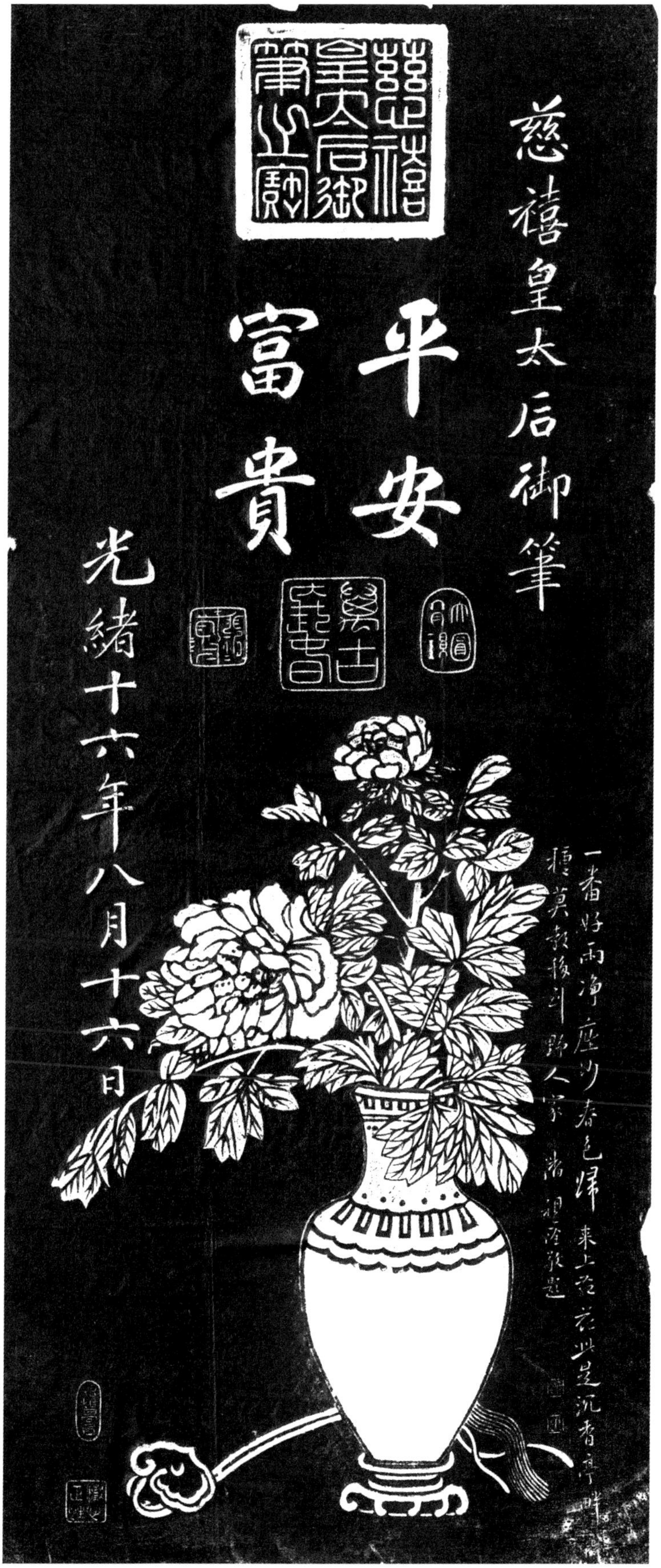
慈禧皇太后御筆之寶
慈禧皇太后御筆
平安富貴
光緒十六年八月十六日
一番好雨淨塵沙春色歸來上苑花此是沉香亭畔
種莫教移到野人家

平安富贵图拓片

后御笔”“光绪十六年八月十六日”的楷书年款，很可能与瓶插牡丹右侧的行书诗文同为潘祖荫所题写。

潘祖荫，字在钟，小字凤笙，号伯寅，吴县（今江苏苏州）人，是咸丰二年（1852）的探花，与祖父潘世恩、堂祖潘世璜并称为“苏州三杰”。潘祖荫家学深厚，且嗜好金石、藏书，以其藏书室“滂喜斋”“功顺堂”为名，辑有《滂喜斋丛书》《功顺堂丛书》等藏书编目，此外还著有《汉沙南侯获刻石》《攀古楼彝器款识》等金石著录。光绪十六年（1890），潘祖荫官居工部尚书一职，掌管全国屯田、水利、土木、工程、交通运输、官办工业等事务。

据《清史稿》记载，光绪十六年，清王朝的天灾、人祸、兵燹接连不断。如此看来，光绪十六年，并没有如慈禧所愿应了这幅“平安富贵”的吉祥景儿，反倒真像是晚清国运凋蔽中一株折了枝的牡丹，插在瓶中，供在案头，强撑着时日无多的残生。史载，潘祖荫病逝于光绪十六年的十月三十日，距慈禧皇太后赐“平安富贵”图的时间仅过了两个多月。这幅图上所留下来的题跋，也许就是这位“通经史，精楷法”的名重晚清的江南才子现存于世的最后的书法笔迹了。

民国

正气歌碑

西安碑林博物馆藏有不少于右任先生的书法刻帖，其中有六方刻帖是其书写于民国二十七年（1938）的《正气歌碑》。其石均高 175 厘米，宽 53 厘米。第六石正文尾有“文信国公正气歌”，落款“右任”，并篆书朱文钤印“关中于氏”。后有尾跋一行，为行书小字：“髯公花甲庆周，书此见贻，重其义盛意深，爰市石镌以寿世。”落款“灵隐附识”，后钤印篆书白文“欢喜坚固”一枚，最末楷书小字“关中郭希安刻”。

《正气歌》为南宋末右丞相文天祥于元大都狱中所撰，内容为：

天地有正气，杂然赋流形。下则为河岳，上则为日星。于人曰浩然，沛乎塞苍冥。皇路当清夷，含和吐明庭。时穷节乃见，一一垂丹青。在齐太史简，在晋董狐笔。在秦张良椎，在汉苏武节。为严将军头，为嵇侍中血。为张睢阳齿，为颜常山舌。或为辽东帽，清操厉冰雪。或为出师表，鬼神泣壮烈。或为渡江楫，慷慨吞胡羯。或为击贼笏，逆竖头破裂。是气所磅礴，凛烈万古存。当其贯日月，生死安足论。地维赖以立，天柱赖以尊。三纲实系命，道义为之根。嗟予遘阳九，隶也实不力。楚囚缨其冠，传车送穷北。鼎镬甘如饴，求之不可得。阴房阒鬼火，春院闷天黑。牛骥同一皂，鸡栖凤凰食。一朝蒙雾露，分作沟中瘠。如此再寒暑，百沴自辟易。嗟哉沮洳场，为我安乐国。岂有他谬巧，阴阳不能贼。顾此耿耿在，仰视浮云白。悠悠我心忧，苍天曷有极。哲人日已远，典刑在夙昔。风檐展书读，古道照颜色。

这首诗中提到春秋时期的齐太史、董狐，秦汉时期的张良、苏武，三国时期的严颜、嵇康，唐代的张巡、颜杲卿等人，是在中国历史上真正做到了“富贵不能淫，威武不能屈”的英雄人物，还有“管宁或为辽东帽、诸葛亮或为出师表、祖逖或为渡江楫、段秀实或为击贼笏”等，无一不以大气磅礴、凛烈万古的气节彪炳史册，表明了文天祥对国破之下舍生取义行为的颂扬。

文天祥是南宋宝祐四年（1256）的状元，在南宋朝廷任右丞相、枢密使兼都督诸路军马等职位，“信国公”是其封号。祥兴元年（1278）与元军作战，兵败被俘，被羁押三年，不为高官厚禄所动摇，抱着成仁取义之心决意赴死，在狱中留下《过零丁洋》《正气歌》等名篇。

于右任（1879—1964），原名伯循，别署骚心、髯翁，晚年自号太平老人，曾求学于三原宏道书院、泾阳味经书院及西安关中书院，受教于关中大儒刘古愚，与吴宓、张季鸾并称为“关学余脉”。于右任曾在1906年加入同盟会，1924年当选国民政府中央执行委员，后曾出任驻陕总司令并担任国民政府审计院长、监察院长等职务。此外，于右任先生致力于国民教育事业，是复旦大学、上海大学、国立西北农林专科学校（今西北农林科技大学）等中国近现代著名高校的创办人。

于右任先生在1929年发起、成立了草书研究社，创办了《草书月刊》等刊物。他的书法风格雄浑奇伟、潇洒脱俗、简洁质朴，草书更是熔诸草于一炉，仪态万千，如入化境。根据碑文尾跋可知，此《正气歌碑》六条屏原为于右任先生赠予友人的书法作品，是其在自己六十大寿时书写的，获赠书作的友人遂购买碑石并镌刻以存世。刻石人郭希安是陕西西安蓝田县人，其奏刀镌石以严谨迅疾、生动传神、细致精巧、舒张又不失厚重而著称，为民国时期关中刻石第一人。著名书法家冯恕赞其镌刻技艺曰：“指腕齐力，精入毫芒，弄刀如飞，神合古人，冥入无间。”

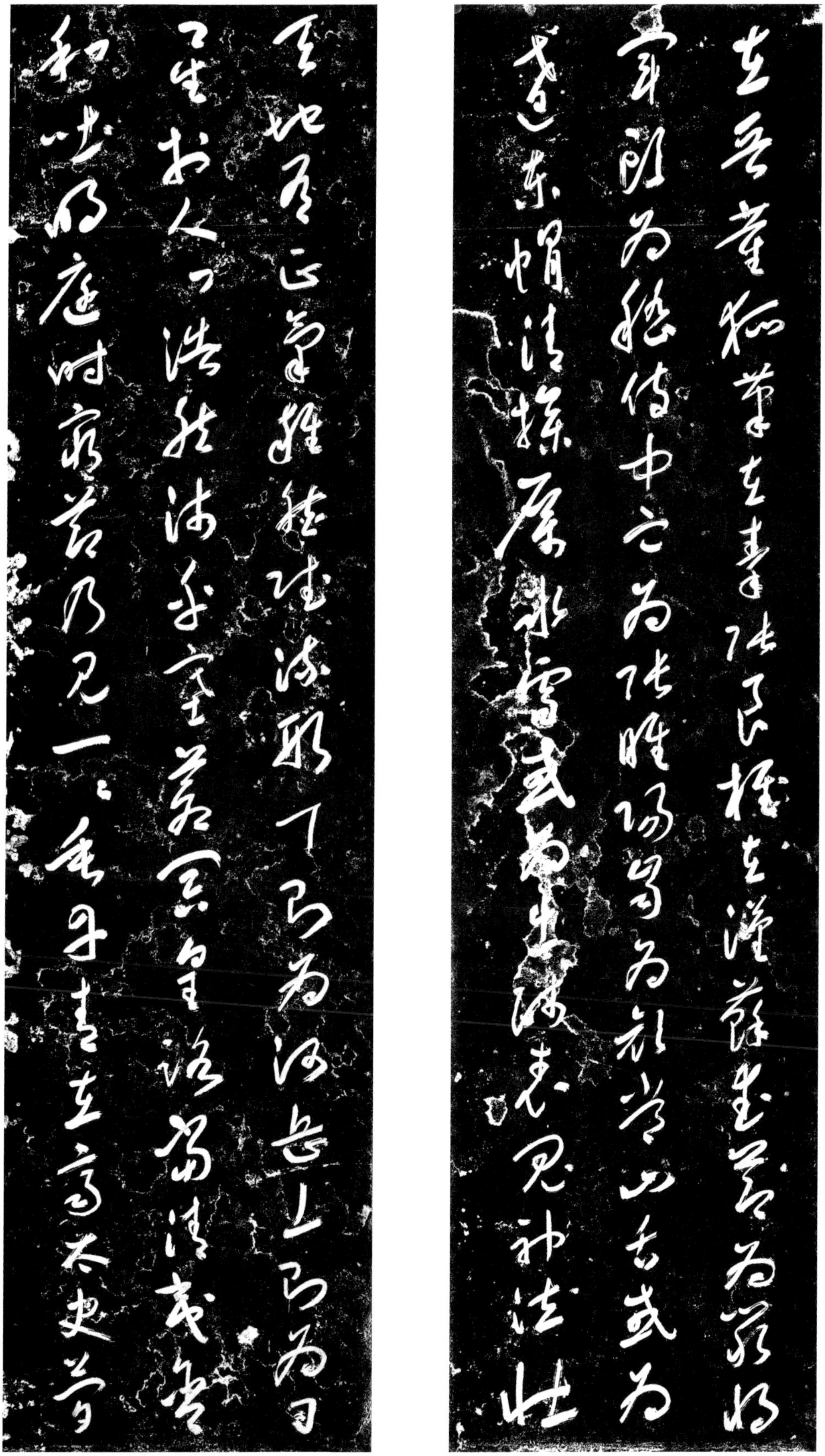
天地有正气杂然赋流形下则为河岳上则为日
星于人曰浩然沛乎塞苍冥皇路当清夷含
和吐明庭时穷节乃见一一垂丹青在齐太史简
在晋董狐笔在秦张良椎在汉苏武节为严将
军头为嵇侍中血为张睢阳齿为颜常山舌或为
辽东帽清操厉冰雪或为出师表鬼神泣壮

正气歌碑拓片（局部一）

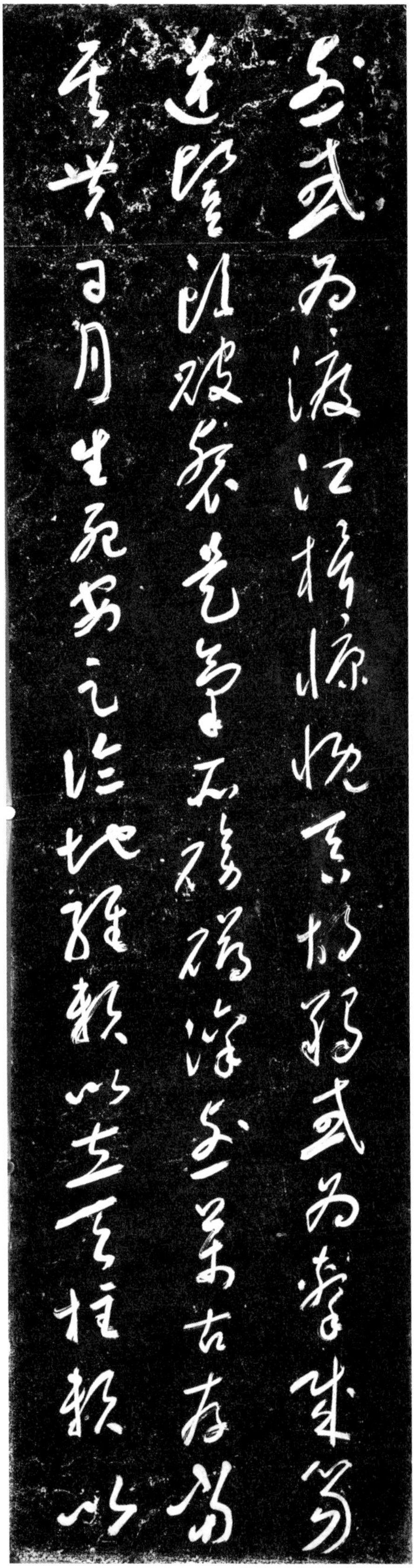
或為渡江楫慷慨吞胡羯或為擊賊笏
逆豎頭破裂是氣所磅礴凜烈萬古存當
其貫日月生死安足論地維賴以立天柱賴以

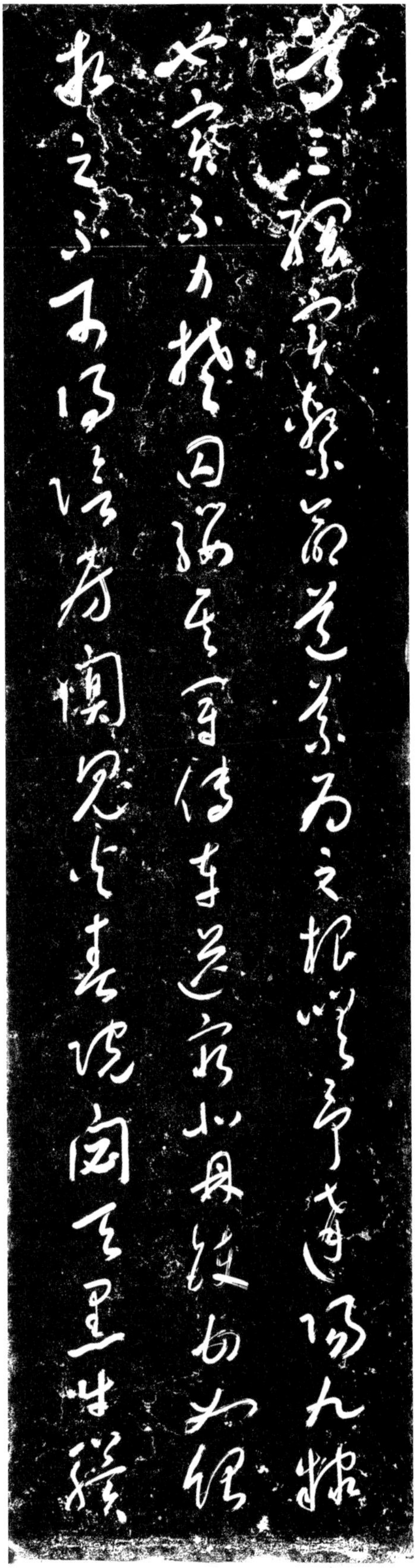
尊三綱實繫命道義為之根嗟予遘陽九隸
也實不力楚囚纓其冠傳車送窮北鼎鑊甘如飴
求之不可得陰房闐鬼火春院閟天黑

正气歌碑拓片（局部二）

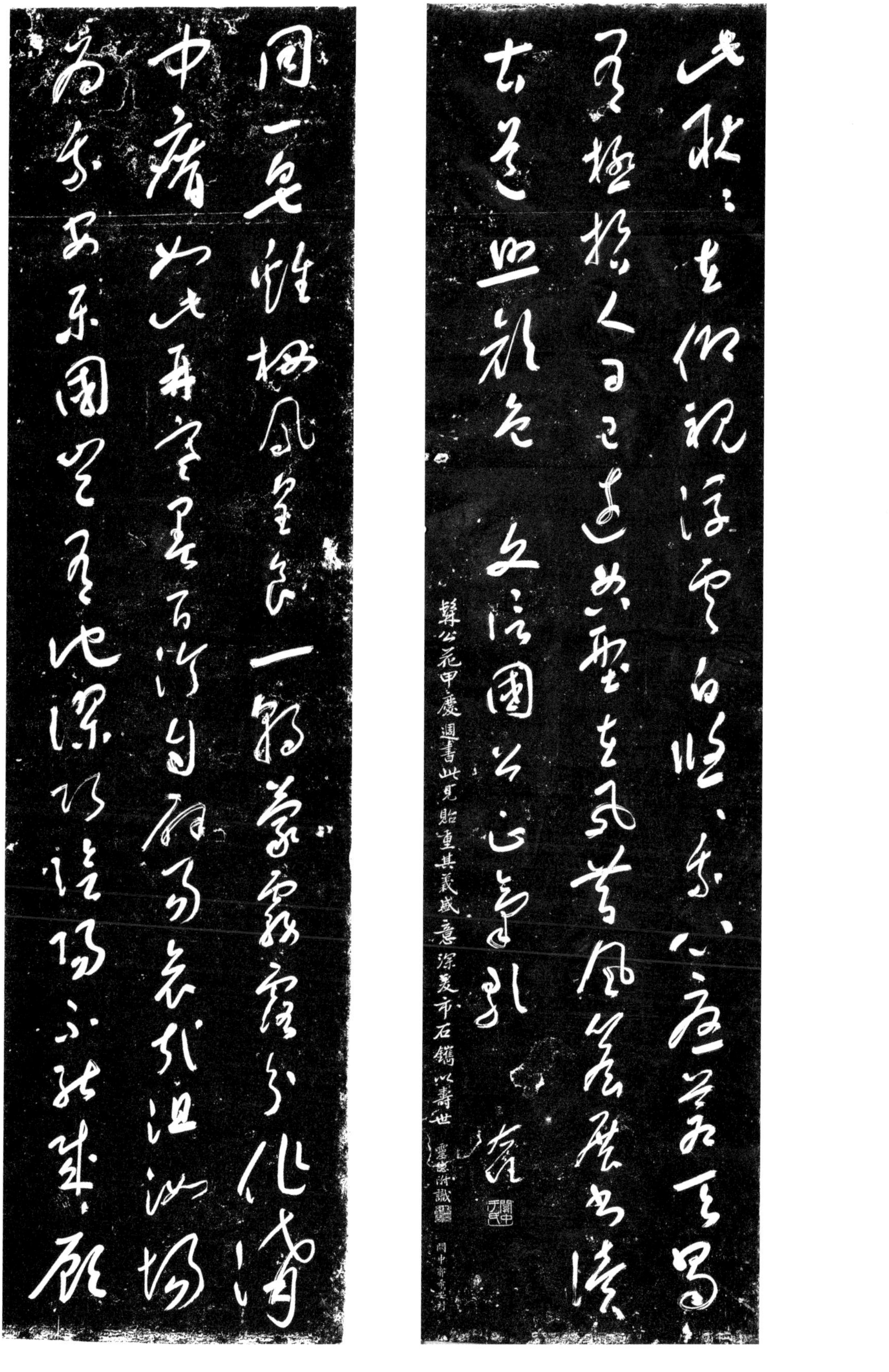

正气歌碑拓片（局部三）

陕西新城小碑林记

作为我国收藏古代碑石墓志时间最早、名碑数量最多的文化宝库，西安碑林可谓是领袖群伦、名满天下，但民国时同样建在西安的“新城小碑林”却较少为人所知。现存于西安碑林的由当时陕西名儒宋伯鲁撰书的《民国陕西新城小碑林记》、毛昌杰撰书的《小碑林记》、宋联奎撰书的《陕西新城小碑林记》，

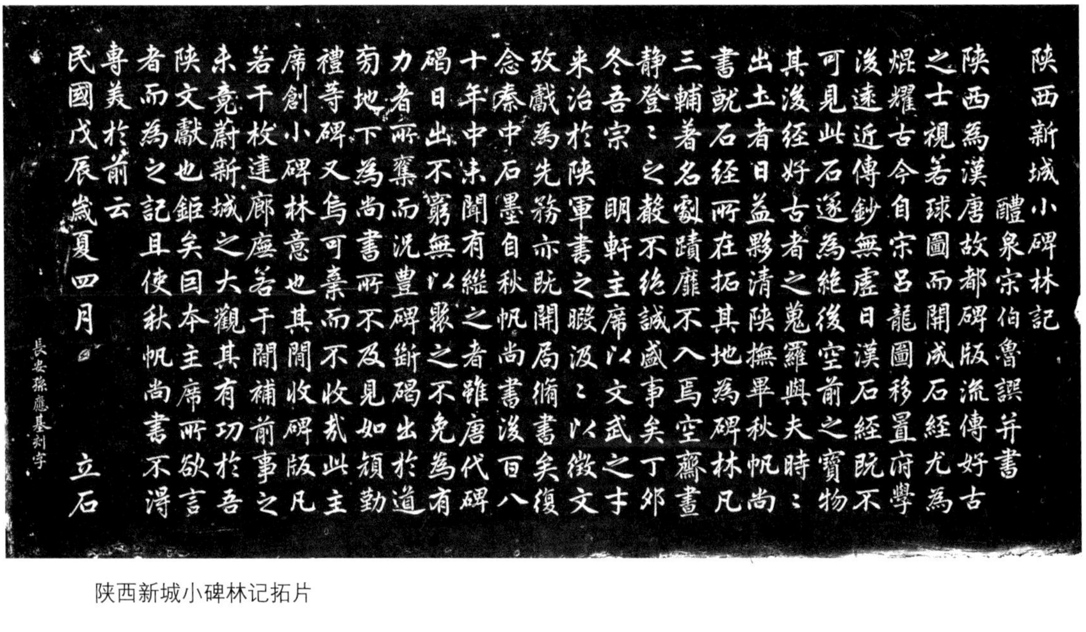

陕西新城小碑林记拓片

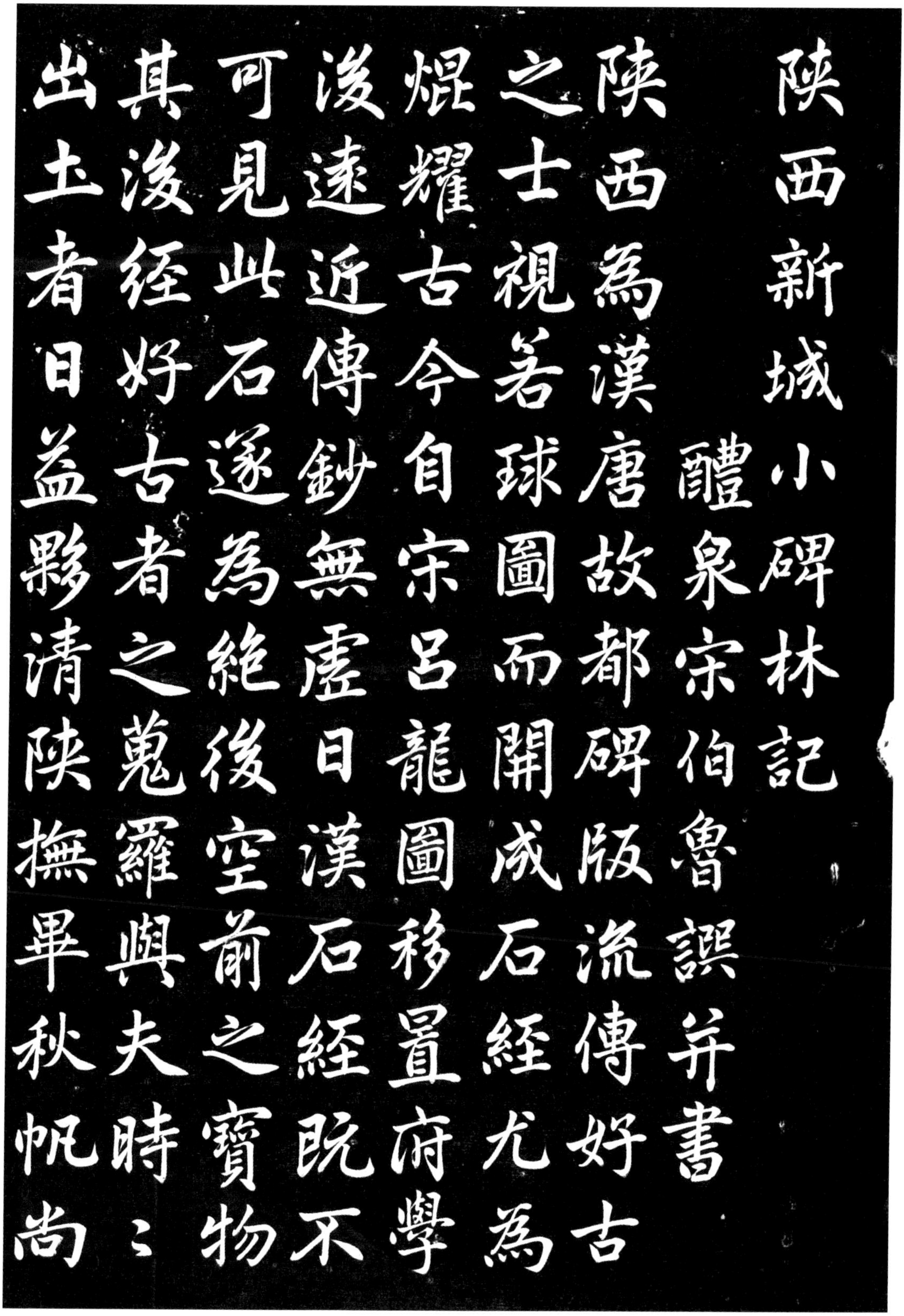
陝西新城小碑林記

醴泉宋伯魯譔并書

陝西為漢唐故都碑版流傳好古之士視若球圖而開成石經尤為焜耀古今自宋呂龍圖移置府學後遠近傳鈔無慮日漢石經既不可見此石遂為絕後空前之寶物其後經好古者之蒐羅與夫時々出土者日益夥清陝撫畢秋帆尚

陕西新城小碑林记拓片（局部）

皆详尽记载了“小碑林”创建的有关事宜，是研究“小碑林”的重要史料。三方碑石中，又以宋伯鲁所撰并书的《陕西新城小碑林记》尤为重要。此碑刻于民国十七年（1928），碑呈横长方形，高66厘米，宽131厘米。碑文28行，行13字，楷书。

宋伯鲁，字子钝，号芝田，晚年又号纯叟、心太平轩老人，陕西醴泉人。宋伯鲁是我国近代史上的一位著名人物，曾积极参加戊戌变法和辛亥革命，晚年的最大贡献是主持《续修陕西通志稿》的修纂。其诗、书、画造诣颇高，书法初学李邕，继习赵孟頫，晚年又学“二王”笔法，康有为称其为“集碑帖之大成”。其所书碑志勒石甚多。《陕西新城小碑林记》书法遒媚秀逸、结体严整、笔法圆熟，面目明显承袭赵孟頫，堪为宋氏书法精品力作。

碑文记载了“小碑林”创建的初衷、地址、时间、意义及个别碑目，再结合相关史料，可梳理其创建历史。1927年10月，宋哲元到陕西主持军政，因对金石有浓厚兴趣，到西安后时常留意收集古代碑刻。到任当年，宋哲元在省民政厅视察时，偶然发现了竖立其中的《颜勤礼碑》，宋氏极为珍视，遂萌发将散落于省内县郊的著名刻石暨新出土碑志集藏至新城（今陕西省政府内），建立“小碑林”。当宋氏将这一计划报告给冯玉祥时，得到他的肯定与支持。遂于1928年春，在省政府所在地新城辟地兴建碑廊及碑亭，又同时从兴平、蒲城、富平等地运来《汉武都太守残碑》《慧坚禅师碑》《美原神泉诗序碑》《黄庭坚诗》等数十通碑石，连同《颜勤礼碑》专门陈列。工程竣工后，《新秦日报》《民国日报》曾予以报道。当时关中名士纷纷著文，盛赞宋哲元保护地方文物的行为。宋伯鲁撰书《民国陕西新城小碑林记》即为其中较有影响的文章。西安市解放后，由于城市建设改造的需要，名碑荟萃的“新城小碑林”被撤销，其所藏碑石自1948年起分批陆续移入西安碑林，这大大丰富了西安碑林的藏品。西安碑林之所以能拥有今天这样丰富的古代碑刻藏品，“新城小碑林”所藏碑石并入其中起了很大的作用。尽管“新城小碑林”早已不存在，但宋哲元创建“新城小碑林”为保护中国古代碑刻所做出的贡献，无疑应该载入中国碑文化发展史的史册。

后 记

当本书即将付梓之时，也将迎来2017年西安碑林成立九百三十周年华诞，感慨良多。

三十八年前，当我服完兵役，脱下军装，迈入西安碑林博物馆（原陕西省博物馆）这座“历史文化的殿堂，书法艺术的宝库”时，还有些懵然，并未想到一生会与碑林结缘。从军前因“文革”的原因，我未能好好读书，直到1983年到上海复旦大学历史系学习，经受了专业训练，打下了一些历史文博知识的基础，从此踏上了文博之路。这让我想起了黄仁宇先生的诗：“学书未成先习剑，用剑无功再读书。”颇有同感。三十八年来，行走于碑林之中，穿梭于名碑之间，对碑林逐渐产生了浓厚的感情。每品读一通名碑，都是对古代书法家的景仰；每摩挲一方墓志，都是在探寻逝者的生命轨迹。因此，我特意请友人刻了一方闲章“心许碑林”，以志情怀。

因工作原因，我有时会在馆里值夜班。每每这时，夜深人静的碑林，无白日游客的喧声，唯有碑石矗立。面对这些清幽的石碑，感到人生短暂，金石永寿。一天雪夜，踏着碑林小径的积雪，看着身后留下的一串串脚印，我突发遐想：这条路，吕大忠创建碑林时走过，毕秋帆维护碑林时走过，于右任回家乡捐赠墓志时走过……还有众多贤哲、无名工匠走过。正是这无数的脚印，伴随着碑林经历了九百三十年的沧桑岁月，延续着西安碑林这座历史文化、书法艺术圣殿的文脉。

毛泽东的《水调歌头・重上井冈山》诗中写道：“三十八年过去，弹指一挥间。”碑林博大的胸襟容纳了我，碑林浩瀚丰蕴的碑石滋养了我，让我踏上了专业研究之路，伴我走上了馆领导的岗位。多年来，我主要从事古代碑刻、石刻及书法艺术的研究，出版、发表过一些著作和论文，也为西安碑林的建设发展、文物保护、藏品征集贡献了自己的绵薄之力。

2013年，西北大学出版社马来社长来碑林与我晤谈，邀我编写一本叙述碑林历史和展示文物藏品的书，以图文并茂的形式编写，并商定书名为《风雨沧桑九百年：图说西安碑林》。经过精心策划和专家评审，本书被列入“陕西出版基金资助项目”。我猜想，能入选这或许与评审专家对西安碑林的敬仰有关吧。

本书的结构以展现西安碑林的历史为主线，全方位地展示孔庙、碑林建筑、碑石墓志、陵墓石刻、佛教造像、画像石的风貌，选用了一些老照片，以显示历史的沧桑感。文字尽量避免以往专业性文章的枯燥，以叙述性的语言，力求将学术性、知识性、趣味性融为一体，图文并茂，雅俗共赏，让本书更具可读性。

本书的编写得到了西安碑林博物馆同人们的支持。一些年轻的专业人员在繁忙的工作中，协助撰写了部分文稿。他们是：张彦、张婷、杨洁、贺华、郑红莉、杨玮燕、傅清音、郭思瑶、张安兴、王庆卫、段志凌、樊波。特别是张彦在对本书的统稿、整理，以及与出版社协调等方面，做了很多辛勤的工作。罗小幸为本书拍摄了部分照片。西北大学出版社马来社长多次关注本书的进展，并提出了宝贵的建议。郭学功、王岚、琚婕编辑在版式设计、编排、校对等方面认真负责，其专业精神令人感佩。在此一并致以深深的谢忱！

2017年，恰逢西安碑林建立九百三十周年，谨将此书作为心香一瓣，献给西安碑林九百三十年华诞。

赵力光

2017年2月于西安碑林